ACCESO GRATIS *a la Lectura en la Nube*

Para visualizar el libro electrónico en la nube de lectura envíe junto a su nombre y apellidos una fotografía del código de barras situado en la contraportada del libro y otra del ticket de compra a la dirección:

ebooktirant@tirant.com

En un máximo de 72 horas laborales le enviaremos el código de acceso con sus instrucciones.

La visualización del libro en **NUBE DE LECTURA** excluye los usos bibliotecarios y públicos que puedan poner el archivo electrónico a disposición de una comunidad de lectores. Se permite tan solo un uso individual y privado

DERECHO CONTRACTUAL DIGITAL
PRESENTE, PROBLEMAS EMERGENTES Y FUTURO

Procedimiento de selección de originales, ver página web:
www.tirant.net/index.php/editorial/procedimiento-de-seleccion-de-originales

DERECHO CONTRACTUAL DIGITAL
PRESENTE, PROBLEMAS EMERGENTES Y FUTURO

Directores
Lucía Vázquez-Pastor Jiménez
Francisco José Infante Ruiz

tirant lo blanch
Valencia, 2026

En caso de erratas y actualizaciones, la Editorial Tirant lo Blanch publicará la pertinente corrección en la página web www.tirant.com.

La presente obra ha sido sometida a la revisión de pares ciegos según el protocolo de publicación de la editorial a efectos de ofrecer el rigor y calidad correspondiente tanto en su contenido como en su forma, aplicándose los criterios específicos aprobados por la Comisión Nacional E 016 (BOE num. 286, de 26 de noviembre de 2016).

Publicación cofinanciada por el Grupo de Investigación 'Derecho Civil en contexto: Desafíos XXI' (SEJ-441).

Esta obra es resultado del proyecto de I+D+i / PID2020-112714GB-I00, ayuda financiada por MCIN /AEI/10.13039/501100011033

EDITA: TIRANT LO BLANCH
C/ Artes Gráficas, 14 - 46010 - Valencia
TELFS.: 96/361 00 48 - 50
FAX: 96/369 41 51
Email: tlb@tirant.com
www.tirant.com
Librería virtual: www.tirant.es
DEPÓSITO LEGAL: V-1010-2026
ISBN: 979-13-7021-885-0

Autores

Lucía Vázquez-Pastor Jiménez

Francisco Infante Ruiz

Amanda Kalil

Davinia Cadenas Osuna

Javier Domínguez Romero

Reyes Sánchez Lería

Eugenio Pizarro Moreno

Índice

Prólogo

La transformación digital de las relaciones jurídicas ha alterado de manera radical la estructura tradicional del Derecho contractual. En apenas dos décadas, los cimientos normativos construidos sobre la presencialidad, la autonomía de la voluntad y la corrección de las asimetrías de la posición contractual del consumidor se han visto desafiados por fenómenos inéditos: la automatización de la decisión, la intangibilidad de los bienes digitales, la circulación masiva de datos personales como valor de intercambio y la irrupción de intermediarios algorítmicos que reconfiguran los esquemas clásicos de responsabilidad. En este nuevo contexto, hablar de Derecho contractual digital ya no es una metáfora, sino una necesidad dogmática y práctica: el Derecho se enfrenta al reto de reconstruir sus categorías sobre bases tecnológicas y funcionales nuevas, a la luz de los recientes desarrollos normativos europeos, como la Directiva (UE) 2019/770 sobre contenidos y servicios digitales y el Reglamento (UE) 2022/2065 de servicios digitales.

La presente obra, resultado del Proyecto de I+D+i "Derecho contractual digital, una nueva realidad: del Código a las directivas y la revolución digital" (PID2020-112714GB-I00), se inscribe en este horizonte de reflexión crítica y de reconstrucción teórica. Su propósito es examinar, desde diferentes ángulos y especialidades, los múltiples problemas que emergen cuando la contratación se traslada a entornos digitales y automatizados. Los siete capítulos que la integran, escritos por investigadores del Proyecto, ofrecen una lectura crítica y constructiva sobre los desafíos que plantea la digitalización del tráfico jurídico privado, tanto en su dimensión individual como institucional.

El volumen se abre con el estudio del Dr. Pizarro Moreno, "La significación de la identidad digital: un nuevo paradigma para el Derecho de la persona y su faceta patrimonial". Este Capítulo sitúa la reflexión en el plano axiológico del Derecho privado, cuestionando cómo la identidad digital –fragmentada, replicable y descontextualizada– altera los modos tradicionales de atribución de personalidad y de protección de los derechos inherentes al individuo. En un entorno donde los perfiles digitales actúan como representación funcional del sujeto, la frontera entre persona e identidad tecnológica se difumina, y con ella las bases dogmáticas de la imputación y la responsabilidad. El autor propone comprender la identidad digital como un nuevo punto de partida para los derechos de la personalidad, con implicaciones patrimoniales y contractuales aún por sistematizar, en diálogo con el marco normativo europeo sobre identidad digital cualificada y la Carta sobre derechos y principios digitales.

El Capítulo II, realizado por la Dra. Vázquez-Pastor Jiménez, examina "El consentimiento al tratamiento de datos personales en el ámbito digital", cuestión central en la contratación online contemporánea. El trabajo destaca la relevancia del consentimiento como eje vertebrador tanto de la protección de datos como de la validez del contrato, especialmente cuando los datos personales operan de hecho como contraprestación económica. Desde esta perspectiva, se cuestiona la naturaleza jurídica del intercambio "contenidos o servicios digitales por datos", en línea con el reconocimiento que de esta figura realizan la Directiva (UE) 2019/770 y el Texto Refundido de Consumidores al transponerla, debatiendo si la voluntad del consumidor, mediada por mecanismos automatizados de aceptación, puede cumplir las exigencias de libertad e información propias del consentimiento contractual. El análisis revela la necesidad de redefinir los parámetros de transparencia y de control efectivo en la contratación digital.

El tercer Capítulo, del Dr. Infante Ruiz, titulado "Protección de datos y contrato en la era del capitalismo de vigilancia", ofrece una mirada más estructural y filosófica sobre el fenómeno. Partiendo de la noción de "capitalismo de vigilancia" formulada por Shoshana Zuboff, el autor explora el modo en que el contrato se convierte en el instrumento jurídico de legitimación de la apropiación sistemática de datos personales. En esta lógica, la autonomía de la voluntad se transforma en un mecanismo de desposesión consentida, y el Derecho de contratos asume una función ambivalente: garantiza la libertad formal del individuo mientras posibilita su explotación informacional. El autor reivindica, en consecuencia, la necesidad de repensar el sistema de protección de datos personales como un espacio de resistencia jurídica frente a la mercantilización del comportamiento humano.

La reflexión sobre la inteligencia artificial ocupa un lugar central en la segunda mitad de la obra. El Capítulo IV, realizado por la Dra. Kalil Souza, lleva por título "Inteligencia artificial y contratación: transparencia y acceso a la lógica de las decisiones automatizadas". Su aportación se sitúa en la intersección entre el Derecho de contratos, la protección de datos y la ética de la inteligencia artificial, abordando la problemática de la opacidad algorítmica. Partiendo del artículo 15.1(h) del RGPD y de la reciente jurisprudencia del Tribunal de Justicia de la Unión Europea, la autora argumenta que la legitimidad de los sistemas automatizados de decisión contractual exige no solo la verificación de una serie de requisitos informativos, sino también una verdadera "explicabilidad material" de los algoritmos. El trabajo pone de relieve que la transparencia algorítmica no es un principio abstracto, sino una condición indispensable para la validez y eficacia de la contratación digital en un mercado justo y equilibrado, en coherencia con las obligaciones de transparencia y trazabilidad previstas en el Reglamento Europeo de Inteligencia Artificial.

El Capítulo V, elaborado por la Dra. Cadenas Osuna, se centra en la responsabilidad patrimonial de la Administración sanitaria ante los daños derivados del uso de sistemas de inteligencia artificial. En un ámbito donde la confianza pública y la protección de la salud se encuentran en juego, la autora examina las tensiones entre la responsabilidad de la Administración y los nuevos riesgos tecnológicos. El estudio aborda con rigor la imputación causal en escenarios en los que el error o el daño derivan de decisiones automatizadas, analizando la incidencia del principio de precaución y de los estándares de diligencia tecnológica exigibles a la Administración como criterios de interpretación del artículo 32 de la Ley 40/2015, y proponiendo criterios de atribución que compatibilicen la innovación tecnológica con la seguridad personal y la tutela efectiva de los pacientes. De este modo, el Capítulo contribuye a perfilar un modelo de responsabilidad administrativa ajustado a la gobernanza algorítmica y a la ética del uso de la inteligencia artificial en el sector público.

En el Capítulo VI, el Dr. Domínguez Romero ofrece un estudio sistemático bajo el título "Proveedores digitales en la intersección normativa europea: categorías funcionales, responsabilidad y dinámicas de convergencia regulatoria". El autor realiza una lectura práctica de la arquitectura regulatoria europea en materia digital – en particular del Reglamento de Servicios Digitales, del Reglamento de Mercados Digitales y de las diversas declaraciones sobre la estrategia de Mercado Único Digital– para desentrañar la esencia del estatuto jurídico de los prestadores digitales. A partir de este análisis, pone de relieve la coexistencia de técnicas legislativas horizontales y verticales y la necesidad de una "interpretación contextualizada" basada en la función económica y tecnológica desempeñada por cada proveedor. El Capítulo ilustra con claridad la tendencia hacia un Derecho de la responsabilidad digital de carácter convergente, donde las categorías tradicionales ceden espacio a modelos normativos dinámicos y funcionales.

Finalmente, la Dra. Sánchez Lería cierra el volumen con el Capítulo VII, titulado "Obligaciones y responsabilidad contractual de plataformas intermediarias de contratación tras el Reglamento 2022/2065 de servicios digitales". Este texto examina uno de los problemas más actuales y prácticos del Derecho contractual digital: la delimitación de la responsabilidad de las plataformas intermediarias respecto del contrato subyacente celebrado entre usuarios y empresarios. A partir del artículo 6.3 del Reglamento de Servicios Digitales, la autora explora los posibles criterios de imputación de responsabilidad contractual, analizando las diferentes interpretaciones doctrinales y las consecuencias de cada una para la tutela del consumidor y la coherencia del Derecho europeo de contratos. Su aportación contribuye a perfilar un nuevo modelo de responsabilidad compartida en la economía de plataformas, en el que el papel del intermediario deja de ser meramente técnico y neutral para adquirir relevancia jurídica sustantiva.

En su conjunto, el libro ofrece una visión estructural del Derecho contractual digital como un campo todavía en construcción, donde las categorías tradicionales del Derecho civil –consentimiento, responsabilidad, autonomía de la voluntad– se someten a un proceso de redefinición frente a las exigencias de la tecnología y los mercados globales. Los trabajos reunidos no solo abordan los problemas de adaptación normativa, sino que ponen de manifiesto la necesidad de una nueva cultura jurídica capaz de integrar la lógica de los algoritmos, la protección efectiva de los datos personales y la transparencia en la toma de decisiones automatizadas dentro del marco garantista del Derecho privado europeo.

Esta obra colectiva no pretende clausurar el debate, sino abrir nuevas vías de reflexión. Cada Capítulo constituye, en sí mismo, una aportación valiosa al conocimiento jurídico sobre la materia, pero su mayor mérito radica en la coherencia que se desprende del conjunto: la convicción compartida de que el Derecho contractual digital es al día de hoy tan solo una primera avanzada de la protección jurídica de la persona que requiere, ante los enormes desafíos de la era tecnológica, tanto una relectura integral de algunas partes del Derecho civil clásico como del derecho regulatorio del mercado digital.

LUCÍA VÁZQUEZ-PASTOR JIMÉNEZ
FRANCISCO INFANTE RUIZ
Universidad Pablo de Olavide, de Sevilla.
Investigadores Principales del Proyecto.

Capítulo I

La significación de la identidad digital: un nuevo paradigma para el derecho de la persona y su faceta patrimonial

EUGENIO PIZARRO MORENO
Dr. Derecho Civil e Internacional privado (propiedad intelectual), US
Profesor Titular UPO

I. BREVE NOTA INTRODUCTORIA

La remozada regulación sobre la protección de datos personales ha puesto su punto de mira en la información sobre la persona relacionada, fundamentalmente, con su entorno digital (no en vano la extensión de su denominación se refiriere a la garantía de los derechos digitales). Es decir, que un silogismo elemental nos permite entonces concluir que el tratamiento de la información personal es la clave del sistema. Y es indiscutible también que ese tratamiento de los datos aparece indisolublemente unido a la intimidad personal. Por eso la CE de 1978, avanzada de forma notable en este aspecto, ya había previsto los posibles ataques a la privacidad a través de la informática ex art. 18.4 de la Constitución, cuando hizo saber que la ley limitaría el uso de la informática para garantizar el honor y la intimidad personal y familiar de los ciudadanos y el pleno ejercicio de sus derechos; seguramente, se refería la norma suprema a regulaciones -no solo nacionales- sobre la información personal.

Y en este sentido se había pronunciado el Tribunal Constitucional el 20 de julio de 1993, al hablar del concepto de "libertad informática", concebida como la libertad del individuo de prestar o ceder su información personal de manera arbitraria e imponiendo a quienes traten esa información la obligación de hacerlo con el consentimiento del afectado. Es de esta manera como se configura el derecho a la protección de datos y donde se justifica la estrecha relación que une los conceptos de privacidad e intimidad. Sic: "La «libertad informática», reconocida por el art. 18.4 de la Constitución, ya no es la libertad de negar información sobre los propios hechos privados o datos personales, sino la libertad de controlar el uso de esos mismos datos insertos en un programa informático: lo que se conoce con el nombre de "habeas data". Tales son las ideas generalmente admitidas hoy entre los juristas y en el Derecho comparado, que ofrece una de las vías para delimitar el contenido esencial de un derecho fundamental [STC 11/1981 (RTC 1981\11)]" (TOL 82356).

Un primer elemento, el más elemental de ese contenido, es, sin duda, negativo, respondiendo al enunciado literal del derecho: el uso de la informática encuentra un límite en el respeto al honor y la intimidad de las personas y en el pleno ejercicio de sus derechos. Ahora bien, la efectividad de ese derecho puede requerir inexcusablemente de alguna garantía complementaria, y es aquí donde pueden venir en auxilio interpretativo los tratados y convenios internacionales sobre esta materia suscritos por España. Pero también existe la vertiente positiva del derecho, concretado en forma de derecho de control sobre los datos relativos a la propia persona. La llamada libertad informática es también, así, derecho a controlar el uso de los mismos datos insertos en un programa informático (*habeas data*). A nuestro juicio, y como veremos más adelante, no se ha completado ni se podrá completar el contenido esencial mientras siga vigente, y en la forma en que lo está, la afamada Ley Orgánica 1/1982, de 5 de mayo, de protección civil del derecho al honor, a la intimidad personal y familiar y a la propia imagen. Una ley que, quizá lo mejor que se puede decir de ella, es precisamente que no agota el contenido esencial -*laus deo*- y que ha demostrado que las ínfulas que parecían inferirse de su denominación, no soportan el más mínimo rigor científico. Es más: es mucho más trascendente su nomenclatura que su contenido. El misterio es, dicho con todo respeto, que esta ley siga vigente.

En lo que sigue, nos sumiremos en una estructura de interpretación y adaptación de normas jurídicas, para lo cual será indispensable el uso de una terminología especial que ayude en la diferenciación de ciertas figuras poco usuales. Pone de relieve, con razón, PÉREZ LUÑO la necesidad "...de una metodología específica para abordar adecuadamente esta nueva disciplina jurídica. La comprensión correcta de los problemas planteados por las nuevas tecnologías de la información (informática) y de la comunicación (telemática) exige contar con unas categorías conceptuales y metodológicas aptas para captar su alcance y significación".

Así, son muchas las dudas y perplejidades que se pretenden abordar en este trabajo: ¿Qué es, jurídicamente, una cuenta en una red social? ¿Cómo se relaciona la actividad en la red de una persona con el usuario? ¿Toda cuenta en una red social forma parte de la personalidad de un individuo?... Todas estas son incógnitas destinadas sin remedio a ser despejadas; en una reciente obra, Yuval Noah HARARI (trilogía *De sapiens a dioses*) ha relanzado el concepto de <dataísmo>, revelando que, en lo futuro, habrá una auténtica cultura distópica sobre la información personal, el dato y la identidad digital, cuyo legado o alcance habrá que calibrar.

II. LA PERSONALIDAD DISOCIADA; UN NUEVO PARADIGMA

Dicen DE COSSÍO y LEÓN-CASTRO[1], por citar a dos autores clásicos, que la persona es "aquel sujeto de derecho [...] que puede ser titular de derechos subjetivos y de obligaciones jurídicas" siendo por tanto la personalidad "la confluencia de una serie de derechos innatos derivados de la misma naturaleza del hombre, [...] la personalidad no es más que una manifestación especial del hecho de ser persona".

La idea que mejor explica este concepto es la que refiere la personalidad como un centro de imputación de derechos y deberes que identifican un conjunto de rasgos intelectuales -también físicos[2]-. El resultado de dicha expresión, relacionada de forma individual o grupal, es lo que conocemos por identidad.

---

1 DE COSSÍO, M. y LEÓN-CASTRO, J. *Derecho Civil Español. Parte General,* Ed. Comares, Granada, 1999, pp. 263-264.

2 No se olvide que, como decía HERNÁNDEZ GIL, se tiene capacidad en cuanto se es persona, no se es persona en cuanto se tiene capacidad. Esta frase permanece vigente teniendo en cuenta, incluso, la profunda reforma de concepto y normativa sobre la capacidad de las personas. Vid. PIZARRO MORENO, E.: "La edad y la enfermedad mental como causas de discapacidad, un binomio irreconciliable: responsabilidad "aquiliana" en tales casos: "background" de derecho comparado", en *Un nuevo orden jurídico para las personas con discapacidad* / coord. por Cristina GIL MEMBRADO, Juan José PRETEL SERRANO; Guillermo CERDEIRA BRAVO DE MANSILLA (dir.), Manuel GARCÍA MAYO (dir.), 2021, pp. 431-440.

Pues bien, desde el mismo instante en que somos capaces de reconocer la identidad de las personas, la posibilidad de disociarla ha estado siempre en el espectro imaginario del sujeto y, en contra de lo que pueda pensarse, no nos encontramos ante un concepto moderno; la idea de personalidad disociada ha estado indisolublemente unida al desarrollo del derecho, en general, y de los derechos ligados a la propiedad intelectual, sobre todo: el seudónimo[3] o las personas jurídicas constituyen un buen ejemplo[4]. Algo similar puede decirse respecto del alias o apodo; no se olvide tampoco que, en materia testamentaria, la doctrina y jurisprudencia han admitido la posibilidad de que se designe a un heredero o legatario mediante su mote o apodo (vgr., instituyo heredero en la parte libre a mi amigo

---

3 DE COSSÍO y LEÓN-CASTRO, ib., pp. 371 y 372, lo han definido como "aquel nombre ficticio de que se vale una persona para ocultar la verdadera identidad por diversas causas [...]. A diferencia del nombre, el seudónimo no es más que la pretensión de la propia persona de distinguirse de los otros, mientras que el nombre es el medio que la sociedad le señala para ello". Aun así, el seudónimo no logra una total disociación de identidades, pues conlleva necesariamente una unión con un sujeto identificable, que ha optado por re-identificarse con vocación pública, con el respetable objetivo de ocultar su identidad primigenia.

4 Una muestra para cada caso podemos extraer de la importante jurisprudencia europea: STEDH de 25 de septiembre de 2012, de la Sección 2, sobre derecho al conocimiento de los orígenes biológicos (cuestión en la que decae el derecho al anonimato); STEDH de 18 de diciembre de 2014, sobre la protección de testigos preservando su anonimato; el art. 12 de la Ley de Adopción Internacional introduce la limitación al conocimiento de los orígenes biológicos que imponga la legislación del país de procedencia del adoptado y, en cualquier caso, la indagación sobre los orígenes filiales se determinará con el seguimiento de la entidad pública de referencia; O la STC de 18 de junio de 2001, sobre la relevancia del anonimato en la protección del derecho a la propia imagen.

<<Jesús el Sabio>>, siempre y cuando sea factible la identificación del sujeto beneficiario).

La expresión máxima de la personalidad disociada hemos de encontrarla en la clásica ficción llamada <<persona jurídica>>. El insigne jurista judeo-austríaco Hans KELSEN se sintió conmovido por tal figura, y le inquietaba su concepción "como realidad distinta de los individuos, pero, cosa extraña, no perceptible por los sentidos...", o, quizá para aportar un concepto más integrado, "como un organismo social superior a los individuos que la componen, es la hipóstasis -insuperable término, aportación nuestra- de un concepto puro destinado a facilitar la descripción del derecho"[5]. El prof. CAPILLA[6], probablemente quien mejor haya escrito sobre este aspecto, informa que "el origen de la persona jurídica no es otro que dar respuesta al problema de cómo articular ciertos derechos y obligaciones alrededor de la persona natural. La persona jurídica es la ficción creada por el Derecho a través de la cual, por la acción de una o varias personas físicas, nace una nueva personalidad capaz de ser titular de derechos y obligaciones, actuando a través de sus representantes".

Para ahondar en esta idea, las manifestaciones de ALBALADEJO en relación con la razón de ser de la persona jurídica son de una calidad indubitada: "[...] es que el Derecho, junto a la persona física, crea unos seres irreales –las personas jurídicas- que equipara –al menos en ciertos aspectos- a aquéllos, ¿por qué y para qué considera el Derecho persona a un ente –la organización- que desde un punto de vista natural no lo es? Creo que puede responderse: El Derecho no crea seres de la nada, sino que atribuye personalidad (además de al hombre)

---

5 KELSEN, H. *Teoría Pura del Derecho,* Ed. Universitaria de Buenos Aires, Buenos Aires, 2009, p. 102.

6 CAPILLA, F. *La persona jurídica: Funciones y Disfunciones,* Madrid, Tecnos, 1984, p. 39.

a ciertos entes que aprehende del campo social, entes que sin tener una realidad corporal y espiritual como aquél, sin embargo, tienen realidad social, una individualidad propia, y toman parte en la vida de la Comunidad como unidades distintas e independientes (así, un municipio, un club deportivo, una sociedad anónima) de los singulares elementos que en cada momento concreto, los componen (vecinos, los socios, los accionistas), para alcanzar determinados fines que interesan, no a un solo hombre, sino a una pluralidad de ellos [...]"[7].

En esta somera explicación de lo que hemos dado en llamar la personalidad disociada, acaso pueda achacarse la remisión a conceptos y estudiosos clásicos, desacompasados o extemporáneos de una realidad cinética, mucho más ágil que la propia ciencia jurídica.

Cuenta también este ejemplo de disociación de identidades con la característica de la susceptibilidad de sucesión, ya sea *mortis causa* o *inter vivos* (de nuevo, en función de la configuración específica de cada caso), evidenciando la posibilidad de supervivencia de la nueva persona a sus creadores. Ejemplo de ello podemos encontrarlo en las previsiones de la Ley de Sociedades de Capital, de la vida ilimitada (salvo disposición en contrario en los estatutos) de las sociedades en su artículo 25; unida a la posibilidad de disposición de participaciones y acciones recogida en los artículos 106 a 112 y 120 a 150[8].

---

7 ALBALADEJO, M, *Derecho Civil I. Introducción y Parte General,* Barcelona, Ed. Librería Bosch, 2002, p. 373.

8 La Ley habla, sic, de duración indefinida: "Salvo disposición contraria de los estatutos, la sociedad tendrá duración indefinida", Real Decreto Legislativo 1/2010, de 2 de julio, por el que se aprueba el texto refundido de la Ley de Sociedades de Capital.

III. UNA SOCIEDAD DISTÓPICA. LA IRRUPCIÓN DE LOS MECANISMOS DIGITALES Y LA EVENTUAL CREACIÓN DE UNA IDENTIDAD

La época en la que nos encontramos ha quedado marcada por uno de los mayores hitos de la historia contemporánea: la irrupción de internet. Esta herramienta ha supuesto la conexión sencilla y en tiempo real de todo el planeta, posibilitando intercambios de información a niveles nunca alcanzados. De uso global y crecimiento exponencial, este mundo digital ofrece vías de expresión de la personalidad imposibles hasta su creación, con los resultantes problemas jurídicos: la falta de previsión legislativa de una infinidad de nuevas realidades sociales y la lentitud de la respuesta del legislador a dicho problema frente a la velocidad de las nuevas creaciones.

En cuanto a la identidad de la persona proyectada en la red, y aun tratándose de un legislador principiante en este campo, es posible encontrar ya ejemplos de su regulación[9].

La propia Ley de Firma Electrónica nos ofrece en su artículo 3, apartado 1, una primera definición[10], siendo esta «el con-

---

9 Más concretamente nos referimos a la ya extendida configuración de la relación online entre la Administración del Estado y el administrado. Los principales exponentes de la materia son la Ley de Firma Electrónica, que nos introdujo las importantes figuras de la Firma Electrónica y el Documento Nacional de Identidad Electrónico (DNIe); y el Reglamento UE 910/2014 del Parlamento Europeo y del Consejo de 23 de julio de 2014, relativo a la identificación electrónica y los servicios de confianza para las transacciones electrónicas en el mercado interior y por la que se deroga la Directiva 1999/93/CE.

10 Está de moda que las leyes definan o contengan apartados dedicados exclusivamente a definir aunque, como diría el ilustra DÍEZ-PICAZO, leyes están para regular, no para definir; esa es una labor que compete a doctrina y jurisprudencia.

junto de datos en forma electrónica, consignados junto a otros o asociados con ellos, que pueden ser utilizados como medio de identificación del firmante»[11]. Como podemos observar, se introduce aquí el concepto de la identificación o determinación de la identidad administrativa de la persona concreta, al equivaler la firma electrónica a la firma física. Este concepto es ampliado o concretado por el Reglamento 910/2014, artículo 3, apdo.1°, que equipara la identificación electrónica al «proceso de utilizar los datos de identificación de una persona en formato electrónico que representan de manera única a una persona física o jurídica o a una persona física que representa a una persona jurídica»[12].

Por último, un sistema de plena vigencia y recurrente en grado máximo, que lleva ya unos años de implementación es LexNET. «El sistema LexNET es un medio de transmisión seguro de información que mediante el uso de técnicas criptográficas garantiza la presentación de escritos y documentos y la recepción de actos de comunicación, sus fechas de emisión,

---

11 Continúan los apartados 3 y 4 del artículo exponiendo que «se considera firma electrónica reconocida la firma electrónica avanzada basada en un certificado reconocido y generada mediante un dispositivo seguro de creación de firma» teniendo ésta «respecto de los datos consignados en forma electrónica el mismo valor que la firma manuscrita en relación con los consignados en papel».

12 De forma similar, la definición del Documento Nacional de Identidad Electrónico se concreta en el artículo 15 de la Ley de Firma Electrónica, donde expone que es aquel «documento nacional de identidad que acredita electrónicamente la identidad personal de su titular y permite la firma electrónica de documentos».
Junto a esto, debemos tener en cuenta otros mecanismos de certificación de la identidad (entre otras características) como son los sellos electrónicos, los servicios de certificación electrónica y los servicios de confianza. Podemos encontrar numerosas definiciones en el artículo 3 del Reglamento 910/2014, como los "servicios de confianza" o el "sello electrónico"

puesta a disposición y recepción o acceso al contenido de los mismos»[13].

Estos someros ejemplos nos permiten concluir la existencia de un denominador común en los sistemas, mecanismos y herramientas enfocadas al uso creciente de la identidad digital, y no solo en su aspecto -reflejados en la normativa aludida- administrativo, sino también en el ámbito de la persona como sujeto patrimonial: el objetivo es vincular lo máximo posible tecnológicamente, la personalidad administrativa y patrimonial del individuo con su expresión virtual.

Estos procesos, forzosamente, conducen a una realidad incorpórea, etérea y relativizada. Lo hemos podido comprobar, por añadir un ejemplo más, con el consentimiento, ese elemento esencial del contrato que, hoy más que nunca, se salva con un simple clic electrónico y que perfecciona cualquier contrato, con independencia de su trascendencia en la esfera administrativa o patrimonial del sujeto. Interesa, además, que ese consentimiento, como hemos avanzado, sea relativo y poco profundo, poco razonado, y apenas ponderado. Los mecanismos actuales de transferencia patrimonial exigen un tráfico muy ágil, para los que el principio reflexivo del consentimiento supone una importante traba. Identidad (digital) y consentimiento relativo son, pues, las claves de la nueva sociedad distópica, porque habilitan el instrumento principal del

---

13 Del artículo 13 del Real Decreto 1065/2015, de 27 de noviembre, sobre comunicaciones electrónicas en la Administración de Justicia en el ámbito territorial del Ministerio de Justicia y por el que se regula el sistema LexNET. La implantación del sistema LexNET como nuevo intermediario entre los profesionales y la Administración de Justicia es un ejemplo magnífico de cómo las nuevas tecnologías no son el futuro, sino el presente. A pesar de contar aún con un amplio margen de mejora, LexNET supone la rotura de muchas barreras existentes con la Justicia, además un importante paso hacia una tramitación más eficaz en el tiempo y ecológicamente sostenible.

tráfico jurídico: el contrato, tanto en sus aspectos administrativos (usuarios, aspectos fiscales, etc.) como patrimoniales.

3.1. Aproximación conceptual y teorías sobre su configuración

Un primer acercamiento simplista e incompleto a la definición de identidad digital, que se ha dado en llamar no siempre con mucho éxito, "identidad 2.0" sería toda aquella expresión de la personalidad (jurídica o con trascendencia jurídica) reflejada en el mundo virtual. Esta expresión puede concretarse en una multitud de fuentes de información, como por ejemplo perfiles en redes sociales con información personal; material audiovisual; comentarios literarios; derechos a la propia imagen; textos científicos; agenda de contactos; o mensajería privada; protección de datos o intimidad, entre otros. Es, sobre todo, a partir de la primera década del siglo XXI cuando, con fuerza, empiezan a desarrollarse trabajos de estudio e investigación sobre la materia.

Encontramos así, en la línea de la idea expuesta por LLOPIS, que el asunto puede enfocarse desde «dos ángulos absolutamente opuestos, y que dependen de que se entienda que la identidad virtual es algo distinto de la identidad real, o que se entienda que la primera forma parte de la segunda»[14]. En la doctrina anglosajona, SULLIVAN[15] relaciona la "digital identity" con las "ID Cards" (documentos de identidad), con la identidad administrativa al fin y al cabo. Como en tantas otras ins-

---

14 LLOPIS, J.C. *¿Existe la Identidad Virtual?*, Notaría Llopis Blog, 2015, http://wllsl.com. Consultado a fecha de 08.09.2025. Esta manifestación es llamada por el propio autor "identidad analógica".

15 SULLIVAN, C. *Digital Identity: An Emergent Legal Concept*, South Australia, University of Adelaide Press, 2011, p. 19.

tituciones jurídicas[16], podemos encontrar una triple teoría en relación con la identidad digital: monista, dualista y ecléctica.

La teoría monista referida a las identidades administrativa y digital es la más extendida en la actualidad. En su virtud, se niega la posibilidad de disociación de ambas identidades, entendiéndolas una sola, concretada en la identidad administrativa, la cual se expresa por distintas vías o perspectivas (entra otras, la patrimonial). Así, la identidad virtual, sea cual sea su manifestación, siempre será un apéndice de la identidad administrativa.

La teoría dualista, en contraposición, sería aquella que defienda la total separación de la identidad administrativa de cualquier tipo de identidad digital; en connivencia, tampoco realiza ningún tipo de distinción entre las diversas manifestaciones o perspectivas de identidad digital. La aplicación de esta teoría conlleva ciertos peligros jurídicos, al encontrarse en un punto demasiado cercano a posibilidades tales como la exclusión de todo tipo de responsabilidad derivada del uso de identidades digitales, siendo este el motivo de su escaso apoyo.

Una teoría ecléctica abogaría por reconocer una identidad disociada pero cohabitante, en la que se permitiría al sujeto adquirir de forma instantánea una u otra identidad, la física y la digital, de forma autónoma y no comunicada, con lo que se dificultaría su definición y realización en el espectro jurídico.

En cualquier caso, la realidad actual es que da la sensación de que se está imponiendo la teoría dualista, que permite un mayor control sobre las esferas, de forma autónoma, y una más fácil configuración desde el punto de vista jurídico. Esto nos deriva indubitablemente a una concreción mayor, aunque aún

---

16 Vgr., en relación con los derechos de autor, vid: *La disciplina constitucional de la propiedad intelectual*, PIZARRO MORENO, E., ed. Tirant lo Blanch, Valencia, 2012.

incompleta (por requisitos de la explicación) de la definición de identidad digital. Podemos añadir a lo hasta ahora dicho que la identidad digital es aquella expresión de la personalidad creada en el mundo digital sin un vínculo necesario con la identidad administrativa.

3.2. Análisis del escenario

La realidad social en la que se ha desarrollado toda la problemática aquí planteada es diversa al extremo. Es posible encontrar en la red multitud de aplicaciones y herramientas para la expresión de la personalidad, cada cual, con sus características individuales, suponen medios de expresión tan distintos entre sí como pueden serlo una película de un libro. Este acervo, que se va construyendo de forma paulatina, ha permitido al norteamericano Daniel SOLOVE acuñar la expresión "*digital dossiers*", que engloba el contenido identitario creado por cualquier sujeto en el entorno digital[17].

El contexto digital, al igual que la identidad, se caracteriza -en general- por no contar entre sus requisitos con la certificación auténtica de la persona. Aun exigiendo la cumplimentación de una serie de datos veraces (como nombre, apellidos, ciudad de residencia, nacionalidad, etc.), no cuentan con ningún mecanismo por el que se certifique la autenticidad de esos datos o, dicho de otra manera, la correspondencia de los datos aportados con la identidad administrativa.

La importancia del correo electrónico, aunque sigue siendo amplia, presenta una marcada decadencia con la aparición de nuevos métodos de mensajería y de registro en aplicacio-

---

17 SOLOVE, D. J. *Ex Machina: Law, Technology, and Society: The Digital Person: Technology and Privacy in the Information Age,* New York, New York University Press, 2004, p. 1.

nes y sitios web. Así, ya es posible usar para estos fines cuentas en otros sitios web o números de teléfono. Esto nos enlaza a un tipo específico de aplicación que se ha erigido como la vía principal de conexión del mundo digital con la personalidad: las redes sociales.

Los apabullantes datos son la muestra del enorme crecimiento de una realidad social, fuera del ámbito tradicional, la cual necesita de una, hasta ahora, insuficiente regulación jurídica. En concreto, estas aplicaciones deben sernos de especial interés debido a las amplias posibilidades con las que cuentan. Entre estas, podemos señalar, adelantando acontecimientos, la de crear un perfil que entendemos susceptible de ser disociado de la identidad administrativa y que, además, del que podría disponerse *mortis causa*.

3.3. Id, la trinidad digital

ALAMILLO, RALLO y MARTÍNEZ[18] defienden la existencia de tres tipos de identidades digitales en función de la parte vinculada con el usuario, siendo estas la identidad electrónica personal (o nuclear o base), la identidad electrónica corporativa y la identidad electrónica de cliente (otro de los elementos de variabilidad de las redes sociales es su diferente tipología. Es común la distinción de redes sociales de contacto personal o doméstico, de contacto laboral y de contacto especializado). Esta clasificación parte de la asunción de la imposibilidad de disociar identidades, por lo cual distinguiremos aquí diferentes tipos de identidades digitales en función del grado de vinculación con la identidad administrativa.

---

[18] ALAMILLO DOMINGO, I. [Capítulo II] RALLO LOMBARTE, A. y MARTÍNEZ MARTÍNEZ, R. *Derecho y Redes Sociales*, Navarra, Thomson Reuters, 2010.

a) Persona Física

Entre las distintas posibilidades disponibles a la hora de crear expresiones de la personalidad, identidades en la red, comenzaremos con la creación de cuentas o perfiles que no son más que reflejos de las identidades administrativas. Estas serían aquellas cuentas, tan extendidas, cuyos datos identificativos se relacionan con los datos administrativos de la persona física que la crea.

Debemos distinguir esta opción de los ya mencionados mecanismos de expresión digital de la identidad administrativa, como la Firma Digital o el DNIe. La diferencia radica en la libertad del usuario de plasmar dichos datos. En la cuenta reflejo, el usuario se distingue en la red, por propia elección, con sus datos administrativos. El DNIe o la Firma Digital no permiten la elección de uso de los datos, más bien todo lo contrario, su objetivo es la identificación inequívoca de los datos administrativos.

Como ya se ha dicho, es uno de los tipos de perfiles más extendidos. El fin de la creación de dichos perfiles es diverso: instrumento de comunicación entre sujetos, método de obtención de información o la prestación de algún servicio en un sitio web.

b) Persona Jurídica

La segunda opción es aquella por la que se crea un perfil cuyos datos se identifican con los de una persona jurídica registrada en el sistema administrativo (esto es, cualquier sociedad no irregular).

Este tipo de perfiles sirven al interés social de la persona jurídica, plasmado en actividades similares a las realizadas por los perfiles reflejos de personas físicas, como pueden ser el contacto con otros sujetos, la obtención de información y recibir servicios, pero puede ampliarse esto a la prestación de servicios a otras personas.

Puede darse el caso de que el perfil de la persona jurídica sea su única concreción.

c) Caso especial: Persona Física ligada a Persona Jurídica

Cabe mencionar el caso específico de perfiles reflejos de personas físicas que están ligados de alguna manera a personas jurídicas. Es el caso, normalmente, de empleados o socios de entidades que se identifican a sí mismos con sus datos administrativos sumados a los datos de la persona jurídica con la que se relacionan.

Un reciente artículo de PÉREZ ESCOLAR[19] lo refleja en sus justos términos: "...la atribución de personalidad jurídica a los sistemas de IA podría dar lugar a otros problemas importantes en consideración de que el contenido genuinamente patrimonial de la personalidad jurídica *ex* art. 38 párrafo primero CC ya ha sido desdibujado en ámbitos concretos que, de la misma forma, podrían afectar a la persona jurídica robótica disolviendo así los límites entre ésta y la persona física de forma todavía más acentuada de la que se deduce únicamente de su hipotética consideración como persona jurídica".

IV. LA SUCESIÓN MORTIS CAUSA DE LA IDENTIDAD DIGITAL

Hemos podido observar entonces, a través de las líneas anteriores, que los aspectos identitarios y patrimoniales son los que urgen al establecimiento de una regulación cada vez más precisa y que ofrezca una mejor cobertura; entra así en valor la sucesión *mortis causa* de la identidad digital, en la medida que vincula tanto la cuestión de la identidad del sujeto, una

19 PÉREZ ESCOLAR, M., "Personalidad jurídica e inteligencia artificial", en *Indret*, 3/2025, p. 51 y 52.

vez extinguida la personalidad, y su elongación patrimonial[20]. Si acudimos a la regulación clásica, será indisponible para su titular en tanto debiera extinguirse con la muerte del causante -art. 659 CC- por ser un elemento indivisible de su identidad -art. 32 CC-. Esta es presunción que históricamente se ha asumido como *iuris et de iure* aunque es probable que, hoy más que nunca, requiera de alguna matización.

Deberá ponerse en duda, primero, por la existencia de casos de uso de perfiles en el entorno digital, por terceras personas distintas del usuario con el que se identifica. Así, podemos pensar en el control parental del uso de redes sociales, como complemento de la capacidad del menor, derivado de la protección de los datos de carácter personal[21]. También es posible pensar en el uso de perfiles en redes sociales de sociedades o algunas personas físicas, por los llamados *community manager*[22],

---

20 Vgr., autor de un blog que genera ingresos económicos y que fallece: ¿podría algún heredero continuar con la actividad plena, usando el nombre-identidad originarios y beneficiándose de los ingresos? La cuestión es discutida y discutible.

21 En este sentido afirma BUTTARELLI, G. en PIÑAR, J. L. Redes Sociales y Privacidad del Menor, Madrid, Reus, 2011, p.147, que «para determinar en qué momento puede ser necesario el consentimiento de los progenitores, debemos tener en cuenta que el objetivo del consentimiento en el contexto de la protección de datos es proteger los intereses del menor, y no los de los padres. La autorización paterna frecuentemente se presenta como una respuesta a los problemas en línea que afectan a los menores y a los jóvenes».

22 El Tribunal Supremo, por su parte, en su sentencia 864/2015 de 10 de diciembre (TOL 10.638.917), dio un importante paso en cuanto al acceso de los progenitores a las cuentas de redes sociales de los hijos menores. Sin permitir dicho acceso de manera generalizada, sí admitió dicho acceso en el caso a dirimir. En un supuesto de ciberacoso a un menor, solicitaba la defensa la nulidad de las pruebas obtenidas del contenido de los mensajes, por el acceso de la madre a ellos sin la autorización de la menor, vulnerando el derecho a la

que son terceras personas que gestionan la identidad digital de otras.

La principal característica que se estima necesaria para ello es que el perfil o cuenta no forme parte o sea un apéndice de la personalidad del usuario, sino que sea un producto, una creación, separable de la primera. Partiendo de esta *conditio iuris*, podemos observar varias posibilidades, presentes en nuestro Derecho. Así, es posible entender una cuenta como un bien protegible mediante derechos de propiedad intelectual o industrial en tanto es un producto o creación por sí mismo; o identidades digitales asimilables a sociedades, en tanto son un medio dispuesto para alcanzar un fin.

En segundo lugar, hay situaciones reguladas -fruto de normas más modernas- en las que se permite esa continuidad de la sucesión de la identidad, para defender a las personas fallecidas -que no tienen personalidad jurídica- de esferas perso-

---

intimidad personal concretada en el secreto de las comunicaciones. Niega el Alto Tribunal dicha nulidad en base a que, si bien la madre no tiene derecho per se a acceder a la cuenta de la menor, esta accedió con la contraseña, la cual obtuvo sin artimañas informáticas, de lo que se puede derivar que "la contraseña pudo ser conocida a raíz de una comunicación voluntaria de la propia menor titular", lo cual, unido a las sospechas de la madre de que se estaba desarrollando una actividad criminal, posibilita la licitud de la prueba. *An Act to amend Title 12 of the Delaware Code relating to Fiduciary Access to Digital Assets and Digital Accounts.* http://delcode.delaware.gov/title12/c033/.

En EEUU, hay statutes comprensivos ya de esta realidad, y así, en agosto de 2014, se aprobó en el Estado de Delaware el Acta por la que se modifica el Título 12 del Código de Delaware relativo al Acceso Fiduciario a Recursos Digitales y Cuentas Digitales, la cual posibilita el control de herederos y albaceas sobre las cuentas en redes sociales de los causantes.

nalísimas como el honor, la intimidad personal o familiar, y la propia imagen[23].

4.1. El binomio identidad digital – propiedad intelectual

Como primer ejemplo de identidad digital susceptible de sucesión observaremos aquellas que, por su construcción y contenido son asimilables a una obra literaria, artística o científica, es decir, una creación protegible como propiedad intelectual, en tanto no constituyen un fin para lograr un objetivo, sino que son un fin en sí mismas. En este caso, entre estas identidades digitales podemos observar, por su tipología, aquellas independientes de identidades analógicas, no relacionadas

---

23 Vid. art. 4 de la LO 1/1982, de 5 de mayo:
"Uno. El ejercicio de las acciones de protección civil del honor, la intimidad o la imagen de una persona fallecida corresponde a quien ésta haya designado a tal efecto en su testamento. La designación puede recaer en una persona jurídica.
Dos. No existiendo designación o habiendo fallecido la persona designada, estarán legitimados para recabar la protección el cónyuge, los descendientes, ascendientes y hermanos de la persona afectada que viviesen al tiempo de su fallecimiento.
Tres. A falta de todos ellos, el ejercicio de las acciones de protección corresponderá al Ministerio Fiscal, que podrá actuar de oficio a instancia de persona interesada, siempre que no hubieren transcurrido más de ochenta años desde el fallecimiento del afectado. El mismo plazo se observará cuando el ejercicio de las acciones mencionadas corresponda a una persona jurídica designada en testamento.
Cuatro. En los supuestos de intromisión ilegítima en los derechos de las víctimas de un delito a que se refiere el apartado ocho del artículo séptimo, estará legitimado para ejercer las acciones de protección el ofendido o perjudicado por el delito cometido, haya o no ejercido la acción penal o civil en el proceso penal precedente. También estará legitimado en todo caso el Ministerio Fiscal. En los supuestos de fallecimiento, se estará a lo dispuesto en los apartados anteriores.

con identidades administrativas (que no constituyan un pseudónimo, sino una obra reconocible de por sí)[24].

No es difícil asemejar este contenido a un bien protegible por derechos de autor y susceptible de sucesión. Sin embargo, nos topamos con un hecho particular del caso: el medio de expresión de la obra literaria, artística o científica. El Texto Refundido de la Ley de Propiedad Intelectual en su artículo 10 hace una relación de soportes susceptibles proteger una obra, debe entenderse esta lista como *numerus apertus*, pues prevé expresamente que serán «*objeto de propiedad intelectual todas las creaciones originales literarias, artísticas o científicas expresadas por cualquier medio o soporte, tangible o intangible, actualmente conocido o que se invente en el futuro*».

Esto, como es sabido, permite aceptar nuevos medios de plasmación de la propiedad intelectual, como los perfiles o cuentas que, como las que hemos puesto como ejemplo, que integran una obra protegible.

Recuerda GUIX el caso de "Les Perles des Tweets et du net", obra recopilatoria de tweets[25]. La editorial decidió retirarla del mercado debido a la presión recibida a raíz de que junto a los mencionados tweets no apareciesen los autores, ni se les hubiese solicitado la previa autorización para publicarlos, atentando así contra los derechos morales y patrimoniales. Duda GUIX en este punto sobre si los tweets (textos de un máximo de 140 caracteres) pueden considerarse como obras protegibles debido a su corta extensión. La duda es más que razonable, pero difícil de defender desde un punto de vista jurídico[26].

---

24 El caso de la cuenta destinada a la publicación de una novela por mensajes; o la de la cuenta para emitir una película.

25 GUIX, A. «Redes sociales y derechos de autor ¿De quién son los contenidos?», *Actualidad Jurídica Aranzadi*, nº879, 2014.el

26 "Cuando despertó, el dinosaurio todavía estaba allí". Este microrrelato, de Augusto MONTERROSO, está considerado el cuento más

Una vez aceptado el contenido de los perfiles como obras protegibles por los derechos de la propiedad intelectual, sería contrario a la propia naturaleza de dicha figura el impedir su transmisión por causa de muerte, pues los derechos a ella inherentes pueden ser transmitidos, como se prevé en el artículo 42 del TRLPI. Aunque con esto debemos plantearnos nuevas preguntas: ¿puede la red social cancelar la cuenta? ¿es posible la supervivencia de los derechos derivados de la Propiedad Intelectual en el caso de que se cancele la cuenta? ¿Es la cuenta en sí misma parte esencial de la obra protegida?

La posibilidad de que una plataforma digital cancele una cuenta que identifica a un sujeto está prevista en el clausulado contractual que aceptamos al crear el contenido. Pero ello implica entonces que lo ya creado y materializado se mantenga como obra protegible; pero ello no depende solo de esos dos requisitos, sino del que determina la posibilidad de la protección de lo manifestado: la altura creativa. El contenido de un email difícilmente tendrá esa altura creativa, pues la mayoría de los contenidos tienen que ver con ideas, manifestadas, sí, pero también previsibles y reiteradas. Entendemos que solo lo que haya sido creado y manifestado[27], y tenga altura creativa, será protegible como objeto de la propiedad intelectual o industrial, siempre y cuando pueda, además, acreditarse[28].

---

breve de la historia, y tiene apenas 44 caracteres, 100 menos que un tweet.

27 La doctrina italiana llama a este proceso *extrinsecación o reificación.*

28 Si el proveedor cancela la cuenta donde está materializada la obra, no habría protección si no existe una copia de la misma (por eso los anglosajones han hablado siempre, no de propiedad intelectual, sino de copyright, en el sentido de que lo que contiene el derecho de propiedad intelectual es, no solo el reconocimiento de la autoría, sino también la posibilidad de copiarla -o reproducirla- ilimitadamente.

Esto nos lleva a la última cuestión. La respuesta a si la cuenta es parte esencial de la obra es, cuanto menos, arriesgada. Hacemos nuestras las palabras de GONZÁLEZ DE LA GARZA: «no defendemos, en ningún sentido, una supresión del esquema de derechos de la propiedad intelectual, evidentemente, sino una redefinición y ajuste proporcionado que posibilite delinear las nuevas fórmulas que permitan diferenciar y recoger con precisión las nuevas modalidades que afecten al objeto y contenido de los derechos»[29].

4.2. La cesión de derechos sobre la propiedad intelectual en el entorno digital

Una cláusula habitual en los contratos de uso de las plataformas digitales es la de cesión de los derechos derivados del contenido publicado en ellas. Ejemplo de ello lo encontramos en el famoso caso de Artic Monkeys contra MySpace[30]. Originariamente, entre las condiciones de uso de esta red social se incluía que "al mostrar o publicar cualquier contenido o material en o a través de [...] MySpace.com, el usuario garantiza automáticamente una licencia internacional, no exclusiva, completa y exenta de royalties (con derecho a sublicenciar de manera ilimitada con sublicenciatarios) para utilizar, copiar, modificar, adaptar, traducir, representar, publicitar, almacenar, reproducir, retransmitir y distribuir dicho contenido en y a través de sus servicios [...]. Dicha licencia terminará cuando dicho contenido sea borrado de los servicios. Sin embargo,

---

29 GONZÁLEZ DE LA GARZA, L. M. *El nuevo marco jurídico de las telecomunicaciones en Europa*, Madrid, La Ley, 2011, p. 251.

30 Este tema fue objeto de un maravillo trabajo de Patricia S. ABRIL, A (My)Space of One's Own: On Privacy and Online Social Networks Northwestern Journal of Technology and Intellectual Property, Vol. 6, 2007

después de haber sido borrados los contenidos puede quedar un residuo u copia de seguridad de dichos contenidos en los servidores, y MySpace.com mantiene los derechos sobre dicha copia"[31]. De esta manera, surgió la disputa entre la banda de rock y la red social sobre quién poseía los derechos de las canciones publicadas en su web. Tomamos aquí el caso de aquellas identidades que, siendo del mismo tipo que las expuestas en el apartado anterior, pueden asimilarse a una actividad económica o a una sociedad irregular.

No se diferencian estas actividades en demasía con la que pueda llevar a cabo una sociedad dedicada a producir programas de cocina para televisión o una revista mensual sobre tendencias en el mundo del videojuego. En este sentido entiende DE MIGUEL al considerar que «constituyen en todo caso una actividad económica los supuestos en los que el suministro de información a través de Internet es remunerado por sus destinatarios –servicios de pago- o implica la difusión de información que forma parte de una estrategia comercial o profesional. [...] Desde la perspectiva práctica y de los modelos de negocio es relevante la precisión de que la categoría abarca servicios gratuitos para sus destinatarios, lo que se corresponde con el dato de que la explotación comercial de esos servicios tiene lugar en ocasiones mediante los ingresos de publicidad, así como con la circunstancia de que la información personal que se recaba de los usuarios de los servicios (no remunerados) también constituye un activo de notable valor patrimonial»[32].

Citamos de manera totalmente intencional esta red social específica debido a que son muy usuales este tipo de plataformas digitales. La remuneración en YouTube viene de parte de la publicidad que los creadores de contenidos son capaces de

---

[31] Vid nota anterior.

[32] DE MIGUEL, P.A. *Derecho Privado de Internet,* Navarra, Ed. Thomson-Reuters, 2015, p. 130.

transmitir a aquellos que visualizan sus videos, convirtiéndolos así en un negocio lucrativo. En este punto, es difícil de imaginar una relación tan estrecha de la persona con una actividad, que es la llevada a cabo con el perfil de la red social, como para impedir su transmisibilidad. Esto recuerda en gran medida a la existente situación de transmisión de una sociedad unipersonal o a la venta de activos y fondo de comercio, las cuales no suponen ningún problema jurídico en la actualidad.

Ya hemos mencionado que uno de los requisitos que una identidad digital, concretada en una cuenta de red social, debe tener para ser susceptible de transmisión, es su individualización, su posible separación con la identidad administrativa del usuario titular. Por lo tanto, bajo esta premisa, no sería posible la transmisión de la cuenta de X, identificable con sus datos administrativos. Sin embargo, surge un problema en el momento del fallecimiento del titular: salvo aviso, la cuenta permanece activa sin más, lo que acarrea problemas sensibles desde el punto de vista sentimental de sus allegados, tales como notificaciones de cumpleaños de la persona; que se mantengan fotografías y comentarios de la persona; la posibilidad de dejar comentarios en su perfil o mencionarla. La gran mayoría de portales web de nivel mundial, prevé la cancelación de la cuenta tras la comunicación del fallecimiento del usuario. Todas estas cuestiones, sin embargo, forman parte del elenco de acciones protegibles por el derecho a la imagen del fallecido. No podemos sino citar la célebre sentencia del Tribunal Constitucional núm. 231/1988, de 2 de diciembre (TOL 82.362), la cual dicta que "*el derecho a la intimidad personal y familiar se extiende, no sólo a aspectos de la vida propia y personal, sino también a determinados aspectos de la vida de otras personas con las que se guarde una especial y estrecha vinculación, como es la familiar; aspectos que, por la relación o vínculo existente con ellas, inciden en la propia esfera de la personalidad del individuo que los derechos del art. 18 de la C.E. protegen. Sin duda, será necesario, en cada caso, examinar de qué acontecimientos se trata, y cuál es el vínculo que une a las personas en cuestión; pero al menos, no cabe dudar que ciertos eventos que puedan ocurrir a padres, cónyuges o hijos tienen, normalmente, y dentro de las pautas culturales de nuestra sociedad, tal trascendencia para el individuo, que su indebida publicidad*[33] *o difusión incide directamente en la propia esfera de su personalidad. Por lo que existe al respecto un derecho -propio, y no ajeno- a la intimidad, constitucionalmente protegible*". De esta manera, no parece una solución óptima la cancelación total y automática de la cuenta, en tanto la difusión de información (o falta de ella) debe atenerse, en función de cada caso, a la voluntad que hubiese manifestado -en testamento o en alguna manifestación de voluntad, que, entendemos, no haría falta, aunque sería recomendable, que fuera notarial, en forma, vgr., de testamento ológrafo-.

En este sentido, existen plataformas que aportan una solución intermedia llamada "*cuenta conmemorativa*", y que consiste en la implantación de ciertas características a la cuenta, como la imposibilidad de iniciar sesión, unido a una administración limitada de ésta[34]. No estamos convencidos de que sea ésta la

---

33 Existe una teoría, ya ciertamente antigua, cuya cita no encuentro, pero que recuerdo haber leído a Margaret JANE RADIN, y es que, como se deducía de sus palabras, el entorno digital no es gratuito, sino que la publicidad lo paga todo.

34 Del Servicio de Ayuda de Facebook: "Las cuentas conmemorativas proporcionan un lugar para que amigos y familiares se reúnan y compartan recuerdos de un ser querido que haya fallecido. Las cuentas conmemorativas tienen las siguientes características claves: Aparecerá la palabra En memoria junto al nombre de la persona en su perfil. En función de la configuración de la privacidad de la cuenta, los amigos pueden compartir recuerdos en la biografía conmemorativa. El contenido que haya compartido el usuario (por ejemplo, fotos, publicaciones, etc.) permanece en Facebook y está visible para el público con el que se compartió. Los perfiles conmemorativos no aparecen en espacios públicos como las sugerencias de "Personas que quizá conozcas", los recordatorios de cumpleaños o los anuncios. Nadie puede iniciar sesión en una cuenta conmemo-

solución más propicia, y sí que la plataforma digital permita, por parte de quienes son signatarios de los derechos personales -transmisibles- del sujeto con identidad digital, puedan continuar usando esa identidad -no, obviamente, la física; solo la digital-.

V. LA EPERSONALITY: UNA IDENTIDAD NACIDA DE NINGUNA PARTE

Cabe concluir, por tanto, que nuestra herencia jurídica y el ordenamiento vigente posibilitan la diferenciación entre la identidad tradicional, ligada indubitablemente a la persona, y la identidad digital, que se manifiesta en diferentes medios y formas. Pueden provocar dudas y problemas algunos asuntos que no han sido tratados aquí, como la responsabilidad penal o la responsabilidad patrimonial[35]. Esto no debe ser motivo para descartar de manera categórica la posible separación de identidades. La relación entre las identidades digitales y las diferentes responsabilidades deberá afrontarse y comprenderse, posiblemente de manera similar a lo que ocurre con otras expresiones de la personalidad.

Y es esta variedad la que aquilata, por tanto, como aptos para insertarse en esa posible sucesión, a aquellas identidades que

---

rativa. Las cuentas que no tengan un contacto de legado no se pueden cambiar. Las páginas con un único administrador cuya cuenta se haya convertido en conmemorativa se eliminarán de Facebook si recibimos una solicitud válida".

35 Retomando por última vez nuestro ejemplo introductorio, es más que posible que se presente la situación en la que los herederos de X, queriendo evitar la pérdida del rendimiento económico que producía la cuenta del causante, litigasen con la finalidad de que se incluya en el activo de la masa hereditaria esa identidad digital, concretada en la propiedad de la cuenta de usuario.

sean distinguibles (ya sea por su configuración formal o por las características de su contenido) de la identidad administrativa del usuario, es decir, del generador -como persona física- de lo que se ha dado en llamar epersonality[36]. Así, y aunque dentro de esta epersonality, la sucesión personal y patrimonial parece vetada en aquellas identidades digitales tan estrechamente ligadas con la identidad administrativa que el vínculo entre ellas sea indisoluble, la línea doctrinal y legislativa europea parece proclive a la generación -y continuación, en su caso- de esta identidad disociada, física y digital.

En todo caso, las previsiones ya apuntaban a lo que iba a suponer la auténtica revolución de las identidades, y que se ha concretado definitivamente en la inteligencia artificial, y sus manifestaciones (robótica, software, etc.)[37]. cuya solución nos llevará, de forma indefectible, al universo de las ficciones pues, como dice CERDEIRA BRAVO DE MANSILLA[38]: «*no sería más que trasladar la apariencia de inteligencia y conciencia robóticas al mundo de las ficciones jurídicas, como sin duda lo son las personas jurídicas. De artificio informático a artificio jurídico*».

La Resolución del Parlamento Europeo de 16 de febrero de 2017 ha sido citada como el texto que, definitivamente, ha atribuido personalidad jurídica a la inteligencia artificial. Es decir, que las soluciones legislativas apuntan a esa atribución de cualquier entidad digital -incluida la persona- como si se tratara de un sujeto con personalidad (jurídica) para convertirla así en centro de imputación de responsabilidad, sí, pero también

---

36 Vid. PÉREZ ESCOLAR, cit., pp. 55 y ss.

37 Con un alcance profundo, estudiado y sistematizado, la obra de Miguel LACRUZ MANTECÓN. Por todas, Yo, robot: ¿puede un robot tener personalidad jurídica?», *Revista General de Legislación y Jurisprudencia,* Nº 4 - 2023, pp. 629-658.

38 «¿Humanizar o personificar? Inteligencia artificial y fundaciones robóticas», *Actualidad Civil,* Nº 3 - 2024, p. 9 ss.

de negocio. La identidad digital está perfectamente ubicada entonces dentro de esos parámetros, partiendo de la salvedad de que la absoluta equiparación entre la identidad digital y la persona jurídica no es completamente acertada: "A mayores, los citados Dictámenes de 2017 abordaron alguna cuestión relativa a la forma o categoría jurídica que pudiera adoptarse a efectos de la "*e-personality*", la cual, por el motivo antedicho, se dice que «*sería susceptible de uso y aplicación indebidos*»; particularmente, «*la comparación con la responsabilidad limitada de las sociedades no es válida, puesto que el responsable en última instancia es siempre una persona física*». Todo ello conduce en última instancia a la necesidad de analizar la idoneidad de las legislaciones de los Estados miembros en materia de responsabilidad civil por productos defectuosos y a fomentar que la Unión Europea adopte en esta materia «*un papel de liderazgo estableciendo marcos universales y uniformes para la IA*»[39].

No obstante, hemos de poner de relieve que, si bien es cierto que es posible adaptar la situación explicada a nuestro ordenamiento jurídico actual, debe señalarse la cada vez más acuciante necesidad de una regulación *ad hoc* para la casuística explicada y para la que esté por venir, sobre ese elemento tan presente en nuestra sociedad como son las identidades digitales.

El entrecruce actual de conflictos jurídicos entre lo que ocurre en la globalizada red online y las instituciones tradicionales del Derecho civil es cada vez más acuciante y, dado el escenario en el que se desenvuelven, cada vez más complejo, dicho esto no solo en sentido etimológico. Baste pensar que resolver un asunto entre una página web cualquiera y los derechos de la intimidad, por ejemplo, de un sujeto, puede involucrar cuestiones de tanto calado como la realidad de la in-

---

[39] PÉREZ ESCOLAR, cit., p. 57.

tromisión ilegítima, el lugar donde aquélla se haya producido (puede tratarse de una web residenciada en un país europeo, anglosajón o asiático) y el lugar de residencia o nacionalidad del sujeto, la repercusión obtenida, la enorme encrucijada de tener que determinar una solución con estos parámetros, etc. Solo alcanzamos a atisbar el comienzo de lo que será un proceloso entramado de identidad y perspectivas patrimoniales.

VI. BIBLIOGRAFÍA

–Ignacio ALAMILLO DOMINGO, Artemi RALLO LOMBARTE, Ricard MARTÍNEZ MARTÍNEZ, Derecho y redes sociales; 2ª ed., Civitas, Madrid, 2013.

-ALBALADEJO, M, *Derecho Civil I. Introducción y Parte General,* Barcelona, Ed. Librería Bosch, 2002, p. 373.

-BUTTARELLI, G., en PIÑAR, J.L., (dir.), Redes sociales y privacidad del menor, ed. Reus, Madrid, 2011.

-CAPILLA, F. *La persona jurídica: Funciones y Disfunciones,* Madrid, Tecnos, 1984, p. 39.

-CERDEIRA BRAVO DE MANSILLA, G., "¿Humanizar o personificar?
inteligencia artificial y fundaciones robóticas", en Actualidad civil, Nº 3, 2024

-COBO JUÁREZ, S. *Internet para periodistas,* Barcelona, Ed. Universitat Oberta de Catalunya, 2012.

-DE COSSÍO, M. y LEÓN-CASTRO, J. *Derecho Civil Español. Parte General,* Ed. Comares, Granada, 1999, pp. 263-264.

-DE MIGUEL, P.A. *Derecho Privado de Internet,* Navarra, Ed. Thomson-Reuters, 2015, p. 130.

-Yuval N. HARARI: De la trilogía *Sapiens*: *Homo Deus, Breve historia del mañana,* ed. DeBolsillo, 2022.

-GONZÁLEZ DE LA GARZA, L. M. *El nuevo marco jurídico de las telecomunicaciones en Europa,* Madrid, La Ley, 2011, p. 251.

- GUIX, A. «Redes sociales y derechos de autor ¿De quién son los contenidos?», *Actualidad Jurídica Aranzadi,* nº879, 2014.el.

-KELSEN, H. *Teoría Pura del Derecho*, Ed. Universitaria de Buenos Aires, Buenos Aires, 2009, p. 102.

-PÉREZ ESCOLAR, M., "Personalidad jurídica e inteligencia artificial", en *Indret*, 3/2025, p. 51 y 52.

LACRUZ MANTECÓN, M., Yo, Robot: ¿Puede un robot tener personalidad jurídica?, en: Revista General de Legislación y Jurisprudencia 04/2023

-A. E. PÉREZ LUÑO: *Manual de informática y derecho*, ed. Ariel Derecho, 1996.

-LLOPIS, J.C. *¿Existe la Identidad Virtual?*, Notaría Llopis Blog, 2015, http://wllsl.com. Consultado a fecha de 08.09.2025. Esta manifestación es llamada por el propio autor "identidad analógica".

-PIZARRO MORENO, E., *La disciplina constitucional de la propiedad intelectual*, ed. Tirant lo Blanch, Valencia, 2012.

-PIZARRO MORENO, E.: "La edad y la enfermedad mental como causas de discapacidad, un binomio irreconciliable: responsabilidad "aquiliana" en tales casos: "background" de derecho comparado", en *Un nuevo orden jurídico para las personas con discapacidad* / coord. por Cristina GIL MEMBRADO, Juan José PRETEL SERRANO; Guillermo CERDEIRA BRAVO DE MANSILLA (dir.), Manuel GARCÍA MAYO (dir.), 2021, pp. 431-440.

S. ABRIL, P., A (My)Space of One's Own: On Privacy and Online Social Networks Northwestern Journal of Technology and Intellectual Property, Vol. 6, 2007.

-SOLOVE, D. J. *Ex Machina: Law, Technology, and Society: The Digital Person: Technology and Privacy in the Information Age*, New York, New York University Press, 2004, p. 1.

-SULLIVAN, C. *Digital Identity: An Emergent Legal Concept*, South Australia, University of Adelaide Press, 2011, p. 19.

Capítulo II

El consentimiento al tratamiento de datos personales en el ámbito digital

LUCÍA VÁZQUEZ-PASTOR JIMÉNEZ
Profesora Titular de Derecho Civil
Universidad Pablo de Olavide, de Sevilla

1. LOS DATOS PERSONALES COMO ACTIVO NEGOCIABLE: CONSIDERACIONES PRELIMINARES

En las últimas décadas los datos personales se han convertido en un activo negociable, hasta el punto de que hoy es habitual referirse a ellos como "la nueva moneda del mundo digital"[1]. Cada vez que navegamos por Internet, nos encon-

---

1 LANGHANKE, C. y SCHMIDT-KESSEL, M. (2015). "Consumer Data as Consideration", *Journal of European Consumer and Market Law*, núm.

tramos con continuas solicitudes de nuestros datos personales -como el nombre, apellidos, correo electrónico o dirección- para acceder a ciertos contenidos o servicios. Esto ocurre, por ejemplo, al querer obtener más información sobre una noticia, aprovechar un descuento especial, suscribirse a una *newsletter* o recibir ubicaciones concretas, entre otras situaciones[2].

6/2015, pp. 218-223.

2 Entre las principales estrategias empleadas para la captación de datos personales en Internet, pueden señalarse las siguientes:
• Actividad en la *web*: las empresas digitales suelen utilizar *cookies* para rastrear la navegación de los usuarios cuando acceden a sus sitios. A partir de esta tecnología, es posible monitorizar aspectos como el tiempo de permanencia en la página, las secciones visitadas, las búsquedas realizadas o las compras efectuadas, generando así un perfil detallado del comportamiento del usuario.
• Recogida de *feedback*: otra estrategia habitual consiste en la utilización de formularios, reseñas y comentarios con el propósito de obtener retroalimentación directa de los consumidores. En muchos casos, esta participación es incentivada mediante recompensas, como descuentos o cupones, lo que permite a las empresas no solo captar datos, sino también optimizar sus productos o servicios a partir de la información recabada.
• Aplicaciones móviles: las *apps* constituyen una herramienta especialmente eficaz para recopilar y analizar datos sobre las preferencias y hábitos de los usuarios. Un ejemplo paradigmático es la aplicación "Salud" de *Apple*, que permite a la compañía acceder a información sensible sobre el estilo de vida del usuario, con el objetivo de desarrollar soluciones tecnológicas personalizadas orientadas al bienestar.
• Redes sociales: la recolección de datos a través de plataformas como *Facebook*, *Instagram* o X (anteriormente *Twitter*) es particularmente sencilla y masiva. Cada interacción del usuario –como iniciar sesión, indicar que algo le gusta ("*like*") o compartir contenido– genera información valiosa que las empresas utilizan para identificar patrones de conducta, gustos y preferencias individuales o grupales (información de *EUDE Business School*, disponible en https://www.eude.es/blog/empresas-usan-los-datos-recopilan/).

En este sentido, como señala DOMÍNGUEZ YAMASAKI, en el entorno digital son frecuentes los contratos en los que, para acceder a una página *web* y a su correspondiente contenido o servicio, se exige el registro del usuario. Esto implica que el usuario debe proporcionar previamente determinados datos personales para la creación de una cuenta. Asimismo, el proveedor del servicio puede obtener información adicional mediante la solicitud de aceptación para la instalación de *cookies* en el dispositivo desde el que se accede a la *web* o se descarga un programa informático[3].

Ciertamente, estos modelos de negocio basados en la cesión de datos personales como contraprestación por parte del consumidor son cada vez más frecuentes y adoptan formas muy diversas dentro de una parte significativa del mercado digital. Esta evolución pone de relieve la creciente importancia que,

---

3 DOMÍNGUEZ YAMASAKI, Mª. I. (2020). "El tratamiento de datos personales como prestación contractual. Gratuidad de contenidos y servicios digitales a elección del usuario", *Revista de Derecho Privado,* número 4, pp. 96-97. Como añade la autora citada, el modo en que los datos personales se recaban da buena idea de la relevancia que tienen cada una de nuestras actuaciones en el ámbito de Internet, puesto que la información puede ser obtenida cuando los datos son creados y compartidos por los propios usuarios, por ejemplo, en sus interacciones en redes sociales. En segundo lugar, las empresas pueden registrar las acciones que llevan a cabo los usuarios, tal y como sucede respecto de los datos de localización por el uso de teléfonos móviles. Y, por último, se encuentran los datos que se basan en el análisis de información que ha sido compartida por los usuarios o bien a partir de la información recopilada con motivo del registro de sus acciones. De esta breve exposición se deduce que los datos personales pueden recopilarse gracias a la colaboración o intervención directa del usuario, al crear una cuenta destinada a la obtención del contenido o servicio digital; o bien, dicha recopilación puede llevarse a cabo por medio de distintos instrumentos tecnológicos como las *cookies*. Los datos que se recogen de este modo son también conocidos como "*clickstream data*".

como decimos, ha adquirido el tratamiento de datos personales, el cual desempeña actualmente un papel esencial en la configuración y funcionamiento de la economía digital contemporánea[4].

Precisando lo anterior, tras la cesión por el consumidor de sus datos personales, esta información personal queda en poder del empresario, quien la analiza y la reutiliza con distintos fines, como reducir los costes asociados a la investigación de productos y transacciones, o su empleo con objetivos científicos, por ejemplo, el desarrollo de la inteligencia artificial[5]. Mas, una de las principales utilidades que se derivan del tratamiento de los datos personales del consumidor es el de su uso para la mejora de los resultados de las campañas de publicidad, siendo esencial para la denominada *targeted advertisement* o publicidad dirigida[6].

En efecto, a través de los datos personales recabados, el empresario –y las empresas terceras con las que está conectado- conocen al usuario, su perfil como cliente, sus gustos y preferencias y, además, pueden contactar de nuevo con él en cualquier momento[7]. De este modo, la aportación de estos datos sirve para facilitar el conocimiento de los hábitos de cada persona y, en suma, de su vida *online*, que permite a las empre-

---

4 BUENO BIOT, A. (2025). "La contraprestación en forma de datos personales: el nuevo paradigma en la era digital", *Actualidad Jurídica Iberoamericana*, núm. 22, p. 1125.

5 BUENO BIOT, A. (2025). "La contraprestación en forma de datos personales: el nuevo paradigma en la era digital", *op. cit.*, p. 1125.

6 DOMÍNGUEZ YAMASAKI, Mª. I. (2020). "El tratamiento de datos personales como prestación contractual. Gratuidad de contenidos y servicios digitales a elección del usuario", *op. cit.*, p. 98.

7 BARRÓN ARNICHES, P. (2019). "La pérdida de privacidad en la contratación electrónica (entre el Reglamento de protección de datos y la nueva Directiva de suministro de contenidos digitales)", *Cuadernos europeos de Deusto*, núm. 61, p. 30.

sas establecer determinados patrones de conducta que pueden interesar a estas entidades para dirigir sus políticas comerciales[8]. Es, precisamente, la gran rentabilidad que reporta este modelo de negocios en los que el consumidor cede sus datos personales lo que explica que, como se ha apuntado, sean cada más habituales en el mercado digital.

Con todo, como apunta Bueno Biot, los datos personales del consumidor, considerados en sí mismos individualmente, valen poco o nada. De lo que realmente se obtiene una gran rentabilidad es a partir del cruce de todos esos datos, esto es, el almacenamiento, tratamiento y transferencia de dichos datos que, estructurados a gran escala, permiten una reconstrucción de la personalidad *online* capaz de predecir nuestros pasos o intereses en la vida real, y que constituyen información de gran valor para otros sujetos que están dispuestos a pagar enormes cantidades de dinero a cambio de ello[9].

---

8 Reyes López, M.ª J. (2022). "La trascendencia en materia de protección de datos de la Directiva (UE) 2019/770 relativa a determinados aspectos de los contratos de suministros de contenido y servicios digitales", en Ramón Fernández, F. (coord.), *Los nuevos retos de los derechos digitales*, Tirant lo Blanch, Valencia, p. 257.

9 Bueno Biot, A. (2022). "Las medidas correctoras en el ámbito digital", *Actualidad Jurídica Iberoamericana*, núm. 16, p. 921. Como señala el autor, es lo que se conoce como "*Big Data*", que consiste en el análisis masivo de datos. Se tratan grandes cantidades de datos que, conjuntamente organizados y analizados, producen una información muy valiosa que resulta de gran utilidad de cara a tomar mejores decisiones y movimientos en negocios estratégicos. En esta misma línea, Reyes López añade que los datos aislados de las personas no es realmente lo que importa a las empresas. Lo que les interesa es recolectar grandes cantidades de datos y poder gestionarlas y analizarlas de forma inteligente para planificar sus planes comerciales. Lo que tiene un gran valor económico para las empresas es que ese acopio de datos les permite establecer determinados perfiles de consumidor en atención a los cuales establecerán un modelo de

La Ley Orgánica 3/2018, de 5 de diciembre, de Protección de Datos Personales y garantía de los derechos digitales (en adelante LOPDGDD)[10] regula el registro, el tratamiento y toda modalidad de uso posterior de esos datos personales por los agentes públicos y por empresas privadas y para ello articula algunos principios de actuación, así como una serie de mecanismos que permiten a los ciudadanos ejercer sus derechos, por ejemplo, de acceso, rectificación y cancelación de su información personal contenida en algunos de estos ficheros. La citada Ley Orgánica, como no podía ser de otra manera, se basa en el consentimiento que el afectado por el tratamiento de dichos datos debe prestar en todo momento, así como en la información clara y detallada que previamente debe recibir para consentir. Sin embargo, por lo que respecta a esta información, estamos de acuerdo con MARTÍNEZ VELENCOSO y SANCHO LÓPEZ, cuando afirman que lo cierto es que nadie se para a leer las farragosas páginas o explicaciones en las que se recogen los usos y términos del servicio que se pretende contratar. Y, de hacerlo, lo más probable es que la mayoría de los destinatarios no comprendan todos los pormenores sobre las condiciones que se facilitan. Las empresas están obligadas a detallar de forma comprensible su política empresarial y los ciudadanos que quieran contratar a leerla detenidamente; empero, partimos de premisas falsas. El oscurantismo con que se llevan a cabo estas prácticas empresariales es del todo rechaza-

---

comportamiento en base a una visión comercial [REYES LÓPEZ, M.ª J (2022). "La trascendencia en materia de protección de datos de la Directiva (UE) 2019/770 relativa a determinados aspectos de los contratos de suministros de contenido y servicios digitales", *op. cit.*, p. 257].

10 TOL6.933.570.

ble, como también lo son las cláusulas abusivas de contratación y la modificación unilateral de las mismas[11].

Por otro lado, no olvidemos que la norma que establece el marco general regulador de protección de datos a nivel europeo es el Reglamento (UE) 2016/679 relativo a la protección de las personas físicas en lo que respecta al tratamiento de datos personales y a la libre circulación de estos datos (en adelante RGPD)[12]. Partiendo de esta norma, se entiende por tratamiento de datos personales "cualquier operación o conjunto de operaciones realizadas sobre datos personales o conjuntos de datos personales, ya sea por procedimientos automatizados o no, como la recogida, registro, organización, estructuración, conservación, adaptación o modificación, extracción, consulta, utilización, comunicación por transmisión, difusión o cualquier otra forma de habilitación de acceso, cotejo o interconexión, limitación, supresión o destrucción" (artículo 4.2 RGPD). Como señala Hidalgo Cerezo, la definición es amplísima y abarca prácticamente cualquier interacción con los datos, siempre que sean de carácter personal. La mayor parte de las operaciones que realizamos a lo largo del día llevan aparejados tratamientos de datos personales, como, por ejemplo, números de teléfono, nombres de usuario, direcciones postales o de *e-mail*, etc.[13].

De otro lado, el citado Reglamento define los datos personales como "toda información sobre una persona física identificada o identificable; se considerará persona física identifica-

---

11 Martínez Velencoso, L. M. y Sancho López, M. (2018). "El nuevo concepto de onerosidad en el mercado digital ¿Realmente es gratis la *App*?", *Indret*, número 1, p. 16.

12 TOL5.703.078.

13 Hidalgo Cerezo, A. (2020). *Derecho digital en la Unión Europea. Techlaw y mercado único digital en la década 2010-2020*, Comares, Granada, p. 132.

ble toda persona cuya identidad pueda determinarse, directa o indirectamente, en particular mediante un identificador, como por ejemplo un nombre, un número de identificación, datos de localización, un identificador en línea o uno o varios elementos propios de la identidad física, fisiológica, genética, psíquica, económica, cultural o social de dicha persona" (artículo 4.1 RGPD). Como concluye el autor arriba citado, de nuevo, la amplitud del término está fuera de toda duda, y contribuye a su marcado carácter inclusivo y garantista, pues no se refiere únicamente a personas identificadas, sino a las que se puede identificar con base a ese dato[14].

Para determinar si una persona física es identificable, deben tenerse en cuenta todos los medios, como la singularización, que razonablemente pueda utilizar el responsable del tratamiento o cualquier otra persona para identificar directa o indirectamente a la persona física. Para establecer si existe una probabilidad razonable de que se utilicen medios para identificar a una persona física, deben tenerse en cuenta todos los factores objetivos, como los costes y el tiempo necesarios para la identificación, teniendo en cuenta tanto la tecnología disponible en el momento del tratamiento como los avances tecnológicos (considerando 26 RGPD).

---

14 HIDALGO CEREZO, A. (2020). *Derecho digital en la Unión Europea, op. cit.*, pp. 132-133. En palabras del autor, además de los ejemplos anteriormente facilitados, son datos de carácter personal un número de DNI, de la seguridad social, o incluso una matrícula de coche, aspecto este último polémico, pero que la Agencia Española de Protección de Datos, en su Procedimiento Sancionador número: PS/00382/2018, así lo ha considerado. Tratándose de una cuestión nada pacífica, el autor se manifiesta partidario de que así sea, pues una atenta lectura del artículo 4.1 del Reglamento permite colegir que la categoría de dato personal depende de si es el dato concreto deja que la "identidad pueda determinarse, directa o indirectamente". No existen problemas en afirmar que una matrícula es susceptible de servir para determinar la identidad de una persona.

Así las cosas, este Reglamento de protección de datos pretende dotar a los ciudadanos de un mayor control de sus datos personales, por lo que obliga a las empresas a una serie de actuaciones en consecuencia, entre otras: mantener un registro del tratamiento de datos, realizar evaluaciones de impacto, establecer códigos de conducta, nombrar un delegado de protección de datos, etc., haciéndoles responsables activos en la gestión de la información personal.

Con todo, a pesar de que el Reglamento europeo introduce novedades interesantes y goza de buenas intenciones, lo cierto es que la tecnología en sí misma constituye una limitación para el cumplimiento total de los derechos que en el mismo se comprenden, pues, por ejemplo, hasta la fecha no hay manera posible, desde un punto de vista técnico, de borrar por completo y para siempre la información subida a Internet. Además, la entrada en vigor de dicho Reglamento no trajo consigo un cambio de regulación en torno a la cuestión, si cabe, más controvertida que se venía planteando en este orden de ideas y que nos ocupa en este trabajo; hablamos, efectivamente, de la entrega de los datos personales como contraprestación en los contratos de consumo y, más concretamente, en los contratos de suministro de contenidos y servicios digitales. La norma europea continúa preceptuando al respecto, como antes de su entrada en vigor, que el consumidor que da su consentimiento para el tratamiento de sus datos personales no tiene derecho a una contraprestación por ello, y lo que recibe por parte del prestador de servicios es un servicio gratuito. De esta forma, de acuerdo con esta normativa, el tratamiento de datos, basado en el consentimiento, se interpreta como un acto jurídico unilateral accesorio, que queda al margen del contrato en cuestión[15].

---

15 Axel Metzger (2020). "Un modelo de mercado para los datos personales: estado de la cuestión a partir de la nueva Directiva sobre contenidos y servicios digitales", en Arroyo Amayuelas. E. y Cá-

2. CONTENIDOS Y SERVICIOS DIGITALES A CAMBIO DE DATOS PERSONALES

2.1. El cambio de paradigma: la Directiva 2019/770

El cambio de paradigma sobre la cuestión que nos ocupa llega de la mano de la Directiva (UE) 2019/770 del Parlamento Europeo y del Consejo, de 20 de mayo de 2019, sobre ciertos aspectos relativos a los contratos de suministro de contenidos y servicios digitales (en adelante DCSD), que acaba con esta controversia presente en nuestra doctrina desde hacía bastante tiempo. De conformidad con el considerando 24, a menudo los contenidos o servicios digitales se suministran también cuando el consumidor no paga un precio, pero facilita datos personales al empresario. Tales modelos de negocio ya se utilizan de diferentes formas en una parte considerable del mercado. Refiriéndose a este tipo de negocios, CÁMARA LAPUENTE señala que aunque no haya contraprestación dineraria alguna en el suministro de algunos contenidos y servicios digitales, el proveedor exige ciertos comportamientos del usuario que redundan en utilidad de aquel, amén de obtener datos personales, otros datos anonimizados que, agregados con técnicas de *big data*, aportan información de valía a quien así los trata, somete al usuario a publicidad durante la ejecución del contrato, recibe la cesión de derechos de propiedad intelectual a favor de la plataforma, etc.[16]. Por tanto, aun tratándose de con-

---

MARA LAPUENTE, S. (dirs.), *El Derecho Privado en el nuevo paradigma digital*, Marcial Pons, p. 121.

16 CÁMARA LAPUENTE, S. (2019). "Extinción de los contratos sobre contenidos y servicios digitales y disponibilidad de los datos: supresión, recuperación y portabilidad", en CASTAÑOS CASTRO, P. y CASTILLO PARRILLA, J. A. (dirs.), *El mercado digital en la Unión Europea*, Reus, Madrid, p. 173.

tenidos y servicios digitales por los que el consumidor no paga un precio en dinero, las ganancias empresariales que generan esos suministros son innegables[17].

En este contexto, la nueva Directiva sobre contenidos y servicios digitales, al tiempo que reconoce plenamente que la protección de datos personales es un derecho fundamental, por lo que no pueden considerarse una mercancía, se esfuerza en garantizar que los consumidores tengan derecho a medidas correctoras contractuales[18]. Con esta extensión de los contratos a los que resulta aplicable el régimen de protección de consumidores se trata de reflejar esta evolución de los mo-

---

17 Surge así lo que se conoce, en términos empresariales, como modelo basado en anuncios o monetización de datos de clientes. Estas empresas se basan en ofrecer productos o servicios de forma "gratuita" a los clientes y obtener sus beneficios a través de la publicación de anuncios en sus productos o bien la venta de los datos de los usuarios a terceros. Dentro de estos modelos de negocio encontramos las redes sociales y otras plataformas de contenido. *Facebook*, *Twitter*, Telefónica (venden datos de los usuarios como localización, movimientos habituales, páginas *web* que frecuentan...) y *YouTube* son empresas muy conocidas que reciben ingresos por esta vía. Esto significa que estas empresas han de enfocarse únicamente en adquirir, activar y retener a los usuarios ya que son requisito indispensable para su beneficio. Es por ello que estas grandes plataformas están constantemente mejorando su producto, usabilidad o contenido (véase https://www.iebschool.com/blog/modelos-negocios-digitales-mas-utilizados-digital-business/).

18 Precisamente, la defensa de consumidor también en contratos en que no paga un precio en dinero, pero autoriza el tratamiento de sus datos personales en beneficio del empresario, constituye uno de los aspectos más revolucionarios, trascendentales y debatidos del nuevo régimen de los contratos de suministro CÁMARA LAPUENTE, S. (2022). "Contratos de suministro de contenidos y servicios digitales", en SANTOS MORÓN, M.ª J. y MATO PACÍN, M.ª N. (coords.), *Derecho de consumo: visión normativa y jurisprudencial actual*, Tecnos, Madrid, p. 281.

delos de negocio en el entorno digital donde, como se viene apuntando, es muy frecuente que los contenidos o servicios digitales se suministren a cambio de que el consumidor facilite al empresario sus datos personales y no a cambio del pago de un precio[19]. De esta forma, el legislador europeo ha buscado reconocer y regular una práctica ampliamente extendida en el entorno digital: la cesión gratuita de datos personales por parte de los usuarios a cambio del acceso a ciertos servicios en línea. Estos servicios pueden incluir, por ejemplo, descuentos en comercios a cambio de instalar una aplicación, o el uso de funciones basadas en la localización, que requieren el acceso a la geolocalización del móvil o del ordenador. Además, este tipo de modelos de negocio suelen presentarse como gratuitos, lo que lleva al usuario a percibir el contrato como algo insignificante y a asumir erróneamente que, al no pagar, no tiene derecho a realizar ningún tipo de reclamación[20].

En efecto, como apunta GARCÍA PÉREZ, el legislador europeo se hace eco así de este nuevo modelo de negocio basado en transacciones digitales con datos personales que, liderado por grandes empresas tecnológicas, se asienta la mayor parte de las veces en contratos no negociados individualmente, celebrados a menudo por medio de plataformas digitales o *marketplaces*; contratos que, en numerosa ocasiones, el consumidor no percibe como tales, sino meramente como un acceso gratuito a contenidos o servicios digitales del que no surge una relación obligatoria de carácter negocial[21].

---

19 MIGUEL ASENSIO, P. A. (2022). *Derecho Privado de Internet,* Thomson Reuters Aranzadi, Cizur Menor (Navarra), p. 1262.

20 REYES LÓPEZ, M.ª J. (2022). "La trascendencia en materia de protección de datos de la Directiva (UE) 2019/770 relativa a determinados aspectos de los contratos de suministros de contenido y servicios digitales", *op. cit.*, p. 257.

21 GARCÍA PÉREZ, R. M.ª (2020). "Interacción entre protección del consumidor y protección de datos personales en la Directiva (UE)

Así las cosas, con la entrada en vigor de la nueva Directiva no debe diferenciarse ya estos modelos de negocio en los que el consumidor se obliga a facilitar sus datos personales a cambio de un contenido o servicio digital de aquellos otros en los que el consumidor sí paga un precio a cambio del suministro. La introducción de una diferenciación dependiendo de la naturaleza de la contraprestación puede generar una discriminación entre los diferentes modelos de negocio y ofrecer un incentivo injustificado a las empresas para orientarse hacia la oferta de contenidos digitales a cambio de datos. Es importante que se garanticen condiciones equitativas. Además, los defectos en las características de funcionamiento de los contenidos y servicios digitales suministrados por una contraprestación diferente al dinero afectan igualmente a los intereses económicos de los consumidores. Por tanto, la aplicabilidad de las normas de la mencionada Directiva no debe depender del precio pagado por el contenido digital específico en cuestión[22].

2.2. Interacción de dos esferas normativas

Como se ha adelantado, la Directiva 2019/770 establece que debe aplicarse a los contratos en virtud de los cuales el empresario suministre o se comprometa a suministrar contenidos o servicios digitales al consumidor y este facilite o se comprometa a facilitar datos personales al empresario. Así, por ejemplo, en aquellos casos en que el consumidor abre una cuenta en

---

2019/770: licitud del tratamiento y conformidad de contenidos y servicios digitales", en ARROYO AMAYUELAS. E. y CÁMARA LAPUENTE, S. (dirs.), *El Derecho Privado en el nuevo paradigma digital*, Marcial Pons, Madrid, p. 175

22 Véanse los considerandos 13 y 14 de la Propuesta de Directiva del Parlamento Europeo y del Consejo relativa a determinados aspectos de los contratos de suministro de contenidos digitales [COM/2015/0634 final - 2015/0287 (COD)].

una red social y facilita un nombre y una dirección de correo electrónico, y estos se utilizan para fines que no sean exclusivamente el suministro de los contenidos o servicios digitales contratados, o distintos del cumplimiento de los requisitos legales. También en aquellos casos en que el consumidor dé su consentimiento para que cualquier material que constituya datos personales, como fotografías o mensajes que cargue, sea tratado por el empresario con fines comerciales (artículo 3.2 DCSD). Hay que decir que el cambio de paradigma en este sentido, sin duda, plausible, ha sido uno de los aspectos más discutidos en la tramitación de la mencionada Directiva europea. Así, como veremos, tras la su entrada en vigor se abre un intenso debate sobre si el carácter de derecho fundamental que tiene la protección de los datos personales le impide su consideración como contraprestación contractual[23].

Este artículo de la Directiva ha sido transpuesto a nuestro ordenamiento, concretamente, en el apartado 4 del artículo 59 TRLGDCU[24], a cuyo tenor el ámbito de aplicación de esta normativa también abarcará "los contratos en virtud de los cuales el empresario suministra o se compromete a suministrar contenidos o servicios digitales al consumidor o usuario y este facilita o se compromete a facilitar datos personales".

Consiguientemente, en virtud de la citada Directiva (artículo 3) y del Texto Refundido (artículo 59.4), el consumidor que proporcione sus datos personales a cambio del contenido o servicio digital que contrata tendrá los mismos derechos que si hubiera aportado una prestación dineraria y, por tanto, dispondrá de los remedios regulados en la citada Directiva y el

---

23 SÁNCHEZ LERÍA, R. (2018). "El contrato de suministro de contenidos digitales a cambio de datos personales: a propósito de la propuesta de directiva 634/2015 de 9 de diciembre de 2015", *Revista Aranzadi de derecho patrimonial*, núm. 45.

24 TOL1.175.543.

Texto Refundido en caso de incumplimiento o cumplimiento defectuoso por parte del proveedor. Y es que el propósito al extender la aplicación de estas normas protectoras sobre contratos de consumo a los celebrados a cambio del uso de datos personales es, efectivamente, reforzar la protección de las personas afectadas por el tratamiento de sus datos con derechos o mecanismos contractuales que resultan de aplicación adicional a lo previsto en la normativa europea sobre protección de datos personales[25]. Así las cosas, con esta Directiva 2019/770 y su transposición adquiere una mayor evidencia la compleja interacción entre dos esferas normativas difícilmente compatibles entre sí, que surge cuando se trata de modernizar y armonizar la normativa de protección del consumidor en el ámbito de la contratación digital, toda vez que responden a intereses contrapuestos: la protección de datos personales, de un lado, y el Derecho de consumo, de otro[26].

---

25 Miguel Asensio, P. A. (2022). *Derecho Privado de Internet, op. cit.*, p. 1263. A modo de ejemplo, como añade el autor citado, el segundo párrafo del artículo 114.1 TRLGDCU reitera que el RGPD se aplicará a cualesquiera datos personales tratados en las relaciones contractuales de consumo y prevalece sobre el propio Texto Refundido de Consumidores, como también detallan los considerandos 24 y 37 a 40 de la Directiva 2019/770. A la hora de interpretar las normas de la Directiva, debe tenerse en cuenta que esta no altera en absoluto las posibles bases de licitud del tratamiento de datos personales, previstas de manera exhaustiva en el artículo 6.1 RGPD, resultando además muy relevantes en este entorno los principios de "limitación de la finalidad" y de "minimización de datos", establecidos en el artículo 5 (1) (b) y (c) RGPD. En las situaciones típicas, será necesario que el interesado haya dado su consentimiento para el tratamiento de sus datos personales, de conformidad con el artículo 6.1 RGPD.

26 En la interacción de ambas normativas surgen algunos problemas jurídicos que son analizados por Bueno Biot, A. (2025). "La contraprestación en forma de datos personales: el nuevo paradigma en la era digital", *op. cit.*, pp. 1166-1167.

Así, siguiendo a MILÁ RAFEL, este modelo de negocio en el que el consumidor entrega sus datos personales al empresario está sujeto a dos marcos normativos que operan de forma paralela: el RGPD y la Directiva 2019/770. En el contexto de la Directiva, el "consumidor" coincide con la figura del "interesado" prevista por el RGPD. De igual modo, quien actúa como "empresario" según la Directiva suele ser, a la vez, el "responsable del tratamiento" conforme al RGPD. Aunque ambas normas se aplican sobre la misma realidad, abordan ámbitos jurídicos diferentes. La Directiva otorga al consumidor derechos y obligaciones de carácter contractual vinculados al suministro de contenidos y servicios digitales. Por su parte, el RGPD regula las condiciones en las que los responsables del tratamiento pueden procesar datos personales y reconoce a los interesados diversos derechos, como los de información, acceso, rectificación, supresión (o derecho al olvido) y el derecho a la portabilidad de los datos. Con el fin de evitar conflictos, en caso de contradicción entre las dos normativas, se establece que deberá prevalecer el régimen del RGPD (artículo 3.8 DCSD)[27].

2.3. Los datos personales como contraprestación: la onerosidad del contrato

Tal como se viene apuntado, a pesar de que esta forma de contratar que aquí nos ocupa es percibida por los usuarios como gratuita, no cabe duda de que los datos personales actúan como contraprestación. En este sentido, como señala CÁMARA LAPUENTE, ha de partirse de un concepto amplio de onerosi-

27 MILÁ RAFEL, R. (2022). "Datos personales como contraprestación en la Directiva de contenidos y servicios digitales", en GÓMEZ POMAR, F., y FERNÁNDEZ CHACÓN, I. (dirs.), *Estudios de Derecho Contractual Europeo: nuevos problemas, nuevas reglas*, Thomson Reuters Aranzadi, Navarra, pp. 429-430.

dad, de manera que aunque muchos contratos de suministro de contenidos y servicios digitales se presentan en apariencia como gratuitos, en rigor, no lo son, toda vez que el consumidor cede a cambio sus datos personales, permite la observación de su comportamiento e interacción con el contenido o servicio digital, consiente en recibir determinadas comunicaciones comerciales, etc. y todo ello tiene, sin duda, un importante valor económico y comercial para el empresario[28].

Con todo, es cierto que el legislador no ha sido todo lo claro que hubiera sido deseable sobre este particular. Si bien la Propuesta que precedió a la Directiva 2019/770 utilizaba expresamente el término contraprestación[29], ello fue objeto de duras críticas por parte del Supervisor Europeo de Protección de Datos en su Dictamen 4/2017, de 14 de marzo[30]. Tras este infor-

---

28 Cámara Lapuente, S. (2022). "Contratos de suministro de contenidos y servicios digitales", *op. cit.*, p. 281.

29 De acuerdo con el artículo 3 de la citada Propuesta "La presente Directiva se aplicará a cualquier contrato en virtud del cual el proveedor suministra contenidos digitales al consumidor o se compromete a hacerlo y, a cambio, se paga un precio o el consumidor facilita activamente otra contraprestación no dineraria en forma de datos personales u otro tipo de datos", disponible en https://eur-lex.europa.eu/legal-content/ES/ALL/?uri=CELEX:52015PC0634. A diferencia de la versión final de la Directiva, la Propuesta utilizaba expresamente, en varios preceptos y considerandos, el término contraprestación para referirse a los datos personales facilitados por el consumidor a cambio de los contenidos digitales y, en consecuencia, aceptaba expresamente que los datos personales podían ser objeto de comercialización [Milá Rafel, R. (2022). "Datos personales como contraprestación en la Directiva de contenidos y servicios digitales", *op. cit.*, p. 416].

30 En efecto, la posible utilización de los datos personales como instrumento de cambio por servicios aparentemente gratuitos fue criticada duramente por el Supervisor Europeo de Protección de Datos. En su Dictamen arriba citado sobre la Propuesta de Directiva 2019/77014, desaconsejó la calificación del contrato de suministro

me, la Directiva suprime efectivamente el término contraprestación con relación a los datos personales. Lo que sí establece, como se ha apuntado, es que su ámbito de aplicación objetivo abarca también "los contratos en virtud de los cuales el empresario suministra o se compromete a suministrar contenidos o servicios digitales al consumidor o usuario y este facilita o se compromete a facilitar datos personales" (artículo 3.1 DCSD).

En cualquier caso, la omisión del término contraprestación en la versión final de la Directiva no significa, ni mucho menos, que la cesión de los datos personales no pueda considerarse como una contraprestación por parte del consumidor frente al suministro de contenidos y servicios digitales. Como nos explica BUENO BIOT, simplemente el legislador europeo ha utilizado una fórmula más conservadora y reticente (*facilite o se comprometa a facilitar datos personales al empresario*), lo que no priva a los mismos de la posibilidad de que sean considerados como "contraprestación". Por consiguiente, los cambios en este sentido que podemos apreciar en el tenor literal del texto en la Directiva respecto a la versión -originaria- de la Propuesta a raíz de las críticas del Supervisor Europeo, son cambios fundamentalmente terminológicos y no tanto sustantivos[31].

---

en base a la entrega de datos personales por entender que los datos son algo muy distinto a una simple contraprestación. Expresó que se trata de un derecho fundamental de las personas reconocido como tal en la Carta europea (artículo 8) y el Tratado de Funcionamiento de la UE (artículo 16), no equiparable al dinero e, incluso, distinto del valor que pueden generar tales datos. Sin embargo, admitía que tales contratos no eran tan "gratuitos" como aparentaban [REYES LÓPEZ, Mª. J. (2022). "La trascendencia en materia de protección de datos de la Directiva (UE) 2019/770 relativa a determinados aspectos de los contratos de suministros de contenido y servicios digitales", *op. cit.*, pp. 260-261].

31 BUENO BIOT, A. (2025). "La contraprestación en forma de datos personales: el nuevo paradigma en la era digital", *op. cit.*, pp. 1130-1131.

Asimismo, como sabemos, este artículo de la Directiva ha sido transpuesto a nuestro ordenamiento, concretamente, en el apartado 4 del artículo 59 TRLGDCU, a cuyo tenor el ámbito de aplicación de esta normativa también abarcará "los contratos en virtud de los cuales el empresario suministra o se compromete a suministrar contenidos o servicios digitales al consumidor o usuario y este facilita o se compromete a facilitar datos personales".

Como bien nos explica Rodríguez Tapia, redundado en lo que ya apuntamos *ut supra*, la razón de esta ampliación de la Directiva y, por tanto, del TRLGDCU a los contratos en los que el consumidor no se ve obligado a pagar un precio en dinero pero, para disfrutar de los contenidos o servicios digitales, se compromete a facilitarle datos personales al empresario para fines variados, se debe a la preocupación del legislador europeo por la indebida utilización de datos personales y su cesión a terceros con fines lucrativos, del empresario que los cede o, también, del tercero que los recibe. Otorgando la protección de las normas sobre consumidores que en principio solo se refieren a actos de consumo, es decir, mediando precio casi siempre, se pretende asegurar las cautelas en el uso indiscriminado de grandes bancos de datos personales de millones de ciudadanos que, en muchos casos, son inconscientes de dicha utilización[32].

Ahora bien, pese a que el citado artículo 59.4 TRLGDCU no menciona el término contraprestación, es importante destacar que, a diferencia de la Directiva, el legislador español sí utiliza expresamente dicho término en el artículo 119 ter TRLGDCU, en sede de resolución, convirtiendo al contrato, sin lugar

---

32 Rodríguez Tapia, J. M.ª (2022). "Artículo 59. Definiciones", en Cañizares Laso, A. (dir.), *Comentarios al Texto Refundido de la Ley de Consumidores y Usuarios*. Tomo I, Tirant lo Blanch, Valencia, p. 829.

a dudas, en oneroso[33]. De esta forma, como apunta CÁMARA LAPUENTE, la transposición española ha tomado claramente partido por la idea de los datos personales como contraprestación contractual, frente a otras tesis que destacan el carácter *iusfundamental* del tratamiento de los datos personales, que los excluiría como un medio de pago de los contenidos o servicios digitales funcionalmente equivalente al dinero[34].

Por su parte, también la mayoría de la doctrina que se ha pronunciado al respecto considera esta autorización para el tratamiento de los datos personales del consumidor como una auténtica contraprestación en la contratación digital[35]. Es

---

33 GARCÍA PÉREZ, R. M.ª (2022). "Privacidad desde el diseño y por defecto en el régimen de conformidad de la contratación de servicios digitales", en MADRID PARRA, A. y ALVARADO HERRERA, L. (dirs.), *Derecho digital y nuevas tecnologías,* Thomson Reuters, Cizur Menor (Navarra), pp. 71-72.

34 CÁMARA LAPUENTE, S. (2021). "Un primer balance de las novedades del RDL 7/2021, de 27 de abril, para la defensa de los consumidores en el suministro de contenidos y servicios digitales", *La Ley,* p. 20.

35 MARTÍNEZ CALVO, J. (2021). "Los datos personales como posible contraprestación en los contratos de suministro de contenidos y servicios digitales", *Indret,* número 4, pp. 100 y ss.; MARTÍNEZ VELENCOSO, L. M. y SANCHO LÓPEZ, M., "El nuevo concepto de onerosidad en el mercado digital ¿Realmente es gratis la *App*?", *Indret,* número 1, 2018, pp. 8 y ss.; REYES LÓPEZ, M.ª J. (2022). "La trascendencia en materia de protección de datos de la Directiva (UE) 2019/770 relativa a determinados aspectos de los contratos de suministros de contenido y servicios digitales", *op. cit.,* pp. 257 y ss.; GARCÍA HERNÁNDEZ, A. (2022). "Los datos como contraprestación o la pérdida encubierta de la privacidad del individuo a cambio de servicios gratuitos", *Revista CESCO de Derecho de Consumo,* núm. 1, p. 5. En contra de esta opinión doctrinal mayoritaria, hay quien sostiene que la comercialización de los datos personales puede entrar en conflicto con lo dispuesto en el artículo 1271 CC al disponer que "pueden ser objeto de contrato todas las cosas que no estén fuera del comercio de los hombres". Y, tratándose el derecho a la protección de datos

cierto que la protección jurídica de los datos personales es un derecho fundamental vinculado a los derechos de la personalidad y, como tal, presenta las características propias de esta categoría de derechos. En este sentido, como dispone el Tribunal Constitucional, el derecho a la protección de datos consiste "en un poder de disposición y de control sobre los datos personales que faculta a la persona para decidir cuáles de esos datos proporcionar a un tercero, sea el Estado o un particular, o cuáles puede este tercero recabar, y que también permite al individuo saber quién posee esos datos personales y para qué, pudiendo oponerse a esa posesión o uso. Estos poderes de disposición y control sobre los datos personales, que constituyen parte del contenido del derecho fundamental a la protección de datos, se concretan jurídicamente en la facultad de consentir la recogida, la obtención y el acceso a los datos personales, su posterior almacenamiento y tratamiento, así como su uso o usos posibles, por un tercero, sea el Estado o un particular" (STC 292/2000, de 30 de noviembre de 2000, TOL2.772). Partiendo de esta premisa, en el caso que nos ocupa -la cesión de datos personales a cambio de contenidos digitales-, dado que se trata de derechos de la personalidad, el titular de la información no puede transferir plenamente dicho derecho ni ceder la titularidad de las facultades que lo integran. Sin embargo, sí puede autorizar el acceso a su esfera personal exclusiva. Esta autorización no otorga al tercero ninguna titularidad sobre la

---

de un derecho fundamental *ex* artículo 18 CE (vinculado a los derechos de la personalidad) y, por tanto, sustraído de la disponibilidad de los particulares, estos datos no pueden ser utilizados como contraprestación [García Herrera, V. (2020). "El pago con datos personales. Incoherencias legislativas derivadas de la configuración de los datos como posible «contraprestación» en el suministro de contenidos y servicios digitales", *Actualidad Civil*, núm. 1, p. 6].

información, pero sí legitima el acceso, sin importar los motivos del que autoriza ni del autorizado[36].

En suma, pues, pese a eliminar el término contraprestación de su articulado, la Directiva 2019/770 ha sido la primera disposición normativa en admitir que el titular de los datos personales puede explotarlos y emplearlos como medio de intercambio en la contratación digital, estableciendo de este modo, -si no de forma expresa, sí tácitamente-, la cesión de dichos datos como una forma de contraprestación contractual (*ex* artículo 3.1)[37].

---

36 MARTÍNEZ VELENCOSO, L. M. y SANCHO LÓPEZ, M. (2018). "El nuevo concepto de onerosidad en el mercado digital ¿Realmente es gratis la *App*?", *op. cit.*, p. 11. En esta línea, BUENO BIOT defiende que, aunque la protección de datos personales se erija como derecho fundamental ligado a los derechos de la personalidad, ello no es incompatible con que puedan ser objeto de comercialización, es decir, que en su dimensión monetaria, los titulares sean libres de explotarlos económicamente. Aunque, no obstante, es cierto que lo conveniente en estos casos pasa por limitar la autonomía privada con la finalidad de proteger al titular del derecho. Así, el régimen ordinario del Derecho contractual debería de adaptarse en aras a la protección de estos derechos de la personalidad susceptibles de comercialización y, para que ello sea posible, se debería tratar de buscar un compromiso entre el Derecho patrimonial y el deber público de proteger la dignidad humana y los derechos fundamentales, del cual se derive la adecuada solución a los problemas suscitados, tanto en su vertiente económica, como en la más genuinamente personal [BUENO BIOT, A. (2025). "La contraprestación en forma de datos personales: el nuevo paradigma en la era digital", *op. cit.*, pp. 1135-1136].

37 MARTÍNEZ CALVO, J. (2021). "Los datos personales como posible contraprestación en los contratos de suministro de contenidos y servicios digitales", *op. cit.*, p. 100.

2.4. Supuestos de cesión de datos personales excluidos

Partiendo de todo lo expuesto hasta aquí, y siguiendo con el mismo artículo 59.4 TRLGDCU (y el artículo 3.1 DCSD), existen supuestos en los que la cesión de datos personales al empresario por parte del consumidor no constituye una contraprestación. En particular, el precepto mencionado contempla dos exclusiones: por un lado, quedan fuera de su ámbito de aplicación los casos en los que los datos personales proporcionados por el consumidor son tratados exclusivamente por el empresario con el propósito de suministrar los contenidos o servicios digitales objeto del contrato; por otro lado, se excluyen también aquellos supuestos en los que los datos se recaban para permitir al empresario cumplir con obligaciones legales que le son exigibles, siempre que no los utilice para ningún otro propósito. Estas situaciones pueden incluir, por ejemplo, los casos en los que la legislación vigente exige el registro del consumidor por razones de seguridad o identificación.

Según Martínez Calvo, estas exclusiones se sustentan en una doble justificación. En primer lugar, en los supuestos contemplados, los contenidos o servicios digitales no se ofrecen a cambio de los datos personales del consumidor, sino que la cesión de dichos datos constituye un requisito -ya sea de carácter técnico o legal- necesario para posibilitar su prestación. En tales casos, el empresario obtiene su contraprestación por otras vías, como el pago de un precio en dinero, sin que los datos personales del consumidor representen un beneficio económico en sí mismos, ya que su tratamiento responde únicamente a exigencias técnicas o normativas. En segundo lugar, en estos casos el tratamiento de los datos personales por parte del empresario no se basa en el consentimiento del titular, sino en la necesidad legal o técnica de tratarlos para poder proporcionar el contenido o servicio digital correspondiente[38].

Adicionalmente, la norma queda excluida también cuando, sin haberse concluido un contrato, el empresario recaba únicamente metadatos tales como información sobre el dispositivo del consumidor o el historial de navegación o el consumidor se expone a recibir publicidad con el fin exclusivo de obtener ac-

---

38 MARTÍNEZ CALVO, J. (2021). "Los datos personales como posible contraprestación en los contratos de suministro de contenidos y servicios digitales", *Indret*, 4, p. 104. Para SÁNCHEZ LERÍA es lógica esta excepción, pues lo que ha querido el legislador regular son los supuestos en los que se ceden datos para que los use el comerciante con el fin de obtener beneficios económicos o explotarlos de cualquier otra manera, pero no cuando los usa, exclusivamente, para cumplir las obligaciones a las que está sometido legal o contractualmente. Esta exclusión, además, resulta acorde con la normativa sobre protección de datos personales que también establece un régimen jurídico diferente para los casos en los que la cesión y el tratamiento se realizan en el marco de una relación contractual para el cumplimiento de la misma [SÁNCHEZ LERÍA, R. (2022). "Los datos personales como contraprestación en la legislación de consumo", *Actualidad Civil*, número 3, marzo, p. 3]. Por su parte, CÁMARA LAPUENTE señala que esta salvedad demuestra que no cualquier autorización al tratamiento de datos personales permite incluir el contrato dentro del régimen protector de la Directiva, añadiendo el autor citado estos ejemplos: si los datos se trataron precisamente para ejecutar el contrato, como ocurrirá con los datos de edad, peso o geolocalización necesarios para que una *app* de entrenamiento personal cumpla su cometido; ni cuando los datos deban ser tratados para cumplir obligaciones legales del empresario, por ejemplo, en relación con blanqueo de capitales. Sin embargo, la previsión final del precepto, a la luz de las prácticas frecuentes en que el empresario emplea esos datos personales para otras finalidades (cederlos a terceros, crear perfiles de clientes, etc.) permitirán al consumidor impetrar la protección legal [CÁMARA LAPUENTE, S. (2022). "Contratos de suministro de contenidos y servicios digitales", *op. cit.*, pp. 281-282].

ceso a contenidos o servicios digitales. En tales supuestos, tan frecuentes en la navegación por Internet en los que se utilizan dispositivos o técnicas de almacenamiento y recuperación de datos (como *cookies*, *local shared objects* o *flash cookies*, *web beacons* o *bugs*, tecnologías *fingerprinting*, etc.) que inciden en la privacidad de las personas y pueden conllevar el tratamiento de datos personales, lo decisivo, a efectos de aplicación de la norma, será determinar si se ha celebrado o no un contrato con arreglo al Derecho nacional. Empero, la Directiva 2019/770 deja libertad a los Estados miembros para ampliar su ámbito de aplicación a tales situaciones excluidas[39]. Por tanto, se deja a las legislaciones nacionales la caracterización como contratos de estas situaciones[40]. Por lo que respecta a nuestro ordenamiento interno, se ha de apuntar que el legislador español, al transponer la Directiva, no se ha pronunciado sobre este concreto aspecto para ser aclarado. Es decir, el legislador español no ha incluido el uso de *cookies* o la mera exposición de publicidad como acuerdos sometidos a la regulación, de tal forma que puede entenderse que, en estos supuestos, no hay estrictamente hablando un contrato de suministro[41].

---

39 García Pérez, R. M.ª (2020). "Bases jurídicas relevantes del tratamiento de datos personales en la contratación de contenidos y servicios digitales", *Cuadernos de derecho transnacional*, vol. 12, núm. 1, p. 884.

40 Esta remisión a la legislación nacional para determinar la existencia o no de contrato en estas situaciones lleva consigo una eventual diferenciación entre los sistemas nacionales en este punto, que ha sido objeto de crítica. Al respecto, véase Robert, R. y Smit L. (2018). "The proposal for a directive on digital content: a complex relationship with data protection law", *ERA Forum* 19, pp. 159-177.

41 Sánchez Lería, R. (2022). "Los datos personales como contraprestación en la legislación de consumo", *op. cit.*, p. 4. Como añade la autora citada, esta actividad quedará sometida exclusivamente, a la Ley 34/2002, de 11 de julio, de Servicios de la Sociedad de la Información y del Comercio electrónico, en lo que resulte aplicable.

En cualquier caso, cuando nos encontremos ante uno de estos supuestos mencionados que prevé el legislador como excluidos, la consecuencia será que no va a resultar de aplicación la Directiva 2019/770, y, por tanto, los consumidores no van a contar con los mecanismos de protección en ella previstos. Al respecto, de acuerdo con MARTÍNEZ CALVO, resulta razonable que, cuando los contenidos o servicios digitales se suministran al consumidor sin ninguna contraprestación por parte de este, el nivel de protección que le otorga la normativa sea menor que en los supuestos en los que el consumidor ha de llevar a cabo una contraprestación, ya consista en el pago de un precio o en la cesión de datos personales[42].

3. CONSENTIMIENTO PARA LA CESIÓN Y TRATAMIENTO DE DATOS PERSONALES

3.1. El consentimiento como base legal para el tratamiento de los datos personales

Expuesto todo lo anterior, es innegable la importancia de la Directiva 2019/770, que consigue finalmente lo que era un objetivo prioritario para el legislador europeo: que se reconozca la reciprocidad en aquellos contratos en los que el consumidor permite el tratamiento de sus datos personales a cambio de acceder a prestaciones digitales, otorgándole la misma protección que si su contraprestación hubiese sido dineraria.

---

42 MARTÍNEZ CALVO, J. (2021). "Los datos personales como posible contraprestación en los contratos de suministro de contenidos y servicios digitales", *op. cit.*, p. 104.

Una cuestión sin duda importante en este orden de ideas es la del consentimiento del consumidor para la cesión y posterior tratamiento de sus datos personales.

Como bien sabemos, el tratamiento de los datos de carácter personal se ha de hacer sobre la base del consentimiento de la persona afectada o en virtud de otro fundamento legítimo previsto en la ley, tal como dispone el artículo 8 de la Carta de los Derechos Fundamentales de la Unión Europea. Asimismo, de acuerdo con el considerando 40 RGPD, para que el tratamiento de datos personales "sea lícito, los datos personales deben ser tratados con el consentimiento del interesado o sobre alguna otra base legítima establecida conforme a Derecho, ya sea en el presente Reglamento o en virtud de otro Derecho de la Unión o de los Estados miembros a que se refiera el presente Reglamento, incluida la necesidad de cumplir la obligación legal aplicable al responsable del tratamiento o la necesidad de ejecutar un contrato en el que sea parte el interesado o con objeto de tomar medidas a instancia del interesado con anterioridad a la conclusión de un contrato". De esta forma, el Reglamento refuerza el consentimiento como factor medular en el tratamiento de los datos de carácter personal[43].

En este orden, el artículo 6.1 a) RGPD establece que el tratamiento será lícito cuando "el interesado dio su consentimiento para el tratamiento de sus datos personales para uno o varios fines específicos". Por su parte, el artículo 4.11 RGPD define el consentimiento del interesado como "toda manifestación de

---

[43] Del Castillo Vázquez, I. C. (2021). "Requisitos del consentimiento utilizado como fundamento jurídico para el tratamiento (Comentario al artículo 7RGPD y al artículo 6 LOPDGDD)", en Troncoso Reigada, A. (dir.), *Comentario al Reglamento General de Protección de Datos y a la Ley Orgánica de Protección de Datos personales y Garantía de los Derechos Digitales*, Tomo I, Thomson Reuters-Civitas, Cizur Menor (Navarra), pp. 948-949.

voluntad libre, específica, informada e inequívoca por la que el interesado acepta, ya sea mediante una declaración o una clara acción afirmativa, el tratamiento de datos personales que le conciernen".

Así las cosas, en el contexto del contrato de suministro de contenidos y servicios digitales a cambio de datos personales, el presupuesto habilitante para la cesión y utilización de los datos del consumidor se basa, en línea de principio, en el consentimiento emitido por el titular de los datos; dicho sea de otro modo, el consentimiento será en estos casos la base jurídica para el tratamiento de datos personales, de entre las seis bases que se enumeran en el artículo 6 RGPD.

Tal y como establece el Grupo de Trabajo del Artículo 29 (GT29)[44] en su Dictamen 15/2011 sobre la definición de con-

---

44 El Grupo de Trabajo del Artículo 29 (GT29), creado por la Directiva 95/46/CE, es un órgano consultivo independiente integrado por las Autoridades de Protección de Datos de todos los Estados miembros, el Supervisor Europeo de Protección de Datos y la Comisión Europea (que realiza funciones de secretariado). Las autoridades de los estados candidatos a ser miembros de la Unión y los países del EEE asisten a sus reuniones como observadores. La Agencia Española de Protección de Datos forma parte del mismo desde su inicio, en febrero de 1997. Las funciones del GT29 reconocidas por la Directiva incluyen estudiar toda cuestión relativa a la aplicación de las disposiciones nacionales tomadas para la aplicación de la Directiva, emitir dictámenes sobre el nivel de protección existente dentro de la Comunidad y en países terceros, asesorar a la Comisión sobre cualquier proyecto de modificación de la Directiva, y formular recomendaciones sobre cualquier asunto relacionado con la protección de datos en la Unión Europea. El GT29 se pronuncia a través de Dictámenes, Documentos de Trabajo, Informes o Recomendaciones, aunque también manifiesta su posición en cartas o comunicados de prensa. Las decisiones del Grupo no son jurídicamente vinculantes, pero tienen un importante valor doctrinal y son frecuentemente utilizadas y citadas por los legisladores y los tribunales nacionales y

sentimiento, la invitación para que una persona acepte una operación de tratamiento de datos debe estar sujeta a requisitos estrictos, ya que afecta a los derechos fundamentales del interesado. Téngase en cuenta que el responsable del tratamiento pretende realizar una actividad que, sin dicho consentimiento, sería considerada ilícita[45].

El consentimiento desempeña un papel esencial, como lo reconocen los artículos 7 y 8 de la Carta de los Derechos Fundamentales de la Unión Europea (TOL131.225). Sin embargo, su obtención no exime al responsable del tratamiento de cumplir con los principios fundamentales establecidos en el Reglamento de protección de datos, especialmente los recogidos en el artículo 5. Entre estos principios se encuentran la lealtad, la necesidad, la proporcionalidad y la calidad de los datos. Por tanto, aunque el tratamiento de datos personales se base en el consentimiento del interesado, esto no justifica la recopilación de datos innecesarios para el fin específico del tratamiento, ya que tal práctica sería, en esencia, injusta.

Como dispone el Reglamento, este consentimiento al tratamiento de datos personales debe darse mediante un acto afirmativo claro que refleje una manifestación de voluntad libre, específica, informada, e inequívoca del interesado de aceptar el tratamiento de datos de carácter personal que le conciernen, como una declaración por escrito, inclusive por medios electrónicos, o una declaración verbal (considerando 32 RGPD). Por otro lado, es importante señalar que el interesado tendrá derecho a retirar su consentimiento al tratamiento de sus datos en cualquier momento. Esta retirada no afectará a la licitud del tratamiento basada en el consentimiento previo. Antes de dar

---

europeos (para más información puede verse su sitio *web* https://ec.europa.eu/justice/article-29/documentation/index_en.htm).

45 Dictamen 15/2011 del Grupo de Trabajo del Artículo 29 sobre la definición de consentimiento, adoptado el 13 de julio de 2011.

su consentimiento, el interesado debe ser informado de ello (artículo 7.3 RGPD). Por consiguiente, el consentimiento no se considerará otorgado de manera libre si la persona interesada no dispone de una elección real o voluntaria, o si no puede rechazarlo o retirarlo sin sufrir consecuencias negativas.

En resumen, el consentimiento solo constituye una base jurídica válida para el tratamiento de datos personales cuando garantiza al interesado un control efectivo y una verdadera libertad de elección, permitiéndole aceptar o rechazar las condiciones ofrecidas sin sufrir ninguna consecuencia negativa.

3.2. Requisitos del consentimiento

Partiendo de lo anteriormente expuesto, el consentimiento para el tratamiento de datos personales debe cumplir una serie de requisitos para ser considerado válido. En este sentido, el responsable del tratamiento tiene la obligación de verificar que dicho consentimiento reúne todas las condiciones exigidas por la normativa vigente. Cuando se obtiene en estricto cumplimiento del Reglamento, el consentimiento se convierte en una herramienta eficaz que otorga a los interesados un verdadero control sobre el tratamiento de sus datos personales. En caso contrario, dicho control será meramente ilusorio y el consentimiento no podrá constituir una base jurídica válida, lo que conllevará que la actividad de tratamiento resulte ilícita[46].

A la pregunta de cuáles son concretamente estos requisitos, cabe responder que el consentimiento ha de ser libre, específico, informado e inequívoco (*ex* artículo 4.11 RGPD)[47].

---

46 Directrices 5/2020 sobre el consentimiento en el sentido del Reglamento (UE) 2016/679, adoptadas el 4 de mayo de 2020, p. 5.

47 Como recuerda BUENO BIOT, estos requisitos o caracteres definitorios del consentimiento del interesado -libre, específico, informado

3.2.1. Consentimiento libre

En relación con el primero de los requisitos, se establece que el consentimiento debe ser libre. Esto significa que los interesados deben tener una auténtica capacidad de elección y control sobre sus datos. El Reglamento general de protección de datos dispone que el consentimiento no será válido si el interesado no tiene una verdadera libertad para decidir, se siente presionado a otorgarlo o teme sufrir consecuencias negativas en caso de negarse. Asimismo, si el consentimiento se impone como una condición no negociable dentro de unas condiciones generales, se presume que no ha sido otorgado libremente. En consecuencia, no se considerará que el consentimiento

e inequívoco- establecidos por el RGPD son, idénticamente, seguidos por la LOPDGDD, ya que en su artículo 6 hace una remisión al artículo 4.11 RGPD para definir qué se entiende por consentimiento del interesado. De ahí que la interpretación que hace el TJUE de estos caracteres y la delimitación de las condiciones para que el consentimiento del interesado se considere válido pueda ser perfectamente trasladable a la norma que resulta también de aplicación a nivel nacional como es la LOPDGDD, aparte del RGPD que, como se ha indicado, es directamente aplicable en todos los Estados miembros de la Unión Europea. Por todo ello resulta de gran interés la doctrina sentada por el TJUE, en el sentido de que viene a interpretar qué debe entenderse por "libre", "específico", "informado" e "inequívoco", caracteres estos que deben presidir cualquier prestación del consentimiento al tratamiento de datos personales por parte del interesado al responsable del tratamiento; y, especialmente, cuando este consentimiento se preste a través de cláusulas insertadas por el responsable del tratamiento de forma predeterminada, como es el caso del tipo de contratos que nos ocupa [Bueno Biot, A. (2025) "La contraprestación en forma de datos personales: el nuevo paradigma en la era digital", *op. cit.*, p.1145].

es libre si el interesado no puede rechazarlo o retirarlo sin sufrir perjuicio alguno[48].

De otro lado, con el fin de valorar si se cumple este requisito, el Reglamento señala que para "evaluar si el consentimiento se ha dado libremente, se tendrá en cuenta en la mayor medida posible el hecho de si, entre otras cosas, la ejecución de un contrato, incluida la prestación de un servicio, se supedita el consentimiento al tratamiento de datos personales que no son necesarios para la ejecución de dicho contrato" (artículo 7.4 RGPD)[49]. En esta línea, el considerando 42 del citado Reglamento explica que el "consentimiento no debe considerarse libremente prestado cuando el interesado no goza de verdadera o libre elección o no puede denegar o retirar su consentimiento sin sufrir perjuicio alguno". En palabras de CÁMARA LAPUENTE, esta aclaración del considerando 42 refuerza aún más que determinadas prácticas al uso no superan los requisitos del consentimiento válidamente emitido a esos efectos: baste pensar en las conocidas vallas o ventanas de acceso al contenido o servicio digital (*tracking/ cookies walls*) que no permiten acceder a ellos hasta que no se consienten íntegramente todas la condiciones de uso y de privacidad de la empresa, entre las que puede haber recolección y tratamiento de datos personales que en modo alguno son necesarios para la prestación ofertada (como ocurre, tantas veces, con la autorización

---

48 Directrices 5/2020 sobre el consentimiento en el sentido del Reglamento (UE) 2016/679, adoptadas el 4 de mayo de 2020, p. 8.

49 De forma muy parecida, el artículo 6.3 LOPDGDD establece que "No podrá supeditarse la ejecución del contrato a que el afectado consienta el tratamiento de los datos personales para finalidades que no guarden relación con el mantenimiento, desarrollo o control de la relación contractual".

de datos de geolocalización para aplicaciones o páginas que no lo necesitan)[50].

En esta misma línea, la Directrices del GT29 establecen que para que el consentimiento se manifieste libremente, el acceso a los servicios y funcionalidades no puede supeditarse a que el usuario preste su consentimiento al almacenamiento de información, o al acceso a la información ya almacenada, en el equipo terminal del usuario (las denominadas "barreras de *cookies*")[51]. Y pone el siguiente ejemplo: un proveedor de sitios *web* introduce un *script* que oculta el contenido, a excepción de una solicitud de aceptar las *cookies* e información sobre las *cookies* utilizadas y los fines para los que se tratarán los datos. No es posible acceder al contenido sin pulsar el botón "aceptar las *cookies*". Dado que al interesado no se le ofrece una posibilidad real de elección, su consentimiento no se manifiesta libremente. Esto no implica un consentimiento válido, ya que la prestación del servicio se supedita a que el interesado pulse el botón "aceptar las *cookies*". En definitiva, no se le ofrece una posibilidad real de elección[52].

Ahora bien, tal como ha señalado la doctrina, este requisito puede plantear dificultades en el contexto de los contratos de suministro de contenidos y servicios digitales. En estos casos, cuando la contraprestación ofrecida por el consumidor consiste precisamente en la cesión de sus datos personales, el

---

50 Cámara Lapuente, S. (2019). "Extinción de los contratos sobre contenidos y servicios digitales y disponibilidad de los datos: supresión, recuperación y portabilidad", *op. cit.*, p. 200.

51 El 10 de abril de 2018, el Grupo de Trabajo del Artículo 29 (GT29) adoptó sus Directrices sobre el consentimiento en el sentido del Reglamento 2016/679 (WP259.01), que fueron aprobadas por el Comité Europeo de Protección de Datos (CEPD) en su primera reunión plenaria.

52 Directrices 5/2020 sobre el consentimiento en el sentido del Reglamento (UE) 2016/679, adoptadas el 4 de mayo de 2020, pp. 11-12.

consentimiento para su tratamiento se convierte en una condición necesaria para acceder a dichos contenidos o servicios[53]. Esta situación plantea la duda de si, en tales circunstancias, el consentimiento puede considerarse verdaderamente libre, o si, por el contrario, el consumidor se ve obligado a otorgarlo para no verse privado del acceso.

Para salvar esta falta de coordinación entre la normativa de protección de datos y la normativa de protección del consumidor que regula estos contratos, hay que partir, de acuerdo con SÁNCHEZ LERÍA, de una interpretación estricta de estos preceptos en virtud de la cual en los mismos se prohíbe exclusivamente que la ejecución de un contrato se condicione a la cesión de datos personales por parte del consumidor, pero no que la propia celebración del contrato se supedite a ellos. La autora citada cree que esta interpretación es la más acorde tanto con la normativa de protección de datos como con la realidad negocial del actual mercado de bienes y servicios digitales. Igualmente, con la libertad contractual consagrada en el artículo 1255 CC (TOL220.310), pues entiende que nada impide que el empresario condicione el acceso a determinados servicios o contenidos que ofrece en el mercado a que se le cedan datos personales para su tratamiento, siempre y cuando se haya informado previamente al consumidor conforme a lo dispuesto anteriormente. Sí se impide, y esto es importante, que el cumplimiento de una obligación previamente contraída o la ejecución de un contrato ya celebrado se supedite a la cesión y consentimiento al tratamiento de datos personales del consumidor que no sean necesarios para dicha ejecución. En

---

53 MARTÍNEZ CALVO, J. (2022) "Dualidad normativa en la regulación de los contratos gratuitos de suministro de contenidos y servicios digitales: la necesaria armonización entre la Directiva (UE) 2019/770 y el Reglamento (UE) 2016/679", *Actualidad Jurídica Iberoamericana*, número 16, p. 1174.

este supuesto, el afectado no consentiría libremente, siendo, en consecuencia, el tratamiento ilícito en virtud de los artículos 7.4 RGPD y 6.3 LOPDGDD[54].

3.2.2. Consentimiento específico

Además de libre, hemos dicho que el consentimiento ha de ser específico, informado e inequívoco (*ex* artículo 4.11 RGPD y artículo 6.1 LOPDGDD).

La exigencia de especificidad del consentimiento se justifica en que el tratamiento de datos personales puede perseguir diversas finalidades. En estos casos, el titular de los datos debe otorgar su consentimiento de forma individualizada para cada uno de los fines previstos. Esto implica que el interesado puede autorizar el tratamiento de sus datos para determinados usos y, al mismo tiempo, negarse a su utilización para otros fines que no desee aceptar. De este modo, se garantiza que el consentimiento sea informado y limitado a los propósitos expresamente aceptados por el titular.

En palabras de Hidalgo Cerezo, esto supone una revolución respecto al planteamiento clásico de las condiciones generales de la contratación, donde el contrato se concebía como un monolito de aceptación pura y simple: o todo o nada. Nos encontramos ante un consentimiento estratificado, pues no podrá darse en bloque, sino distinguiendo cada finalidad de forma independiente[55]. El objetivo de este requisito es, en rigor, el de garantizar que el interesado tiene el control de sus

---

54 Sánchez Lería, R. (2022). "Los datos personales como contraprestación en la legislación de consumo", *op. cit.*, pp. 7-8.

55 Hidalgo Cerezo, A. (2020). *Derecho digital en la Unión Europea, op. cit.*, pp. 138-139.

datos, para lo cual se intenta evitar los consentimientos indiscriminados para una multitud de finalidades[56].

---

56 DEL CASTILLO VÁZQUEZ, I. C. (2021). "Requisitos del consentimiento utilizado como fundamento jurídico para el tratamiento (Comentario al artículo 7RGPD y al artículo 6 LOPDGDD)", *op. cit.*, pp. 949-950 y 688-690. Así, por ejemplo, el consentimiento dado para el tratamiento de datos personales con la finalidad de descarga en un ordenador de una aplicación gratuita no puede ser utilizado para la elaboración del perfil del usuario sobre sus preferencias y transacciones. Como tampoco el acceso a los servicios de redes sociales puede condicionarse a la prestación de un consentimiento para recibir publicidad comportamental, pues el usuario debe estar en condiciones de prestar su consentimiento libre y específico para recibir publicidad comportamental, independientemente de su acceso al servicio de la red social. Sin embargo, y a la inversa, un único consentimiento puede ser suficiente para legitimar varios tratamientos con una misma finalidad, siempre y cuando el interesado haya sido debidamente informado en el momento del primer tratamiento y la finalidad no varíe en los tratamientos posteriores. En palabras de la autora citada, el interesado debe estar en condiciones de entender las circunstancias y la finalidad del consentimiento que se le requiere en cada momento, a fin de poder valorar si lo que se le pide está realmente justificado para el producto o servicio que desea obtener. Además, como quiera que en el entorno *online* es frecuente que la denegación de algún permiso impida el acceso o alguna de las prestaciones del servicio, o un conjunto de ellas, será necesario presentar al usuario la información de manera clara y transparente. En suma, el responsable deberá arbitrar un sistema que permita a los titulares de los datos consentir por separado los tratamientos objeto de distintas finalidades -obviamente en la medida en que esos tratamientos no sean necesarios para la prestación del servicio en el que se registra o que solicita-, utilizando para ello mecanismos como las ventanas desplegables, de forma que se facilite al usuario la posibilidad de seleccionar el uso para el que da su consentimiento (transmisión al promotor, publicidad comportamental, transmisión a terceros…), sin que con ello se produzca la saturación.

Por otro lado, este requisito de la especificidad del consentimiento significa, además, que si los fines para los que el responsable utiliza o trata los datos cambian o se amplían *a posteriori*, el usuario o interesado deberá ser informado y estar en condiciones de dar su consentimiento para el nuevo tratamiento de datos. En suma, pues, cuando el tratamiento de los datos se realice con fines diversos, la solución para cumplir la condición del consentimiento válido estará en la granularidad, es decir, en la disociación de dichos fines y la obtención del consentimiento para cada uno de ellos[57].

3.2.3. Consentimiento informado

Asimismo, el responsable del tratamiento debe informar al interesado de forma clara y completa antes de recabar su consentimiento, lo que da lugar a la exigencia de que este sea informado. Proporcionar información previa resulta esencial para que el titular de los datos pueda tomar decisiones fundamentadas, comprender el alcance del tratamiento que autoriza y ejercer, en su caso, derechos como el de retirar el consentimiento. Si dicha información no es accesible o comprensible,

---

57 Directrices 5/2020 sobre el consentimiento en el sentido del Reglamento (UE) 2016/679, adoptadas el 4 de mayo de 2020, p. 12. El GT29 pone el siguiente ejemplo sobre este particular: en la misma solicitud de consentimiento un minorista pide a sus clientes el consentimiento para utilizar sus datos para enviarles publicidad por correo electrónico y para compartir sus datos con otras empresas de su grupo. Este consentimiento no es granular ya que no es posible consentir por separado a estos dos fines distintos y, por tanto, el consentimiento no será válido. En este caso, debería obtenerse un consentimiento específico para enviar los datos de contacto a socios comerciales. Dicho consentimiento específico se considerará válido para cada socio cuya identidad se haya facilitado al interesado en el momento de la obtención de su consentimiento y en la medida en que se envíe para el mismo fin (en este ejemplo, un fin comercial).

el control que el usuario pueda ejercer sobre sus datos será meramente aparente y el consentimiento no podrá considerarse una base jurídica válida[58]. En esta línea, el Reglamento general de protección de datos consagra los principios de licitud, lealtad y transparencia, que exigen informar al interesado tanto sobre la existencia del tratamiento como sobre los fines que se persiguen con el mismo.

El responsable del tratamiento debe proporcionar al interesado toda la información complementaria que resulte necesaria para asegurar un tratamiento leal y transparente, teniendo en cuenta las circunstancias y el contexto específicos en los que se lleve a cabo el tratamiento de los datos personales. Entre otros aspectos, debe informarse al interesado sobre la existencia de procesos de elaboración de perfiles, así como sobre las consecuencias que puedan derivarse de los mismos. Asimismo, cuando los datos personales se recaben directamente del interesado, este debe ser informado acerca de si está obligado a facilitarlos y de las posibles consecuencias de no hacerlo. Esta información puede presentarse, además, mediante el uso de iconos normalizados que ofrezcan una visión general clara, accesible y comprensible del tratamiento previsto. En el caso de los formatos electrónicos, dichos iconos deben ser legibles mecánicamente (considerando 60 RGPD).

Del mismo modo, las personas físicas deben tener plena claridad sobre el hecho de que se están recogiendo, utilizando, consultando o tratando de alguna otra forma datos personales que les conciernen, así como sobre el alcance de dicho tratamiento. El principio de transparencia impone que toda información y comunicación relativa al tratamiento de datos personales sea fácilmente accesible, comprensible y se presente en un lenguaje claro y sencillo. Este principio se aplica especial-

58 Directrices 5/2020 sobre el consentimiento en el sentido del Reglamento (UE) 2016/679, adoptadas el 4 de mayo de 2020, p. 14.

mente a la información relativa a la identidad del responsable del tratamiento, a los fines que se persiguen y a cualquier otro dato adicional necesario para garantizar un tratamiento leal y transparente con respecto a los interesados. Asimismo, este principio protege el derecho de las personas a obtener confirmación sobre si sus datos están siendo objeto de tratamiento, así como a acceder a la información correspondiente (considerando 39 RGPD). En consecuencia, el interesado debe poder conocer, con carácter previo al tratamiento, qué datos suyos se van a tratar, con qué finalidad y quién es el responsable de dicho tratamiento[59].

i) Requisitos mínimos de contenido para que el consentimiento sea informado

Para que el consentimiento pueda considerarse informado, es imprescindible que el interesado reciba determinados elementos de información que le permitan tomar una decisión consciente y libre. En este sentido, el Comité Europeo de Protección de Datos (CEPD) establece que, para que el consentimiento sea válido, es necesario proporcionar, al menos, la siguiente información:

- la identidad del responsable del tratamiento;
- el fin de cada una de las operaciones de tratamiento para las que se solicita el consentimiento;
- qué (tipo de) datos van a recogerse y utilizarse;
- la existencia del derecho a retirar el consentimiento;
- información sobre el uso de los datos para decisiones automatizadas;

---

59 Del Castillo Vázquez, I. C. (2021). "Requisitos del consentimiento utilizado como fundamento jurídico para el tratamiento (Comentario al artículo 7RGPD y al artículo 6 LOPDGDD)", *op. cit.*, p. 691.

- información sobre los posibles riesgos de transferencia de datos debido a la ausencia de una decisión de adecuación y de garantías adecuadas.

Sin perjuicio de lo anterior, el CEPD señala que, en función de las circunstancias concretas y del contexto en el que se lleve a cabo el tratamiento, podría ser necesario proporcionar información adicional. Ello con el fin de garantizar que el interesado comprenda plenamente las operaciones de tratamiento que se van a realizar respecto de sus datos personales[60].

ii) Cómo facilitar información

De acuerdo con la Directrices del GT29, el Reglamento general de protección de datos no prescribe el modo o la forma en el que debe facilitarse la información con el fin de cumplir con los requisitos del consentimiento informado. Esto significa que la información válida puede presentarse de maneras distintas, por ejemplo, declaraciones escritas o verbales o mensajes de audio o vídeo. No obstante, el Reglamento establece algunos requisitos para el consentimiento informado, sobre todo en el artículo 7, apartado 2, y en el considerando 32. Esto aporta un mayor nivel de claridad y accesibilidad de la información.

Para empezar, cuando solicitan el consentimiento, los responsables del tratamiento deben asegurarse de que utilizan un lenguaje claro y sencillo en todos los casos, es decir, el mensaje debe ser comprensible para un ciudadano medio y no únicamente para juristas. Los responsables del tratamiento no pueden utilizar políticas de privacidad muy extensas que sean difíciles de entender o declaraciones llenas de jerga jurídica. El consentimiento debe ser claro y distinguirse de otros asuntos y debe facilitarse de manera inteligible y de fácil acceso. Este

---

60 Directrices 5/2020 sobre el consentimiento en el sentido del Reglamento (UE) 2016/679, adoptadas el 4 de mayo de 2020, p. 15.

requisito significa, esencialmente, que la información pertinente para adoptar decisiones informadas sobre si prestar o no el consentimiento no puede esconderse en los términos y condiciones generales.

Además, el responsable del tratamiento debe garantizar que el consentimiento se otorga sobre la base de una información clara, que permita a los interesados identificar fácilmente quién está a cargo del tratamiento y comprender con precisión qué están autorizando. Es fundamental que el responsable especifique de forma clara y transparente la finalidad para la cual se solicita dicho consentimiento.

En particular, cuando el consentimiento se otorga por medios electrónicos, la solicitud debe presentarse de manera clara y concisa. Una estrategia eficaz para equilibrar la necesidad de precisión y exhaustividad con la exigencia de claridad y comprensión consiste en proporcionar la información de forma estructurada, utilizando distintos niveles o capas informativas.

Asimismo, de conformidad con el considerando 32 RGPD, si el consentimiento se solicita por medios electrónicos, la solicitud deberá ser separada y diferenciada y no podrá ser simplemente un párrafo dentro de los términos y condiciones. Con el fin de ajustarse a pantallas pequeñas o a situaciones en las que haya poco espacio para la información, puede considerarse, si procede, facilitar la información en niveles, para evitar perturbar en exceso la experiencia del usuario o el diseño del producto.

3.2.4. Consentimiento inequívoco

Por lo demás, el consentimiento del interesado debe ser inequívoco. Con este requisito lo que se exige es que el consentimiento se articule a través de una acción positiva, de tal forma que no pueda deducirse de una ausencia de respuesta por parte de los afectados. El Reglamento introduce la necesidad de una posición activa del interesado que excluye la pasividad como manifestación del consentimiento tácito, es decir, inferido de la falta de una manifestación contraria al tratamiento: la simple respuesta pasiva ya no es aceptada como manifestación de voluntad, especialmente en el contexto en línea[61].

Por consiguiente, debe resultar evidente que el interesado ha dado su consentimiento a una operación concreta de tratamiento de datos. El artículo 4.11 RGPD define el consentimiento del interesado como "toda manifestación de voluntad libre, específica, informada e inequívoca por la que el interesado acepta, ya sea mediante una declaración o una clara acción afirmativa, el tratamiento de datos personales que le conciernen". La "clara acción afirmativa" significa que el interesado debe haber actuado de forma deliberada para dar su consentimiento a ese tratamiento en particular. De acuerdo con el considerando 32 RGPD, puede tratarse de una declaración por escrito, inclusive por medios electrónicos, o una declaración verbal.

El GT29 explica que, tal vez, la forma más literal de cumplir el criterio de "declaración escrita" es asegurarse de que el interesado envía una carta o un correo electrónico al responsable del tratamiento en el que explica qué es exactamente lo que autoriza. No obstante, esto no suele ser muy realista. Puede haber declaraciones escritas de muchas formas y tamaños que cumplan el Reglamento general de protección de datos. Sea como fuere, esa clara acción afirmativa "podría incluir marcar una casilla de un sitio *web* en Internet, escoger parámetros técnicos para la utilización de servicios de la sociedad de la información, o cualquier otra declaración o conducta que indique claramente en este contexto que el interesado acepta la pro-

---

61 DEL CASTILLO VÁZQUEZ, I. C. (2021). "Requisitos del consentimiento utilizado como fundamento jurídico para el tratamiento (Comentario al artículo 7RGPD y al artículo 6 LOPDGDD)", *op. cit.*, pp. 680-681.

puesta de tratamiento de sus datos personales" (considerando 32 RGPD). Lo dicho permite concluir, asimismo, que el uso de casillas de aceptación ya marcadas no es válido con arreglo al RGPD[62]. El silencio o la inactividad del interesado, o simplemente continuar con un servicio, no pueden considerarse como una indicación activa de haber realizado una elección.

Por otra parte, el responsable del tratamiento debe asegurarse de que el consentimiento no se obtenga a través de la misma acción con la que el usuario acepta un contrato o los términos y condiciones generales de un servicio. La aceptación general de dichos términos no constituye, por sí sola, una manifestación clara de consentimiento para el tratamiento de datos personales. El Reglamento general de protección de datos prohíbe el uso de casillas marcadas previamente o de mecanismos de exclusión que requieran una acción por parte del interesado para rechazar el consentimiento, como ocurre con las llamadas "casillas de exclusión voluntaria" (artículo 7.2 del RGPD)[63].

---

62 En este sentido, la Sentencia del Tribunal de Justicia de la Unión Europea de 11 de noviembre de 2020, se pronunció sobre la inclusión en un contrato de telefonía móvil de una casilla previamente marcada por el responsable, relativa al consentimiento del cliente. El Tribunal sostuvo que la información facilitada al usuario para decidir si consiente o no el tratamiento de sus datos debe ser comprensible y fácilmente accesible, de modo que el interesado pueda conocer claramente las consecuencias de dicha cesión, sin que la redacción de las cláusulas pueda inducir a error. Asimismo, la mencionada sentencia indicaba que el consentimiento de los consumidores y usuarios debe manifestarse a través de una acción concreta que permita entender, de manera inequívoca, que el interesado autoriza el tratamiento de sus datos personales.

63 Directrices 5/2020 sobre el consentimiento en el sentido del Reglamento (UE) 2016/679, adoptadas el 4 de mayo de 2020, p. 18.

Adicionalmente, el Reglamento establece que, cuando el consentimiento se solicite por medios electrónicos, dicha solicitud no debe interferir de manera innecesaria en el uso del servicio ofrecido (considerando 32 del RGPD). No obstante, el Grupo de Trabajo del Artículo 29 aclara que, en ciertos casos, puede ser necesaria una acción afirmativa por parte del interesado para evitar ambigüedades, especialmente cuando métodos menos intrusivos podrían generar confusión. Por ello, es posible que la solicitud de consentimiento deba interrumpir, aunque sea parcialmente, la experiencia del usuario para garantizar que esta sea clara y efectiva[64].

En resumen, los responsables del tratamiento deben diseñar los mecanismos de obtención del consentimiento de forma que resulten comprensibles y transparentes para los interesados. Es fundamental evitar cualquier ambigüedad y asegurarse de que la acción que expresa el consentimiento sea claramente diferenciable de otras interacciones. Por tanto, el simple hecho de continuar navegando por un sitio *web* no puede interpretarse como una manifestación válida de conformidad con el tratamiento de datos personales propuesto[65].

---

64 Directrices 5/2020 sobre el consentimiento en el sentido del Reglamento (UE) 2016/679, adoptadas el 4 de mayo de 2020, p. 18.

65 Al respecto, el GT29 pone el siguiente ejemplo: arrastrar una barra en una pantalla, saludar con la mano ante una cámara inteligente, hacer girar un teléfono inteligente en el sentido de las agujas del reloj o moverlo haciendo la forma de un ocho pueden ser opciones para indicar el acuerdo, siempre que se facilite información clara y esté claro que el movimiento en cuestión significa dar el consentimiento a una solicitud concreta (por ejemplo, si mueve esta barra hacia la izquierda, estará de acuerdo con el uso de la información X para el fin Y. Repita el movimiento para confirmarlo). El responsable debe ser capaz de demostrar que el consentimiento se obtuvo de este modo y los interesados deben poder retirar su consentimiento de una manera tan sencilla como lo prestaron (Directrices

En este contexto, el GT29 realiza una advertencia relevante: en el entorno digital, muchos servicios dependen del tratamiento de datos personales, lo que lleva a que los usuarios reciban con frecuencia múltiples solicitudes de consentimiento, normalmente requeridas con un clic o un gesto como deslizar el dedo por la pantalla. Esta repetición constante puede provocar fatiga en los interesados, haciendo que pierdan atención o interés y acepten sin leer. Como consecuencia, los mecanismos de consentimiento pierden su función de advertencia efectiva, lo que representa un riesgo significativo, ya que a menudo se solicita el consentimiento para actividades que, sin él, serían ilegales [66].

3.3. Revocabilidad del consentimiento

De acuerdo con el artículo 7.3 RGPD, el interesado tiene derecho a retirar su consentimiento en cualquier momento, y el responsable del tratamiento debe asegurarse de que este proceso sea tan sencillo como lo fue otorgarlo. En línea con esta disposición, el Grupo de Trabajo del Artículo 29 señala que si el consentimiento se otorgó mediante un solo clic, un deslizamiento en la pantalla o la pulsación de una tecla, su retirada debe poder realizarse con la misma facilidad. En los casos en que el consentimiento se haya dado a través de una interfaz específica -como un sitio *web*, una aplicación, una cuenta de usuario o mediante correo electrónico-, es imprescindible que el interesado pueda revocarlo utilizando ese mismo canal. Forzar el uso de una interfaz distinta solo para retirar el consentimiento supondría una carga innecesaria. Además, el

---

5/2020 sobre el consentimiento en el sentido del Reglamento (UE) 2016/679, adoptadas el 4 de mayo de 2020, p. 18).

66 Directrices 5/2020 sobre el consentimiento en el sentido del Reglamento (UE) 2016/679, adoptadas el 4 de mayo de 2020, p. 19.

interesado debe poder ejercer este derecho sin sufrir ningún perjuicio, lo que implica, entre otras cosas, que la retirada del consentimiento debe ser completamente gratuita[67].

El responsable del tratamiento está obligado a informar al interesado sobre su derecho a retirar el consentimiento antes de que este lo otorgue, conforme al artículo 7.3 RGPD. Como regla general, la retirada del consentimiento no afecta a la licitud del tratamiento realizado con anterioridad a dicha retirada; sin embargo, una vez revocado, el responsable debe cesar inmediatamente las actividades de tratamiento que dependían de ese consentimiento. En caso de no existir otra base jurídica que legitime el tratamiento posterior de los datos, el responsable estará obligado a suprimirlos.

Así las cosas, la cuestión que se nos plantea entonces es qué ocurrirá si el consumidor revoca su consentimiento para el tratamiento de sus datos personales respecto al contrato de suministro cuando dicho tratamiento es la "contraprestación" del consumidor; más concretamente, qué consecuencias puede tener esta revocación del consentimiento sobre la eficacia del contrato celebrado. Hay que decir que la Directiva 2019/770 dejaba la regulación de esta cuestión en manos de los Estados miembros (considerando 40).

Conforme a ello, el artículo 119 ter 7 TRLGDCU establece lo siguiente: "El ejercicio por el consumidor o usuario de su derecho a retirar su consentimiento u oponerse al tratamiento de datos personales permitirá que el empresario resuelva el contrato siempre y cuando el suministro de los contenidos o servicios digitales sea continuo o consista en una serie de actos individuales y se encuentre pendiente de ejecutar en todo o en

---

67 Directrices 5/2020 sobre el consentimiento en el sentido del Reglamento (UE) 2016/679, adoptadas el 4 de mayo de 2020, p. 23.

parte. En ningún caso el ejercicio de estos derechos por el consumidor supondrá el pago de penalización alguna a su cargo".

Por tanto, como vemos, el legislador español autoriza al empresario que hubiera suministrado contenidos o servicios digitales a resolver el contrato cuando el consumidor ejercite su derecho a retirar su consentimiento o a oponerse al tratamiento. El problema que esta norma conlleva tiene mucho que ver con lo que decíamos más arriba sobre la licitud del consentimiento, y ello porque este derecho a resolver el contrato que el legislador confiere al empresario en el citado artículo puede dar a entender, muy probablemente, que el fundamento de la terminación del contrato es el incumplimiento del consumidor, cuando realmente este no es el supuesto. En efecto, el consumidor que revoca el consentimiento o se opone al tratamiento de sus datos personales se limita a ejercer unos derechos que tiene reconocidos de forma imperativa e irrenunciable en la normativa de protección datos (tanto en el RGPD como en la LOPDGDD).

Como señala ARROYO AMAYUELAS, está claro que en el caso de que la contraprestación del consumidor sea la autorización para tratar sus datos personales, si este revoca su consentimiento o manifiesta su oposición al tratamiento, el equilibrio de intereses puede justificar que el empresario deje de continuar ofreciendo los contenidos y servicios digitales, pero es preferible pensar que esto se debería articular mediante un derecho de denuncia o desistimiento del contrato y no un derecho a resolverlo propiamente dicho[68]. Así, de acuerdo con CÁMARA LAPUENTE, quizás, más que una auténtica resolución, si se sostiene que no existe auténtica obligación para el consumi-

68 ARROYO AMAYUELAS, E. (2022). "Entra el vigor el Real Decreto Ley 7/2021 (Compraventa de bines de consumo y suministro de contenidos y servicios digitales al consumidor)", *Revista CESCO de Derecho de Consumo,* núm. 41, p. 9.

dor (que, insistimos, se limita a ejercer unos derechos) pueda pensarse que el legislador haya introducido un derecho del empresario a desistir lícita y unilateralmente del contrato ante unas nuevas circunstancias que pueden hacer económicamente contraproducente para él el mantenimiento del contrato[69].

Por otro lado, partiendo de todo lo anteriormente expuesto, cabe preguntarse también cuáles son los mecanismos que protegen al consumidor ante una eventual utilización indebida de sus datos personales. La Directiva de contenidos y servicios digitales recoge las acciones que le asisten ante la falta de conformidad del bien o servicio digital adquirido, pero no protege otros derechos del usuario como sería, en caso de resolución contractual, el derecho a que el proveedor no vuelva a utilizar sus datos personales. Ello se debe a que, ciertamente, no se concibe la información personal como un verdadero activo económico en manos del consumidor, como un elemento de intercambio entre el cliente y el empresario y, por esta causa, se entiende que solo la normativa de protección de datos es la competente para velar por este derecho de la personalidad que es la privacidad de los ciudadanos[70]. Pero cabría plantear-

---

69 CÁMARA LAPUENTE, S., "Un primer balance de las novedades del RDL 7/2021, de 27 de abril, para la defensa de los consumidores en el suministro de contenidos y servicios digitales", *op. cit.*, p. 24.

70 En cuanto a los datos personales, la Directiva 2019/770 remite a la normativa sobre protección de datos. Así, tanto el artículo 16.2 de la Directiva como el artículo 119 ter, apartado 5 b) TRLGDCU afirman que el empresario debe cumplir con las obligaciones aplicables con arreglo al RGPD y a la Ley Orgánica 3/2018, de Protección de Datos Personales y garantía de los derechos digitales. En este sentido, el consumidor tiene derecho, entre otros, a la supresión de sus datos personales por parte del responsable de tratamiento (artículo 17 RGPD y artículo 15 LOPDGDD) y a su portabilidad (artículo 20 RGPD y artículo 17 LOPDGDD) no solo cuando se resuelva el contrato sino también durante su vigencia [HERRERÍAS CASTRO, I. (2022). "Contratos de suministro de contenidos y servicios digitales:

se si, en rigor, los mecanismos que prevé el RGPD son lo suficientemente eficaces a estos efectos[71].

4. CONCLUSIONES

La cesión de datos personales como contraprestación en los contratos de suministro de contenidos y servicios digitales refleja un cambio estructural en la concepción de las relaciones de consumo en la economía digital. La Directiva (UE) 2019/770 y su transposición al TRLGDCU han reconocido esta realidad, otorgando a los consumidores una protección equiparable a la de los contratos onerosos tradicionales. Esta evolución normativa evidencia la voluntad del legislador europeo y nacional de adaptar el Derecho de consumo a los nuevos modelos de intercambio digital, en los que el dato personal opera como un recurso económico de valor equiparable al dinero. Sin embargo, la coexistencia entre el Derecho de protección de datos y el Derecho de consumo plantea todavía importantes desafíos de coordinación normativa, derivados de sus distintos fines y fundamentos: mientras el primero persigue garantizar la autodeterminación informativa de la persona, el segundo busca equilibrar las relaciones entre las partes contratantes. La articulación armónica de ambos marcos resulta, por tanto, esencial para asegurar una tutela integral del consumidor en el ámbito digital.

El consentimiento se configura como elemento esencial en este nuevo modelo contractual, pero también como su punto

---

cuando el precio son tus datos personales", *Actualidad Jurídica Iberoamericana*, núm. 16, p. 1025].

71 *Vid.* Morales Barceló, J. (2022). "El difícil equilibrio entre el régimen de los contratos de suministro de contenidos y servicios digitales y la protección de los datos personales", *Revista Aranzadi de Derecho y Nuevas Tecnologías*, núm. 59, pp. 6 -7.

más frágil. Su validez requiere que sea libre, específico, informado e inequívoco, conforme a lo dispuesto en el artículo 4.11 RGPD, aunque en la práctica de la contratación digital estas condiciones se ven con frecuencia comprometidas por la asimetría informativa, la opacidad de las políticas de privacidad y la complejidad técnica de los entornos digitales. Este déficit práctico pone de relieve la necesidad de reforzar la transparencia, la comprensibilidad de la información al consumidor y la responsabilidad activa de los suministradores de contenidos y servicios digitales, de modo que el consentimiento se convierta en una manifestación auténtica de la voluntad del consumidor, y no en una mera formalidad jurídica sin contenido real. En este sentido, el fortalecimiento de la educación digital y la simplificación de los mecanismos de consentimiento constituyen instrumentos indispensables para garantizar una decisión verdaderamente libre e informada.

Por otro lado, la revocabilidad del consentimiento, pese a ser un derecho reconocido al interesado tanto en el artículo 7.3 RGPD como en el artículo 119 ter TRLGDCU, plantea consecuencias contractuales complejas cuando los datos personales constituyen la contraprestación del consumidor. La posibilidad de que el empresario resuelva el contrato en tales supuestos puede suponer una fisura en la protección del usuario, al generar un coste o perjuicio derivado del ejercicio de un derecho fundamental. Por ello, se impone una interpretación sistemática que preserve la eficacia de los derechos del interesado sin desvirtuar el equilibrio contractual, de manera que la revocación del consentimiento no implique una penalización encubierta ni desaliente el ejercicio de los derechos de protección de datos. En este punto, se debería avanzar hacia soluciones que distingan entre la resolución por incumplimiento y el desistimiento justificado del empresario, garantizando la coherencia entre las normas de consumo y las de protección de datos personales.

En definitiva, el actual marco jurídico ha supuesto un avance significativo en la protección del consumidor en el ámbito digital, pero aún debe profundizarse en la armonización entre la explotación económica de los datos personales y su dimensión como derecho fundamental. Solo desde un equilibrio entre la lógica del mercado y la protección de la persona podrá consolidarse un entorno digital ético, transparente y equitativo, en el que la innovación tecnológica y la libertad contractual coexistan con la tutela efectiva de la autonomía y la privacidad del consumidor. De ello dependerá, en última instancia, que el consentimiento y la utilización de los datos personales como contraprestación contractual se integren plenamente en un modelo jurídico que combine eficiencia económica con respeto a los derechos fundamentales.

5. REFERENCIAS BIBLIOGRÁFICAS

ARROYO AMAYUELAS, E. (2022). "Entra el vigor el Real Decreto Ley 7/2021 (Compraventa de bines de consumo y suministro de contenidos y servicios digitales al consumidor)", *Revista CESCO de Derecho de Consumo*, núm. 41.

AXEL METZGER (2020). "Un modelo de mercado para los datos personales: estado de la cuestión a partir de la nueva Directiva sobre contenidos y servicios digitales", en Arroyo AmAayuelas. E. y Cámara Lapuente, S. (dirs.), *El Derecho Privado en el nuevo paradigma digital*, Marcial Pons, Madrid, pp. 121-139.

BARRÓN ARNICHES, P. (2019). "La pérdida de privacidad en la contratación electrónica (entre el Reglamento de protección de datos y la nueva Directiva de suministro de contenidos digitales)", *Cuadernos europeos de Deusto*, núm. 61, 2019, pp. 29-65.

BUENO BIOT, A. (2022). "Las medidas correctoras en el ámbito digital", *Actualidad Jurídica Iberoamericana*, núm. 16, pp. 918-937.

BUENO BIOT. A. (2025). "La contraprestación en forma de datos personales: el nuevo paradigma en la era digital", *Actualidad Jurídica Iberoamericana*, núm. 22, pp. 1122-1185.

CÁMARA LAPUENTE, S. (2022). "Contratos de suministro de contenidos y servicios digitales", en SANTOS MORÓN, Mª. J. y MATO PACÍN, Mª. N. (coords.), *Derecho de consumo: visión normativa y jurisprudencial actual*, Tecnos, Madrid, pp. 273-301.

CÁMARA LAPUENTE, S. (2019). "Extinción de los contratos sobre contenidos y servicios digitales y disponibilidad de los datos: supresión, recuperación y portabilidad", en CASTAÑOS CASTRO, P. y CASTILLO PARRILLA, J. A. (dirs.), *El mercado digital en la Unión Europea*, Reus, Madrid, pp. 157-249.

CÁMARA LAPUENTE, S. (2021). "Un primer balance de las novedades del RDL 7/2021, de 27 de abril, para la defensa de los consumidores en el suministro de contenidos y servicios digitales", *La Ley*.

DEL CASTILLO VÁZQUEZ, I. C. (2021). "Requisitos del consentimiento utilizado como fundamento jurídico para el tratamiento (Comentario al artículo 7RGPD y al artículo 6 LOPDGDD)", en TRONCOSO REIGADA, A. (dir.), *Comentario al Reglamento General de Protección de Datos y a la Ley Orgánica de Protección de Datos personales y Garantía de los Derechos Digitales*, Tomo I, Thomson Reuters-Civitas, Cizur Menor (Navarra), pp. 945-956.

DOMÍNGUEZ YAMASAKI, Mª. I. (2020). "El tratamiento de datos personales como prestación contractual. Gratuidad de contenidos y servicios digitales a elección del usuario", *Revista de Derecho Privado*, número 4, 2020, pp. 93-120.

GARCÍA HERNÁNDEZ, A. (2022). "Los datos como contraprestación o la pérdida encubierta de la privacidad del individuo a cambio de servicios gratuitos", *Revista CESCO de Derecho de Consumo*, núm. 1.

GARCÍA HERRERA, V. (2020). "El pago con datos personales. Incoherencias legislativas derivadas de la configuración de los datos como posible «contraprestación» en el suministro de contenidos y servicios digitales", *Actualidad Civil*, núm. 1.

GARCÍA PÉREZ, R. M.ª (2020). "Bases jurídicas relevantes del tratamiento de datos personales en la contratación de contenidos y servicios digitales", *Cuadernos de derecho transnacional*, vol. 12, núm. 1, pp. 875-907.

GARCÍA PÉREZ, R. M.ª (2020). "Interacción entre protección del consumidor y protección de datos personales en la Directiva (UE) 2019/770: licitud del tratamiento y conformidad de contenidos y servicios digitales", en ARROYO AMAYUELAS. E. y CÁMARA LAPUEN-

TE, S. (dirs.), *El Derecho Privado en el nuevo paradigma digital,* Marcial Pons, pp. 175-208.

GARCÍA PÉREZ, R. M.ª (2022). "Privacidad desde el diseño y por defecto en el régimen de conformidad de la contratación de servicios digitales", en MADRID PARRA, A. y ALVARADO HERRERA, L. (dirs.), *Derecho digital y nuevas tecnologías,* Thomson Reuters, Cizur Menor (Navarra), pp. 65-97.

HERRERÍAS CASTRO, L. (2022). "Contratos de suministro de contenidos y servicios digitales: cuando el precio son tus datos personales", *Actualidad Jurídica Iberoamericana,* núm. 16, pp. 1010-1037.

HIDALGO CEREZO, A. (2020). *Derecho digital en la Unión Europea. Techlaw y mercado único digital en la década 2010-2020,* Comares, Granada.

LANGHANKE, C. y SCHMIDT-KESSEL, M. (2015). "Consumer Data as Consideration", *Journal of European Consumer and Market Law,* núm. 6/2015, pp. 218-223.

MARTÍNEZ CALVO, J. (2022). "Dualidad normativa en la regulación de los contratos gratuitos de suministro de contenidos y servicios digitales: la necesaria armonización entre la Directiva (UE) 2019/770 y el Reglamento (UE) 2016/679", *Actualidad Jurídica Iberoamericana,* número 16, pp. 1168-1185.

MARTÍNEZ CALVO, J. (2021). "Los datos personales como posible contraprestación en los contratos de suministro de contenidos y servicios digitales", *Indret,* número 4.

MARTÍNEZ VELENCOSO, L. M. y SANCHO LÓPEZ, M. (2018). "El nuevo concepto de onerosidad en el mercado digital ¿Realmente es gratis la *App*?", *Indret,* número 1.

MIGUEL ASENSIO, P. A. (2022). *Derecho Privado de Internet,* Thomson Reuters Aranzadi, Cizur Menor (Navarra)

MILÁ RAFEL, R. (2022). "Datos personales como contraprestación en la Directiva de contenidos y servicios digitales", en GÓMEZ POMAR, F., y FERNÁNDEZ CHACÓN, I. (dirs.), *Estudios de Derecho Contractual Europeo: nuevos problemas, nuevas reglas,* Thomson Reuters Aranzadi, Cizur Menor (Navarra), pp. 407-450.

MORALES BARCELÓ, J., (2022). "El difícil equilibrio entre el régimen de los contratos de suministro de contenidos y servicios digitales y la protección de los datos personales", *Revista Aranzadi de Derecho y Nuevas Tecnologías,* núm. 59.

REYES LÓPEZ, M.ª J. (2022). "La trascendencia en materia de protección de datos de la Directiva (UE) 2019/770 relativa a determinados aspectos de los contratos de suministros de contenido y servicios digitales", en RAMÓN FERNÁNDEZ, F. (coord.), *Los nuevos retos de los derechos digitales*, Tirant lo Blanch, Valencia, pp. 253-268.

ROBERT, R. y SMIT, L. (2018). "The proposal for a directive on digital content: a complex relationship with data protection law", *ERA Forum* 19, pp. 159-177.

RODRÍGUEZ TAPIA, J. M.ª (2022). "Artículo 59. Definiciones", en CAÑIZARES LASO, A. (dir.), *Comentarios al Texto Refundido de la Ley de Consumidores y Usuarios*. Tomo I, Tirant lo Blanch, Valencia, pp. 815-834.

SÁNCHEZ LERÍA, R. (2018). "El contrato de suministro de contenidos digitales a cambio de datos personales: a propósito de la propuesta de directiva 634/2015 de 9 de diciembre de 2015", *Revista Aranzadi de derecho patrimonial*, núm. 45.

SÁNCHEZ LERÍA, R. (2022). "Los datos personales como contraprestación en la legislación de consumo", *Actualidad Civil*, número 3.

Capítulo III

Protección de datos y contrato en la era del "capitalismo de vigilancia"

FRANCISCO INFANTE RUIZ
Catedrático de Derecho Civil
Universidad Pablo de Olavide, de Sevilla

1. CONTEXTUALIZACIÓN: LOS DATOS PERSONALES EN LA "SOCIEDAD DEL CAPITALISMO DE VIGILANCIA"

Empecemos por el final del título de este capítulo: ¿qué caracteriza nuestra era? ¿Qué define, en esencia, el momento histórico que vivimos? Se trata, sin duda, de una cuestión trascendental —junto a otras, como las consecuencias de la crisis climática y sus *posibles* soluciones— para el bienestar y el futuro de la humanidad en esta etapa de su historia. Importantes filósofos y sociólogos en todo el mundo reflexionan sobre esto. No es mi propósito, ni mucho menos, plantear ningún debate o teoría novedosa, que intente agregarse a los ya existentes, sino tan solo encuadrar el tópico de la protección de datos personales y su relación con el contrato en una dimensión contextual e histórica.

El presente trabajo no persigue abordar un estudio detallado sobre los aspectos técnicos de la protección de datos en el marco del derecho contractual, menester que ya ha sido desarrollado extensamente -y con riqueza de matices y planteamientos- por la doctrina especializada[1], sino proponer un

---

1 La literatura específica es ya muy extensa. En España, entre otros, BUENO BIOT, A. (2025), "La contraprestación en forma de datos personales: el nuevo paradigma en la era digital", *Actualidad jurídica iberoamericana* (No. 22), pp. 1166 y ss.; IDEM (2025), "Entre la resolución contractual y los datos personales: nuevos dilemas de la digitalización", *Revista Boliviana de Derecho* (No. 39), pp. 150 y ss.; SERRANO SÁNCHEZ, B. (2025), *Los datos como contraprestación para el suministro de contenidos digitales*, Dykinson, 2025, esp. Cap. V ("los datos personales como mercancía"); CASTILLO PARRILLA, J. A./ MORAIS CARVALHO, J (2024), "Pay or ok". Pagar con datos personales tras la Directiva 2019/770: Una visión comparada entre España y Portugal", *Revista Electrónica de Direito. RED* (Vol. 34, No. 2), esp. pp. 116-127; GARCÍA-RIPOLL MONTIJANO, M. (2023), "La resolución del consumidor del contrato de suministro de contendido y servicios digitales", en GONZÁLEZ PACANOWSKA, I./ PLANA ARNALDOS, Mª. C. (dirs.), *Contratación en el entorno digital*, Editorial Aranzadi, Cizur Menor, esp. pp. 249-264; IDEM (2020), "El consentimiento al tratamiento de datos personales", en GONZÁLEZ PACANOWSKA, I. (Coord.), *Protección de datos personales*, Tirant lo Blanch/APDC, Valencia, esp. pp. 148-155; GILI SALDAÑA, Mª A. (2024), "La resolución de los contratos de suministro de contenidos y servicios digitales", en GÓMEZ POMAR, F./ FERNÁNDEZ CHACÓN, I. (dirs.), *El nuevo derecho digital: I. Los contratos de suministros de contenidos y servicios digitales*, Fundación Ramón Areces-Aranzadi, Cizur Menor, pp. 766-767; ARROYO AMAYUELAS, E. (2023), "La transformación digital de los contratos de consumo en España", en GONZÁLEZ PACANOWSKA, I./ PLANA ARNALDOS, Mª. C. (dirs.), *Contratación en el entorno digital*, Editorial Aranzadi, Cizur Menor, pp. 26 y 30-32; IDEM (2022), "Las nuevas

Directivas sobre digitalización del derecho de contratos", en ARNAU RAVENTÓS, L. (dir.) (2022), *La digitalización del derecho de contratos en Europa,* Atelier, Barcelona, pp. 19-46; NAVARRO CASTRO, M. (2023), "El derecho de desistimiento en los contratos de servicios digitales", en GONZÁLEZ PACANOWSKA, I./ PLANA ARNALDOS, Mª. C. (dirs.), *Contratación en el entorno digital,* Editorial Aranzadi, Cizur Menor, esp. pp. 490-495; LETE ACHIRICA, J. (2022), "Com. Art. 119/119 ter TRLGDCU", en CAÑIZARES LASO, A./ZUMAQUERO GIL, L. (dirs.), *Comentarios al Texto Refundido de la Ley de Consumidores y Usuarios,* Tirant lo Blanch, Valencia; MILÀ RAFEL, R. (2022): "Datos personales como contraprestación en la Directiva de contenidos y servicios digitales", en GÓMEZ POMAR, F./ FERNÁNDEZ CHACÓN, I. (dirs.), *Estudios de Derecho Contractual Europeo: Nuevos problemas, nuevas reglas,* Thomson Reuters-Aranzadi, Cizur Menor, pp. 407-450, esp. 435-443; SÁNCHEZ LERÍA, R. (2022), "Los datos personales como contraprestación en la legislación de consumo (1)", *Actualidad Civil* (No. 3), pp. 1-15, esp. 6-8 (versión digital Legalteca); CASTILLO PARRILLA, J. A. (2021), "Los datos personales como contraprestación en la reforma del TRLGDCU y las tensiones normativas entre la economía de los datos y la interpretación garantista del RGPD", *La Ley mercantil* (No. 82), esp. pp. 7-8 y 13-17 (versión digital Legalteca); CÁMARA LAPUENTE, S. (2020), "Resolución contractual y destino de los datos y contenidos generados por los usuarios de servicios digitales", en ARROYO AMAYUELAS, E./ CÁMARA LAPUENTE, S. (dirs.), *El derecho privado en el nuevo paradigma digital,* Colegio Notarial de Cataluña/Marcial Pons, Madrid-Barcelona-Buenos Aires-São Paulo, pp. 141-174, esp. 160-172; DOMÍNGUEZ YAMASAKI, Mª. I. (2020), El tratamiento de datos personales como prestación contractual: Gratuidad de contenidos y servicios digitales a elección del usuario, *Revista de Derecho Privado* (Nº 104), 2020, esp. pp. 114-118; ESPÍN ALBA, I. (2020), "Contrato de suministro de contenidos y servicios digitales en la Directiva 2019/770/UE: Datos, consumidores y "prosumidores" en el Mercado Único Digital", *Revista de Derecho Privado* (Nº 104), pp. 33-34; GARCÍA PÉREZ, R. Mª. (2020), "Interacción entre protección del consumidor y protección de datos personales en la Directiva (UE) 2019/770: Licitud del tratamiento y conformidad de contenidos y servicios digitales", en ARROYO AMAYUELAS, E./ CÁMARA LAPUENTE, S. (dirs.), *El derecho privado en el nuevo paradigma digital,* Cole-

aporte crítico a la salvaguarda del derecho fundamental a la protección de datos frente a su incesante quiebra por la vía del contrato; en especial, en el ámbito del contrato sobre contenidos y servicios digitales.

La pérdida de los valores de la modernidad, su debilitamiento o su transformación es explicada por Zygmunt BAUMAN, con gran brillantez, como la "modernidad líquida" [2]. Una sociedad en la que los valores seguros y ciertos se transforman en valores más inciertos, maleables y relativos; pasa hasta con las

---

gio Notarial de Cataluña/Marcial Pons, Madrid-Barcelona-Buenos Aires-São Paulo, 2020, esp. pp. 197-200; METZGER, A. (2020), "Un modelo de mercado para los datos personales: estado de la cuestión a partir de la nueva Directiva sobre contenidos y servicios digitales", en ARROYO AMAYUELAS, E./CÁMARA LAPUENTE (dirs.), *El derecho privado en el nuevo paradigma digital*, Marcial Pons- Colegio Notarial de Cataluña, pp. 127, 139; DE BARRÓN ARNICHES, P. (2019), "La pérdida de privacidad en la contratación electrónica (entre el Reglamento de protección de datos y la nueva Directiva de suministro de contenidos digitales)", *Cuadernos Europeos de Deusto* (No. 61), pp. 29-65, esp. 51-61. En la literatura europea destaca la monografía de SCHEIBENPFLUG, A. (2022), *Personenbezogene Daten als Gegenleistung*, Duncker & Humblot, Berlin, esp. pp. 99-155. Vid. también, SCHULZE, R. (2023), "European Private Law in the Digital Age – Developments, Challenges and Prospects", in JANSSEN/LEHMANN/SCHULZE, *The Future of European Private Law*, Nomos, Baden-Baden, pp. 141-167; DUROVIC, M./ MONTANARO, M. (2021), "Data Protection and Data Commerce: Friends or Foes?", *ERCL* (No. 17-1), pp. 1-36; BEDIR, C. (2020), "Contract Law in the Age of Big Data", *Tilburg Private Law Working Paper Series* (No. 04); ZECH, H. (2016), "Data as a Tradeable Commodity – Implications for Contract Law", in DE FRANCESCHI, A., (ed.), *European Contract Law and the Digital Single Market*, Intersentia, Cambridge, pp. 51-79.

2 BAUMAN, Z. (2002), *Modernidad líquida* (trad. Mirta Rosenberg), Fondo de Cultura Económica.

reglas de derecho. Los Códigos más modernos y los instrumentos de *soft law* son un ejemplo de esta liquidez[3].

Esta reflexión nos sitúa en las inciertas coordenadas del presente (*hic sunt leones*). La fase histórica que atravesamos puede describirse como una "transición de fase", en la que lo antiguo y lo nuevo se encuentran y superponen cambiando de un estado a otro. En todo el mundo se oye hablar de "transición ecológica" y "transición digital". Son los dos nuevos caballos de batalla de la política contemporánea, especialmente, la global, y, al mismo tiempo, expresiones concretas de un proceso de transformación más amplio, cuyos contornos aún se definen.

Alvin Toffler definió esta fase histórica como "la tercera ola"[4]. Su tesis, planteada hace más de cincuenta años, es hoy incluso más vigente que entonces. Aunque no comparto del todo su "futurismo incondicional", coincido con él en que nuestra civilización atraviesa un cambio estructural vertiginoso, lo que exige reflexionar sobre las condiciones que debemos establecer aquí y ahora para evitar mayores desigualdades en el futuro. Esto implica un respeto serio a los derechos humanos existentes, establecer límites claros frente a ciertas formas de transhumanismo –potencialmente generador de inequidades– y promover los derechos humanos emergentes. Entre estos destacan los "neuroderechos"[5], así como el reconocimiento

---

[3] No siendo objeto de este trabajo, se reenvía, para el planteamiento, debate y reflexión crítica, desde la perspectiva del derecho civil, al excelente ensayo de García Rubio, Mª. P. (2016), "Sociedad líquida y codificación", *Anuario de Derecho Civil* (Tomo LXIX, Fasc. III), pp. 743-780, esp. 746-748, 773-774.

[4] 1981 (trad. esp. Adolfo Martín), Plaza & Janés.

[5] Agencia Española de Protección de Datos (2024), *Neurodatos - EDPS TechDispatch 2024-1,* pp. 1-32; González de la Garza, L. M. (2022), "Derechos digitales en el empleo de las neurotecnologías: los neuroderechos (XXVI)", en Cotino Hueso, L. (coord.), *La Carta de Derechos Digitales,* Tirant lo Blanch, Valencia, pp. 327-362. Chile

de la identidad digital y la protección de la dignidad humana en la *tecnoesfera* y la *infoesfera*. En este contexto, el tratamiento de los datos personales adquiere un papel central.

Se debe a Shoshana ZUBOFF, autora, socióloga, filósofa y profesora emérita de la *Harvard Business School*, una explicación muy iluminadora sobre el momento histórico que estamos viviendo en esta especie de "felicidad ignorante" que la *tecnoesfera* parece inducir. ZUBOFF es la primera en acuñar y desarrollar el concepto de "capitalismo de vigilancia" (2011-2018)[6]. Según su tesis, la producción en masa del capitalismo industrial contrasta con el capitalismo de vigilancia, en el que los datos de millones de personas se recopilan, procesan y producen, lo que hoy se conoce como *big data*. Mientras que el capitalismo de producción es interdependiente entre consumidores, empleados y empresarios, estableciendo una relación recíproca, el capitalismo de vigilancia se alimenta de auténticos enjambres de personas que no son sus empleados y que solo en un sentido amplio pueden considerarse consumidores (no siempre lo son). La realidad es innegable: las corporaciones extraen nuestros datos, con herramientas muy sofisticadas, y se aprovechan de ellos para su producción. Ante ello, y conforme a la tesis de la autora, la estructura del capitalismo contemporáneo se encuentra edificada sobre la comercialización del comportamiento humano, y todo indica que dicha lógica

---

es el primer país que ha incluido el derecho a la protección de los neuroderechos en su Carta Magna, *ad rem*, SÁNCHEZ, M./COLOMBARA, C./MONTI, N. (eds.) (2024), *En defensa de los Neuroderechos – Impacto mundial de la Sentencia de la Corte Suprema de Chi Girardi vs. Emotiv, y su papel en la protección de la privacidad mental*, Kamanau.

6 Publicado por primera vez en Alemania, en 2018, bajo el título *The Age of Surveillance Capitalism: The Fight for a Human Future at the New Frontier of Power*, y en nuestro país en 2020 como *La era del capitalismo de la vigilancia* (trad. esp. Albino Santos Mosquera), Ediciones Paidós.

también sostendrá al denominado "capitalismo futuro", o a la "sociedad posindustrial" de la llamada "tercera ola".

Resulta indiferente el concepto, la categoría o la tesis que adoptemos: el problema permanece constante. Nos encontramos, como advierte ZUBOFF, en una "distopía accidental" que no solo tensiona los principios rectores de la vida social, sino que amenaza directamente la vigencia misma de la democracia[7].

En efecto, cada acción que realizamos en la esfera digital se traduce en datos, los cuales son procesados por corporaciones de alcance global –como Meta, X Corp., Google, Amazon, Netflix, Apple o Uber– para anticipar nuestro comportamiento, explotarlo con fines económicos y comercializarlo con terceros. Estos flujos de información nutren a sectores tan sensibles como el financiero, el sanitario, el farmacéutico, el asegurador o el de la automoción, lo que evidencia la magnitud transversal de su impacto. De manera paulatina, tales prácticas se han consolidado estructuralmente en el entramado de la economía mundial, hasta configurar un régimen de vigilancia permanente en el que apenas queda espacio para ámbitos exentos de monitoreo. Este fenómeno plantea serias tensiones con los derechos fundamentales reconocidos en los ordenamientos constitucionales y en los instrumentos internacionales, particularmente con el derecho a la intimidad, la autodeterminación informativa y la protección de datos de carácter personal, y, en última instancia, con la dignidad misma de la persona. En otras palabras, la denominada "economía de datos" pone en jaque un núcleo esencial de derechos del Estado constitucional democrático.

---

7 ZUBOFF, S. (2022), "Surveillance Capitalism or Democracy? The Death Match of Institutional Orders and the Politics of Knowledge in Our Information Civilization", *Organization Theory*, 3(3), pp. 4-5. https://doi.org/10.1177/26317877221129290.

Aunque el panorama descrito resulta inquietante, la mayoría de las personas con acceso a la vasta oferta de productos, servicios y contenidos digitales prefiere mantenerse en un estado permanente de hiperconexión; incluso muchas declararían sentirse cómodas con tales prácticas. No cabe duda de que el acceso a la información y al conocimiento constituye un derecho básico y debería ser uno de los grandes logros de nuestra época; sin embargo, en la práctica predomina un escenario enfangado por la desinformación y la ignorancia. Ambos procesos son promovidos, de manera explícita o encubierta, por los actores que concentran el poder económico y tecnológico, interesados en mantener a la ciudadanía en la "complacencia de la ignorancia" antes que en la "incomodidad del conocimiento".

He aquí una de las grandes trampas y la paradoja sobre la que pende una de las tensiones más hondas de nuestro tiempo. Para ser consumidores e, incluso, ciudadanos en esta sociedad de vigilancia, nos vemos obligados a consentir, soportar o padecer una incesante "desposesión de datos".

Sigamos la reflexión de Giovanni SARTORI, quien afirmaba que la cultura escrita –la del pensamiento reflexivo– ha sido reemplazada por la cultura visual, caracterizada por contenidos superfluos y de acceso inmediato, hasta el punto de que hemos dejado de ser *homo sapiens* para convertirnos en *homo videns*, una mutación social y cultural que penetra todos los ámbitos de la existencia[8].

En la sociedad digital contemporánea, retomando esta tesis, podríamos afirmar que los humanos nos hemos convertido en una especie de *homines donantes*, ya que, en este flujo constante de la "tecno/info-esfera", desempeñamos dos funciones con

---

8 SARTORI, G. (2012), *Homo videns. La sociedad teledirigida* (trad. esp. Santiago Sánchez González, sobre ed. it. 1997), Taurus.

notable eficacia: visionar contenidos (digitales) y entregar datos personales.

En este orden de cosas, para el análisis del tema pueden considerarse tres niveles: 1) Contextualización (dónde nos situamos), la cual se acaba de esbozar en sus perfiles generales. 2) Discusión jurídico-conceptual (la consideración constitucional del derecho de protección de datos). 3) Reflexión crítico-legal (*entramados contractuales* donde quiebra el sistema europeo de protección de datos).

2. "PRIVACIDAD" Y DERECHO FUNDAMENTAL A LA PROTECCIÓN DE DATOS

2.1. Algunos conceptos básicos y recurrentes

Privacidad. Es un término anglosajón que no equivale exactamente a derecho a la intimidad, sino que engloba una serie de derechos de la personalidad de diferente pelaje como los derechos a la integridad física, a la información, a decidir libremente, a la libre asociación e incluso a la propiedad y que puede abarcar, en *common law*, varias acciones de protección del *tort law* (frente a la intromisión en la reclusión personal o la intimidad, por apropiación del nombre o figura, por la distorsión de la imagen personal, o por la difusión pública de hechos privados)[9]. No podemos encontrarlo como tal en nin-

---

9 La doctrina norteamericana lo califica como un concepto vago, de difícil aprehensión y taxonomía, y aunque desde POSNER (1960) se identifican, al menos, los cuatro sectores del *tort law* antes indicados, se reconoce también que es un concepto que puede referirse "a todo y en consecuencia a nada" [SOLOVE, D.J. (2006), "A Taxonomy of Privacy", *University of Pennsylvania Law Review* (Vol 154, No. 3), p. 479]. Este último autor propone una taxonomía más precisa y

guna Constitución del entorno cultural de nuestra tradición jurídica –ni en la tradición romano-francesa ni en la germánica– aunque, como consecuencia de la globalización, se recurre a él frecuentemente[10]. Tampoco se encuentra enunciado explícitamente como tal en los textos internacionales de Derechos Humanos en los que se enfatiza la protección de la persona frente a las injerencias arbitrarias en la vida personal o familiar, junto con otros derechos conectados a la personalidad como la inviolabilidad del domicilio y de la correspondencia y los derechos al honor, honra o reputación[11].

---

amplia poniendo el foco de atención en las diversas actividades que pueden afectar a la *privacy*, más allá del limitado recinto del *tort law* (esp. pp. 481, 50). En lengua española, véanse ABRIL, P. S./ PIZARRO MORENO, E. (2014), "La intimidad europea frente a la privacidad americana", *InDret* (No. 1, 2014), pp. 1-62, esp. pp. 13-25; GONZÁLEZ PORRAS, A. J. (2015), *Privacidad en Internet: Los derechos fundamentales de privacidad e intimidad en Internet y su regulación jurídica. La vigilancia masiva*, Tesis doctoral, UCLM, pp. 54 y ss.; ROIG BATALLA, R. (2024), *La expectativa razonable de privacidad: Orígenes y recepción jurisprudencial en España*, Bosch, Barcelona, pp. 25-82.

10 *Ad ex.* Directiva 2002/58/CE del Parlamento Europeo y del Consejo, de 12 de julio de 2002, relativa al tratamiento de los datos personales y a la protección de la intimidad en el sector de las comunicaciones electrónicas (Directiva sobre la privacidad y las comunicaciones electrónicas) [Diario Oficial n° L 201 de 31/07/2002 p. 0037-0047]; Propuesta de Reglamento del Parlamento Europeo y del Consejo sobre el respeto de la vida privada y la protección de los datos personales en el sector de las comunicaciones electrónicas (Bruselas, 10.1.2017, COM(2017) 10 final), el cual estaría llamado a constituir una "*lex specialis* en relación con el RGPD, precisándolo y completándolo en lo que respecta a los datos de comunicaciones electrónicas que se consideran datos personales" (Exposición de Motivos, 1.2).

11 Art. 12 de la Declaración Universal de Derechos Humanos (protección de la persona frente a las injerencias arbitrarias en la vida privada y familiar); art. 8 del Convenio Europeo de Derechos Humanos (respeto a la vida privada y familiar); art. 11 de la Convención Ame-

"**Privacidad digital o electrónica**". Es un término híbrido y un reciente tópico de discusión en la sociedad digital que podría dar lugar en el futuro, aunque el proceso es incierto, a un nuevo derecho humano autónomo, pero queda todavía mucho camino para su construcción y articulación positiva, pues el propio concepto tiene un halo de admiración tan atrayente como inconcreto y evanescente; de hecho, en el ámbito europeo se encuentra confinado en el recinto de la protección de datos[12]. Normalmente, aparece recogido con esta denominación u otras análogas en el elenco de los derechos digitales.

"Derechos digitales". Es un conjunto de derechos, algunos fundamentales en el orden constitucional y otros auxiliares o instrumentales, cuyo reconocimiento y efectividad, permitiría la salvaguarda de la autodeterminación informativa, la "privacidad digital", la protección de los datos personales y otros derechos de importante calado (por ej. neuroderechos), así como, en definitiva, la dignidad de la persona. Las referencias legales en las que apoyarlos son fragmentarias y escasamente efectivas.

La Ley Orgánica 3/2018 de Protección de Datos Personales y garantía de los derechos digitales dedica el Título X a reconocer y garantizar un conjunto (no exhaustivo) de derechos digitales (neutralidad de la Red, acceso universal, derechos a la seguridad y educación digital, derechos al olvido, a la portabilidad de datos no personales y al testamento digital, protección de menores en Internet y ciertos derechos laborales de especial consideración como el reconocimiento del derecho a la desconexión digital, así como la garantía de la libertad de expresión y el derecho a la aclaración de informaciones en medios de comunicación digitales). No se trata, sin embargo,

---

ricana de Derechos Humanos (protección de la persona frente a las injerencias arbitrarias en la vida privada y familiar).

12 Véase, ROIG BATALLA, A. (2009), "E-privacidad y redes sociales", *IDP: Revista de Internet, derecho y política* (No. 9), p. 43

de un desarrollo positivo del mencionado concepto, como tampoco de una regulación completa de las "garantías de los derechos digitales" que enuncia esta rúbrica[13].

Las referencias más sugerentes se encuentran, por el momento, en las modernas "Cartas de derechos digitales", pero en ellas no aparecen más que enunciaciones de principios, guías de los derechos y numerosas *desideratas* sobre la protección futura de los "derechos digitales". Así, por ejemplo, debe destacarse la Declaración Europea de 2023 sobre los Derechos y Principios Digitales para la Década Digital[14], cuyo Cap. I es la mayor expresión de esta amalgama de principios, coordenadas de derechos y buenos deseos. En él se parte, con acierto, de un enfoque que no debería perderse en ningún momento: *la transformación digital debe centrarse en las personas.* Y así el apartado I declara que "[l]as personas constituyen el núcleo de la transformación digital de la Unión Europea. La tecnología debe servir y beneficiar a todas las personas que viven en la UE y empoderarlas para que cumplan sus aspiraciones, en total seguridad y respetando plenamente sus derechos fundamentales". En el Cap. V (*Seguridad, protección y empoderamiento*), entre otras categorías de derechos, se encuentran enunciadas la salvaguarda de "un entorno digital protegido y seguro" y el

---

13 Tampoco lo es la Ley francesa por la República Digital (*LOI n° 2016-1321 du 7 octobre 2016 pour une République numérique*), pese a su mayor extensión, al abordar la modificación de numerosas leyes del ordenamiento jurídico francés, y ambición, al intentar abarcar una protección completa de los derechos en la sociedad digital, en especial en su Título II (arts. 40-8), *Protection des droits dans la société numérique.* Si bien el conjunto de derechos digitales que comprende es amplio, no puede decirse que sea omnicomprensivo (la regulación de la protección de datos es incompleta y el tratamiento de los derechos digitales no es exhaustivo, existiendo destacadas ausencias).

14 Declaraciones conjuntas del Parlamento Europeo, el Consejo y la Comisión Europea (2023/C 23/01).

"derecho a la privacidad y control individual de datos", vertebrándose sobre cuatro pilares en los apartados 16 a 19 que se corresponden, respectivamente, con los derechos (ya existentes) al "acceso a tecnologías, productos y servicios digitales diseñados para estar protegidos, ser seguros y proteger la privacidad" (y que deben tener altos niveles de confidencialidad, integridad, disponibilidad y autenticidad de la información tratada), la "privacidad y control individual de datos", la "confidencialidad de las comunicaciones y la información" y el "derecho a determinar el legado digital".

Con fecha anterior, de 14 de julio de 2021, la Carta española de Derechos Digitales[15], por su parte, ya había recogido un conjunto de derechos digitales más amplio[16] y, en particular, por lo que a la "privacidad digital" se refiere, en su Cap. 1, recopila los denominados "derechos de libertad" (digital): I. Derechos y libertades en el entorno digital; II. Derecho a la identidad en el entorno digital; III. derecho a la protección de datos; IV. Derecho al pseudonimato; V. Derecho de la persona a no ser localizada y perfilada; VI. Derecho a la ciberseguridad; VII. Derecho a la herencia digital. Como recuerda la propia Carta en sus Consideraciones Previas, no tiene ningún valor normativo, siendo su objetivo "reconocer los novísimos retos de aplicación e interpretación que la adaptación de los derechos al entorno digital plantea, así como sugerir principios y políticas referidas a ellos en el citado contexto". La Carta

---

15 Antes de esta fecha, destaca la Carta italiana de Derechos Digitales de 14 de julio de 2015 (*Dichiarazione dei diritti in Internet*) como un antecedente claro en el que se inspira la Carta española. Para la comparación de ambas Cartas, Castillo Parrilla, J. A. (2021), "La «Dichiarazione dei diritti in Internet» de 14 de julio de 2015 y la importancia y vigencia de su contenido", *Derecho Digital e Innovación* (No 9, abril-junio), pp. 1-10 (versión digital Legalteca).

16 En sus Consideraciones Previas declara que "el objetivo de la Carta es descriptivo, prospectivo y asertivo [...]".

aclara, además, que "no trata de crear nuevos derechos fundamentales sino de perfilar los más relevantes en el entorno y los espacios digitales o describir derechos instrumentales o auxiliares de los primeros".

En consecuencia, como afirma Sergio CÁMARA LAPUENTE, nos encontramos ante una "Carta-Guía"[17]. Se trata, en efecto, de un instrumento de navegación o ayuda para la comprensión de los derechos ya existentes y que son aplicables al entorno digital, que comprende tanto derechos fundamentales como otros que no lo son y son instrumentales o auxiliares. Asimismo, se sugieren, como reconocen las Consideraciones Previas, principios y políticas públicas sobre la consideración del entorno digital[18].

Por lo que al derecho de contratos se refiere, y en particular a la protección del consumidor de contenidos y servicios digitales, no puede decirse que la Carta sugiera ningún nuevo principio, ni apunte a la creación de derechos vanguardistas. Concuerdo con el mencionado autor en la reivindicación de

---

17 CÁMARA LAPUENTE, S. (2020), "La propuesta de Carta de Derechos Digitales: reflexiones de Derecho privado y técnica legislativa, *La Ley* (16317/2021), p. 5 (versión digital Legalteca); véase también, DE LA SIERRA, S. (2022), "Una introducción a la Carta de Derechos Digitales", en CUTINO HUESO, L. (2022) (coord.), *La Carta de Derechos Digitales*, Tirant lo Blanch, Valencia, pp. 49-51.

18 BARRIO ANDRÉS, M. (2021), "Los derechos digitales de la LOPDGDD a la Carta de Derechos Digitales de España", *Derecho Digital e Innovación. Digital Law and Innovation Review* (No. 9, abril-junio), p. 15 (versión digital Legalteca), augura un futuro más alentador en la consecución de los derechos digitales gracias a la Carta de Derechos Digitales, la cual incluso podría llegar a ser una Carta-Norma: "[...] un documento que abre la vía a futuras reformas e incluso a la adopción de una verdadera carta-norma sobre derechos digitales. Es decir, quiere pavimentar el camino hacia reformas legales e incluso constitucionales".

algunos derechos nuevos, y al menos estos dos: el derecho de los consumidores digitales a un elevado nivel de protección en sus relaciones contractuales y el derecho a la transparencia y equidad en las relaciones contractuales entre partes desiguales, incluida la transparencia algorítmica en ofertas y precios[19].

En conclusión, el recorrido desde las leyes de protección de datos, orientadas todas ellas a la garantía del derecho fundamental a la protección de datos personales, hasta las Cartas de Derechos Digitales, en las que encontramos guías de derechos y meras enunciaciones de principios y/o políticas públicas del entorno digital, muestra que la garantía de la ansiada "privacidad digital" no es completa[20] y existen múltiples obstáculos para su realización efectiva[21].

---

19 Cámara Lapuente, S. (2020), *ibid.*, p. 17.

20 En sentido análogo, Barrio Andrés, M. (2021), p. 6 (versión digital Legalteca): "la humanidad se enfrenta a una edad digital «casi» sin derechos digitales".

21 Tampoco las últimas leyes sobre comercio electrónico expresadas en los Reglamentos de la UE [Ley de Servicios Digitales (DSA, 2022/2065) y Ley de Mercados Digitales (DMA, 2022/1925)], que constituyen un conjunto único de normas que se aplican en toda la UE al "entorno digital" mejoran el nivel de protección de los consumidores digitales. En verdad, no son regulaciones llamadas a cumplir este designio, sino que obedecen a dos objetivos principales. Por un lado, crear un espacio digital más seguro en el que se protejan los derechos fundamentales de todos los usuarios de servicios digitales. ¿Es esto verdad? ¿En serio, estamos consiguiendo en Europa y en el mundo un espacio digital más seguro? Y, por otro, establecer unas condiciones de competencia equitativas para fomentar la innovación, el crecimiento y la competitividad, tanto en el Mercado Único Europeo como a escala mundial. Una tarea que se antoja –me parece– muy complicada por causa de las grandes empresas tecnológicas (Google, Meta, X Corp., Apple, etc.) que son auténticos gigantes que dominan el mercado y solo dejan espacio a quienes para ellas investigan y desarrollan (las llamadas *startups tecnológicas*), o las empresas creadas *ad hoc* por ellas mismas.

Derecho fundamental a la protección de datos. En nuestro país es un derecho fundamental autónomo que deriva del art. 18.4 CE y de la interpretación del Tribunal Constitucional sobre su naturaleza jurídica y contenido esencial, y que tiene su desarrollo normativo objetivo a nivel europeo en el RGPD y a nivel interno en la LOPDP[22]. Por esta razón, hasta el momento, la construcción de la protección jurídica de la "privacidad digital" se está desarrollando en muchos países del mundo casi exclusivamente en el marco regulador de la protección de datos. El análisis de los fundamentos del perfil constitucional del derecho a la protección de datos, como se verá en el siguiente epígrafe, corrobora esta afirmación.

Habeas data. Es un neologismo latino sugerente con el que referirse al derecho a la protección de datos, que se utiliza frecuentemente en el entorno jurídico y doctrina latinoamericanos por su especial fuerza dialéctica. Es recogido con esta misma expresión en algunas Constituciones latinoamericanas, como la Constitución Federativa de Brasil (art. 5.LXXII; con desarrollo en su Ley 13.709/2018, Ley General de Protección de Datos). También se emplea en su dimensión de derecho-libertad del individuo frente al Estado como defensa ante las injerencias de la autoridad no consentidas en los datos personales y sin justificación en una base legal concreta, objetiva y proporcional.

[22] Véase, GARCÍA MAHAMUT, R./TOMÁS MALLÉN, B./ARENAS RAMIRO, M. (2019), *El Reglamento general de protección de datos: un enfoque nacional y comparado: especial referencia a la LO 3/2018 de protección de datos y garantía de los derechos digitales*, Tirant lo Blanch, Valencia.

2.2. Sobre la configuración constitucional del derecho fundamental (y humano) a la protección de datos personales

La configuración constitucional del derecho fundamental a la protección de datos personales se ha consolidado principalmente a partir de la experiencia europea, aunque no de manera exclusiva. Este proceso ha sido multinivel, articulándose mediante instrumentos internacionales y a través de la interpretación de las Cortes Constitucionales, destacando particularmente la alemana, que ha dado contenido sustantivo al derecho a la autodeterminación informativa[23].

La influencia del Convenio 108 del Consejo de Europa de 1981, actualizado en 2018 mediante el Protocolo de modernización (Convenio 108+), y la jurisprudencia del Tribunal Constitucional Federal alemán, constituyen los ejes de esta configuración, al articular principios que hoy se reflejan en el derecho europeo y en las normativas nacionales, inclusive algunas latinoamericanas[24].

El Convenio 108 desarrolla el artículo 8 del Convenio Europeo de Derechos Humanos, relativo al respeto a la vida privada, y lo amplía en el contexto de la circulación transfronteriza de datos personales automatizados[25]. Este instrumento constituye el primer tratado internacional vinculante en la materia, aplicable tanto al sector público como al privado, y define los elementos esenciales del derecho fundamental a la protección de datos. Su carácter abierto permite la adhesión de países no europeos, como es el caso de Argentina, México, Marruecos

---

23 *BVerfG, Sentencia sobre la Ley del Censo, 15 diciembre 1983, BVerfGE 65, 1.*

24 Consejo de Europa, Convenio para la protección de las personas con respecto al tratamiento automatizado de datos de carácter personal (Convenio 108), 1981; Protocolo de modernización (Convenio 108+), 2018.

25 *Ibíd.*, Exposición de motivos, arts. 1-2.

y Uruguay, lo que consolida su influencia como norma de referencia internacional[26]. Esta influencia va incluso más allá de las adhesiones oficiales al propio Convenio, pues algunas legislaciones como la Ley General de Protección de Datos brasileña muestran, aunque no lo reconozcan expresamente, una indudable inspiración en los principios del Convenio, particularmente en la estructuración de derechos, objetivos y autoridades de supervisión[27].

La construcción del derecho a la protección de datos puede abordarse desde dos perspectivas complementarias, a pesar de que en el debate *iusfilosófico* y en los estudios internacionales aparezcan enfrentadas. Por un lado, su positivación a través de instrumentos normativos internacionales y nacionales; por otro, desde la teoría crítica de los derechos humanos, que lo reconoce como un derecho humano emergente, inherente a la dignidad humana y amparable desde el principio de "integralidad" de los derechos[28]. Esta concepción reconoce la existencia de procesos históricos de lucha por la dignidad y sitúa la protección de datos en un marco más amplio que el derivado de su confinamiento entre los derechos fundamentales, incluyendo, en perspectiva futura, la protección de la identidad digital y los neuroderechos. La Declaración de Viena de 1993 y la jurisprudencia de la Corte Interamericana de Derechos

---

[26] Véase la lista de Estados Parte, Consejo de Europa, accesible en: https://www.coe.int.

[27] Ley General de Protección, República Federativa de Brasil, Ley nº 13.709/2018.

[28] De acuerdo con este principio todos los derechos humanos son indivisibles e interdependientes y deben ser tratados con la misma importancia y urgencia. El principio surge en el marco de la Conferencia Mundial de Derechos Humanos, celebrada en Viena en 1993. Véanse, Declaración y Programa de Acción de Viena (A/CONF.157/23), p. 5; VASAK, K. (1979), "Les droits de l'homme: Emergence et développement", *Revue des droits de l'homme*, 1979, p. 45.

Humanos[29] consolidan la noción de integralidad de los derechos humanos, ofreciendo un fundamento hermenéutico que fortalece el estatus del derecho a la protección de datos como derecho humano universal emergente.

El Tribunal Europeo de Derechos Humanos ha jugado un papel decisivo en la materialización práctica del derecho a la protección de datos, integrándolo en el ámbito del artículo 8 del Convenio Europeo de Derechos Humanos. Desde 1987, la jurisprudencia del TEDH ha reconocido que el respeto a la vida privada incluye la protección de datos personales, desarrollando su protección convencional a partir de los criterios de proporcionalidad, necesidad y pertinencia[30]. Así, casos como *Jehovah's Witnesses v. Finland* (2023) evidencian la exigencia del consentimiento para la recolección de datos durante actividades religiosas, equilibrando la libertad de culto con la protección de datos[31]. En *Drelon v. France* (2022), el Tribunal consideró que la recopilación y conservación de datos sobre la presunta orientación sexual constituía una injerencia desproporcionada en la vida privada, subrayando la necesidad de limitar el requerimiento de datos personales a lo estrictamente necesario[32]. En materia laboral, en el caso *Florindo de Almeida Vasconcelos Gramaxo v. Portugal* (2022), el TEDH validó la geolocalización de trabajadores, sobre la base de la ponderación de derechos, exclusivamente en lo referente al control de las distancias recorridas por el trabajador, y siempre que existiera un conocimiento efectivo de su parte y pudiera garantizarse la proporcionalidad de la medida, subrayándose el criterio de

---

29 Corte Interamericana de Derechos Humanos, Opinión Consultiva OC-16/99, 1 de octubre de 1999.

30 TEDH, *Case Law Guide on Article 8*, 2025, pp. 65 y ss.

31 *Jehovah's Witnesses v. Finland*, STEDH 9 mayo 2023.

32 *Drelon v. France*, STEDH 8 septiembre 2022.

razonabilidad de las injerencias[33]. En *Breyer v. Germany* (2020), el Tribunal confirmó la recogida de datos de usuarios de telecomunicaciones bajo la ley alemana, en virtud del margen de apreciación estatal y la finalidad legítima de seguridad y lucha contra la delincuencia[34].

En paralelo, el Tribunal Constitucional Federal alemán ha venido desarrollando una jurisprudencia pionera en la materia. Su sentencia sobre la Ley del Censo de 1983 proclamó el derecho fundamental a la autodeterminación informativa (*Recht auf informationelle Selbstbestimmung*)[35]. Este derecho, derivado del art. 2.1 de la Ley Fundamental alemana en relación con el art. 1.1 de esta misma Carta, otorga al individuo la facultad de decidir sobre la divulgación y uso de sus datos personales, reconociendo su dimensión tanto defensiva como positiva, al imponer obligaciones al Estado para proteger la privacidad[36]. La jurisprudencia alemana subraya además que este derecho no es absoluto, ya que se trata de un derecho que se desarrolla en el seno de la "comunidad social"; debe equilibrarse con los intereses públicos legítimos, a partir de los cuales pueden fundamentarse restricciones proporcionadas y normativamente claras[37]. Así, el Tribunal ha sentado las bases dogmáticas

---

33 *Florindo de Almeida Vasconcelos Gramaxo v. Portugal*, STEDH 13 diciembre 2022.

34 *Breyer v. Germany*, STEDH 30 enero 2020.

35 BVerfG, Sentencia sobre la Ley del Censo, 15 diciembre 1983, BVerfGE 65, 1.

36 KÜHLING, J./ KLAR, M./ SACKMANN (2025), F., *Datenschutzrecht*, 6. Aufl., Müller, Heidelberg, pp. 74 y ss.

37 Las restricciones de este derecho requieren una base constitucional, deben preverse en una ley que las exprese de manera clara y recognoscible, han de perseguir un objetivo legítimo y la razón, el propósito y los límites de la injerencia deben definirse de manera específica para la materia de que se trate (*BVerfGE 4, 7, 15; 8, 274, 329; 27, 1, 7; 27, 344, 351; 33, 303, 334; 50, 290, 353; 56, 37,49*).

para la posterior incorporación del derecho a la protección de datos en la normativa europea, trasvasándolas al Reglamento General de Protección de Datos de 2016.

En nuestro país, las Sentencias del Tribunal Constitucional 290/2000 y 292/2000 configuraron el derecho fundamental a la protección de datos como derecho derivado del art. 18.4 CE, esto es, como derecho fundamental autónomo, desmarcándose de las opiniones doctrinales que lo sustentaban en el principio de dignidad de la persona (art.10.1 CE)[38] o en el derecho a la intimidad (art. 18.1 CE)[39]. El Fundamento Jurídico 7 de la STC 290/2000, de 30 de noviembre, estableció que este derecho fundamental garantiza a la persona un poder de control y disposición sobre sus datos personales. El contenido esencial de este derecho está formado "[p]or los derechos que corresponden al afectado a consentir la recogida y el uso de sus datos personales y a conocer los mismos. Y para hacer efectivo ese contenido, el derecho a ser informado de quién posee sus datos personales y con qué finalidad, así como el derecho a oponerse a esa posesión y uso exigiendo a quien corresponda que ponga fin a la posesión y empleo de tales datos". Además, conforme al Fundamento Jurídico 18 de la STC 292/2000, de 30 de noviembre, los derechos de acceso, rectificación y cancelación de datos forman parte del contenido esencial de este derecho.

La combinación de estos elementos internacionales y nacionales evidencia que el derecho a la protección de datos se ha

---

38 Voto particular de Jiménez de Parga a la STC 290/2000, para quien la "libertad informática (...) debe tener como eje vertebrador el art. 10.1 CE, ya que es un derecho inherente a la dignidad de la persona".

39 Véase, HERNÁNDEZ LÓPEZ, J. M. (2013), *El derecho a la protección de datos personales en la doctrina del Tribunal Constitucional*, Aranzadi, Cizur Menor, p. 29.

consolidado como un derecho fundamental europeo con vocación universal[40]. Sin embargo, su reconocimiento como derecho humano positivo aún requiere avances normativos globales. En conclusión, el derecho fundamental a la protección de datos personales se ha desarrollado mediante un proceso en varios niveles en el que interactúan instrumentos internacionales, jurisprudencia europea y doctrinas constitucionales comparadas[41]. El Convenio 108+ y la jurisprudencia del TEDH establecen los estándares europeos, mientras que la jurisprudencia del Tribunal Constitucional alemán ofrece la base dogmática para la autodeterminación informativa y la protección de datos.

Este marco no solo es el precipitado jurídico-positivo de la consolidación del derecho en el ámbito constitucional europeo, sino también un testimonio vivo sobre la necesidad histórica de su positivación global, a fin de garantizar su eficacia como derecho humano y proteger la dignidad de las personas en un mundo crecientemente digitalizado y transnacional. En otras palabras, la adopción de un Convenio universal de Naciones Unidas para la protección de datos personales sería un paso decisivo para garantizar su estatus como derecho humano

---

40 Pese al tiempo transcurrido, en la doctrina española, sobre la universalidad de los derechos humanos son siempre valiosas las primeras aportaciones de PECES-BARBA, G. (1994), "La universalidad de los derechos humanos", *Doxa: Cuadernos de Filosofía del Derecho,* 15-16(II), pp. 613-633 y DE LUCAS, J. (1994), "Para una discusión de la nota de universalidad de los derechos: a propósito de la crítica del relativismo ético y cultural", *Derechos y Libertades,* 3, pp. 259-312.

41 Como afirma TRONCOSO REIGADA, A. (2021), "Introducción y presentación", en IDEM (dir.), *Comentario al Reglamento general de protección de datos y a la Ley orgánica de protección de datos personales y garantía de los derechos digitales,* Vol. I, Cívitas, Cizur Menor, § III, la protección de datos personales es un derecho que se ha construido "en un contexto de integración supranacional y de globalización".

universalmente reconocido[42]. Este enfoque no solo reforzaría su legitimidad jurídica, sino que también consolidaría su carácter como herramienta de protección de la dignidad y la autonomía individual frente a los desafíos de la digitalización y la globalización de la información. Este sería un paso fundamental, pero solo un primer paso, porque la humanidad no puede, ni debe, renunciar al horizonte de otro Convenio universal que con una mayor amplitud incluya las principios, valores y salvaguardias de protección de los derechos digitales y los neuroderechos de la persona en la sociedad digital.

3. EL PAPEL CENTRAL DEL CONTRATO EN NUESTRA ERA

Uno de los protagonistas, por no decir el más importante, en la sociedad de la vigilancia es indudablemente un viejo conocido que viene actuando de manera silenciosa y que se instrumenta incesantemente como garante del corporativismo digital. Me refiero al gran motor del intercambio de bienes y servicios: el contrato. Antes que nada, considero importante una aclaración. Emplearé el concepto "contrato" en un sentido amplio para referirme tanto al habitual ("acuerdo de voluntades dirigido a crear, modificar o extinguir relaciones jurídicas patrimoniales y establecer las reglas que le serán aplicables"[43]) como a cualquier tipo de acuerdo, cláusula o condición que

---

42 Maqueo Ramírez, Mª/ Moreno González, J./Recio Gayo, M. (2017), "Protección de datos personales, privacidad y vida privada: la inquietante búsqueda de un equilibrio global necesario". *Revista de Derecho* (Vol. XXX, No. 1*)*, p. 95.

43 Entre las innumerables definiciones tomo, por su utilidad práctica, la del art. 1218.1 de la Propuesta Actualizada de Modernización del Código Civil en materia de obligaciones y contratos de 2023 elaborada por la Sección 1ª de la Comisión General de Codificación.

implique la obtención de una prestación, contenido o servicio digital por el consumidor en el que deba ceder datos personales, exista o no, además, el pago de un precio en dinero.

En su brillante ensayo sobre la imparable expansión del contrato en el Estado contemporáneo, y en especial en el ámbito del derecho público, José ESTEVE PARDO, afirma que el Siglo XX, dejando aparte el periodo de las dos grandes guerras, fue el siglo de la ley y de la construcción del Estado Social, mientras que el Siglo XXI, desafortunadamente, es el siglo del contrato y de la deconstrucción del Estado Social[44]. Afirma y evidencia el referido autor, con lujo de detalles y riqueza argumentativa, mediante la inmersión en una serie de procesos históricos, sociales y políticos, que el contrato se ha convertido en un silencioso colonizador de la actividad pública hasta el punto de que la autonomía de la voluntad se ha colocado en el centro de gravedad constitucional en la sociedad contemporánea[45].

De acuerdo con su tesis, el contrato se predica hoy en día como un auténtico productor de normas dentro del propio Estado, se ha infiltrado en el aparato ejecutivo, aparece frecuentemente en el seno de la propia justicia e incluso se encuentra ínsito en la disponibilidad y patrimonialización sobre los propios derechos fundamentales. El fenómeno de la colonización por el contrato de las raíces mismas del Estado es ilustrado por ESTEVE PARDO en torno a una serie de fenómenos en los que no me detendré por razón de acotamiento de la materia. Sintéticamente, se explica sobre la tesis de que existen varios movimientos de expansión del contrato y uno de ellos, el más disruptivo, implica que el contrato ya no es sólo productor de normas entre privados, sino también invisiblemente un cons-

---

44 ESTEVE PARDO, J. (2023), *El camino de la desigualdad. Del imperio de la ley a la expansión del contrato*, Marcial Pons, Barcelona, pp. 42 y ss.

45 ESTEVE PARDO, J. (2023), pp. 57, 122 y ss.

tructo de normas al interno del propio Estado, lo que transforma y deconstruye buena parte de sus estructuras[46]. Así, por ejemplo, pueden cifrarse, entre otros, los fenómenos de la expansión del convenio como tejido de la red de Administraciones públicas, la retirada de la Administración al frente de ciertos servicios públicos y de la seguridad que son ocupados inmediatamente por una compleja trama contractual privada, la expansión de la transacción con la Administración y la colaboración premiada o la justicia negociada.

Sin perjuicio de la certeza o no de esta tesis y sin desconocer que el enfoque se dirige principalmente al derecho público, creo que es posible extrapolar una parte de su núcleo al derecho privado. Evidentemente, no podemos hablar respecto del derecho privado de una colonización silenciosa por parte de la autonomía de la voluntad y del contrato como su instrumento estrella, porque ambas instituciones ya ocupaban un papel central en el derecho privado desde hace mucho tiempo y muy claramente desde el triunfo de la ideología liberal con la Revolución francesa.

No obstante, a poco que se reflexione detenidamente, es indudable que existe en la actual sociedad digital una "colonización intensificada" por el contrato de todos los aspectos de la vida de los consumidores[47] y que esto es tanto como decir que esta colonización se asienta en la propia esencia de la ciudadanía, y que esta vía corre en paralelo a la colonización de las entrañas del Estado de la que habla el meritado autor.

---

46 Esteve Pardo, J. (2023), pp. 57-86, esp. p. 57.

47 Puede elucubrarse incluso si la tecnología disruptiva está generando o no un nuevo "derecho disruptivo": Twigg-Flesner, C. (2016), "Disruptive Technology - Disrupted Law? How the digital revolution affects (Contract) law", in De Franceschi, A., (ed.), *European Contract Law and the Digital Single Market,* Intersentia, Cambridge, pp. 21-48.

En otras palabras, los diversos fenómenos de nuestro tiempo ligados al neoliberalismo y, entre ellos, con gran fuerza, los "socio-político-digitales", han horadado dos cauces de colonización contractual de la vida cotidiana de diferente naturaleza y magnitud, pero de consecuencias enormes: la colonización contractual invisible de la vida pública ahonda las desigualdades, mientras que la colonización contractual intensificada de la vida privada, y sobre todo la digital, ahonda en asimetrías que cada vez son más profundas e irreparables por la vía de los remedios jurídicos del derecho civil de contratos[48], tantos los clásicos del derecho general como los especiales del derecho de consumidores[49]. Estas asimetrías son persistentes y sistémicas en toda la vida del contrato, en especial si se trata de un contrato sobre contenidos o servicios digitales; están presentes en el periodo precontractual (muy corto o casi fugaz en el entorno digital), en el momento de la formación del contrato y la prestación del consentimiento (*inconsciente* en los contratos "gratuitos" en los que la contraprestación principal son los datos personales del consumidor) y en el de extinción de la re-

---

48 En general, GÓMEZ POMAR, F. (2022), *Viejos y nuevos problemas contractuales en la Directiva 2019/771/UE*, en GÓMEZ POMAR, F./ FERNÁNDEZ CHACÓN, I. (dirs.), *Estudios de derecho contractual europeo*, Thomson Reuters Aranzadi, Cizur Menor, p. 501, indica que el problema básico al que se enfrenta el funcionamiento de la compraventa de consumo es la asimetría de información que existe entre empresario y consumidor en lo relativo a las características relevantes del objeto del contrato y que "este supuesto tendrá todas las excepciones que se quieran, pero hay pocas dudas de que en la generalidad de los casos este punto de partida es el más ajustado a la realidad".

49 Se cumple así el vaticinio de PUIG BRUTAU, con cita de Willian SEAGLE (1951), quien afirmaba que "la llamada autonomía de la voluntad que había de permitir al individuo apartarse de la situación de *status*, puede dar lugar a resultados completamente opuestos", PUIG BRUTATU, J. (1954), *Fundamentos de Derecho Civil*, T. II, Vol. I, *Doctrina general del contrato*, Bosch, Barcelona, p. 52.

lación contractual (especialmente, en el caso de la resolución del contrato[50]). En el siguiente epígrafe se tratarán los aspectos más controvertidos y en los que, a mi juicio, la continua, invisible e incesante "desposesión" de los datos personales de los consumidores que perpetra el corporativismo digital pone irremediablemente en jaque el derecho fundamental a su protección.

El contrato no sólo aparece en sus modalidades habituales y para la obtención de los bienes y servicios deseados, sino *incesantemente y, en numerosas ocasiones de manera invisible, se infiltra en todos los vericuetos de la vida de los sujetos privados.* Existe desde el mismo momento en que por la mañana nos levantamos y acudimos al dispositivo móvil para consultar el WhatsApp o preguntarle a nuestro asistente virtual elegido (Alexa, Google Assistant, Siri, etc.) qué tiempo va a hacer, hasta por la noche cuando nos acostamos y seguimos empleando un dispositivo móvil para ver la serie favorita, leer el periódico, escuchar música, perdernos en las redes sociales o simplemente navegar en nebulosas que nos quitan el sueño, pasando por todo un sinfín de actividades digitales y consumeristas que realizamos rápida y eficazmente durante el curso de la jornada.

Si bien es cierto que muchos dirían que la autonomía de la voluntad impera en las relaciones contractuales y que el consumidor consiente la cesión de sus datos personales, su exaltación acrítica[51] es un enorme *escamotage* que crea la ficción

---

50 Cámara Lapuente, S. (2020), "Resolución contractual y destino de los datos y contenidos generados por los usuarios de servicios digitales", en Arroyo Amayuelas, E./ Cámara Lapuente, S. (dirs.), *El derecho privado en el nuevo paradigma digital,* Colegio Notarial de Cataluña/Marcial Pons, Madrid-Barcelona-Buenos Aires-São Paulo, 2020, pp. 141-174, esp. pp. 146 y ss.

51 La corriente de pensamiento neoliberal de exaltación de la autonomía de la voluntad y reducción al mínimo de la valoración jurí-

de un consentimiento que no es real. Como luego se verá, el consentimiento sobre los datos personales es siempre un campo de minas y con frecuencia un proceso opaco para cualquier consumidor medio. El mantra del consumidor libremente informado es más una quimera que una realidad cotidiana y práctica. Sin desconocer que cada una de las siguientes categorías tiene múltiples matizaciones jurídicas, muchas de ellas con base jurídica o jurisprudencial, no puede negarse el velo de inconsciencia –promovido por el propio sistema socio-jurídico– de la mayoría de los consumidores ante su realización cotidiana. Navegar en Internet es contratar[52]. Aceptar las *cookies* para continuar la navegación o acceder a un servicio de internet es contratar. Leer el periódico digital, incluso si es gratis, es contratar[53]. Entrar en la aplicación favorita de salud también es contratar. Hacer ejercicio con la aplicación de deporte más de moda también es contratar (no sólo sudas también contratas). Incluso meditar con el coach favorito, seguir el gurú especial o visionar los estupendos podcasts de Mindfulness de Allan Watts, Rupert Spira o Alonso Puig es contratar. En fin, casi todo en la sociedad digital de nuestro tiempo es contratar

---

dica de las relaciones contractuales ya fue denunciada por Federico DE CASTRO al inicio de su célebre ensayo: DE CASTRO Y BRAVO, F. (1982), "Notas sobre las limitaciones intrínsecas de la autonomía de la voluntad", *Anuario de derecho civil* (Vol. 35, No. 4), p. 988.

52 CÁMARA LAPUENTE, S. (2022), "Nuevos perfiles del consentimiento en la contratación digital en la Unión Europea: ¿navegar es contratar (servicios digitales "gratuitos")?", en GÓMEZ POMAR, F./FERNÁNDEZ CHACÓN, I. (dirs.), *Estudios de derecho contractual europeo*, Thomson Reuters Aranzadi, Cizur Menor, pp. 331-405, esp. pp. 379 y ss. respecto de la protección de datos.

53 CASTILLO PARRILLA, J. A./ MORAIS CARVALHO, J. (2024), "*Pay or ok*. Pagar con datos personales tras la Directiva 2019/770: Una visión comparada entre España y Portugal", *Revista Electrónica de Direito. RED* (Vol. 34, No. 2), pp. 100-144, esp. 139.

y absolutamente nada es gratis: los datos personales, indudablemente, son la moneda de cambio[54].

Por estas razones, la cuestión de la protección de datos está en medio de las dos olas de civilizaciones de las que nos hablaba Alvin TOFFLER que ahora se confrontan: la segunda ola, la de la sociedad industrial, que se resiste en desaparecer, y la tercera, la de la sociedad postindustrial, que se impone aceleradamente con su tecnología disruptiva. Es una constante en todo el desarrollo tecnológico, cuya importancia ya intuían algunas Constituciones del tercer constitucionalismo del siglo pasado, como la española de 1978, y que se ha extendido ampliamente en el contemporáneo, pero que no recibe un tratamiento normativo completo y adecuado, porque el enfoque siempre es estrecho y centrado en una única dimensión.

Los efectos sociológicos son profundos y no se dejan esperar[55]. Las nuevas clases sociales de la sociedad digital ya están decididas. Así, pueden apuntarse: 1) El "consumidor *low cost*", el que accede "gratuitamente" a innumerables aplicaciones,

---

54 Entre los autores, existen innumerables referencias a los datos personales como "moneda de cambio del S. XXI", "nueva moneda del mundo digital", "nuevo petróleo", "fuente de riqueza", "mercancía comerciable" (*data as tradable commodity*), etc. Por todos, STAUDENMAYER, D. (2020), "Art. 3 Directive (UE) 2019/770", in Schulze, R./D. Staudenmayer, D. (eds.), *EU Digital Law. Article-by-Article Commentary*, Nomos, Baden-Baden, 2020, p. 69; ZECH, H. (2016), "Data as a Tradeable Commodity – Implications for Contract Law", p. 79; MARTÍNEZ MARTÍNEZ, R. (2013), "Protección de datos personales y redes sociales: un cambio de paradigma", en RALLO LOMBARTE, A./MARTÍNEZ MARTÍNEZ, R. (coords.), *Derecho y redes sociales*, Cívitas, Madrid, p. 87.

55 Sobre la incidencia de la brecha digital en las desigualdades sociales en Europa, CONSOLI, D./CASTELLACCI, F./SANTOALHA, A. (2023), "E-skills and income inequality within European regions", *Industry and Innovation*, 30(7), pp. 919-946. doi: 10.1080/13662716.2023.2230222.

servicios y contendidos digitales y paga siempre con sus datos personales. 2) El "consumidor *premium*, el cual paga por mayor privacidad, pero también, si no está muy atento, puede ser objeto de la desposesión de sus datos. 3) Finalmente, podría distinguirse una última clase casi invisible, el "*protoconsumidor*" (o "plutoconsumidor"), esto es, aquel que *produce las reglas de vigilancia y consume privilegiadamente.*

4. LA QUIEBRA DE LA PROTECCIÓN DE DATOS (ALGUNAS CUESTIONES) EN/FRENTE/VERSUS EL CONTRATO

4.1. Sobre la naturaleza del consentimiento a la cesión de datos personales en los contratos sobre contenidos y servicios digitales

El Considerando 40 del RGPD expresa lo siguiente: "Para que el tratamiento sea lícito, los datos personales deben ser tratados con el consentimiento del interesado o sobre alguna otra base legítima establecida conforme a Derecho, ya sea en el presente Reglamento o en virtud de otro Derecho de la Unión o de los Estados miembros a que se refiera el presente Reglamento, incluida la necesidad de cumplir la obligación legal aplicable al responsable del tratamiento o la necesidad de ejecutar un contrato en el que sea parte el interesado o con objeto de tomar medidas a instancia del interesado con anterioridad a la conclusión de un contrato". Además, de acuerdo con el Considerando 44, el tratamiento de los datos debe ser lícito cuando sea necesario en el contexto de un contrato o de la intención de concluir un contrato, y lo será, según recuerda el Considerando 38 DCSD, para el caso de los contratos de contenidos y servicios digitales, si se manifiesta conforme a los dispuesto en el Reglamento "en relación con los fundamentos jurídicos para el tratamiento de los datos personales". El Considerando

32 RGPD se encarga de especificar los caracteres del consentimiento al tratamiento de datos personales: debe expresarse mediante un acto afirmativo claro que manifieste la voluntad libre, específica, informada e inequívoca del interesado.

Con este sustrato, el art. 4.11 RGPD (también el art. 6 LOPDP, por remisión a aquel) establece que el consentimiento debe ser libre, específico, informado e inequívoco[56].

Este diseño legal tiene que ver mucho con el enfoque desde la autodeterminación informativa, el cual es el fundamento constitucional del sistema de la protección de datos, desarrollado ampliamente por la Corte Constitucional alemana y otras que siguen su estela, pero no con un enfoque dirigido a la protección integral de la "privacidad digital" y los derechos digitales, en cuanto "derecho humano"' emergente, el cual, de momento, despunta pero no penetra en el sistema legal, con todo lo que ello implica.

Una pregunta es obligada, en consecuencia. ¿Existe un verdadero consentimiento a la cesión de datos en la contratación con consumidores en materia de contenidos y servicios digitales?[57] La cuestión no es baladí, puesto que nos encontramos ante contratos que son masivos y absolutamente cotidianos.

Consentimiento libre. Según la STJUE de 11 de noviembre de 2020 (*caso Orange România*) el consentimiento libre supone

---

56 En la jurisprudencia del TJUE deben tenerse en cuenta las Sentencias de 1 de octubre de 2019, Asunto C-673/17 (*caso Planet 49*) y 11 de noviembre de 2020, Asunto C-1/19 (*Caso Orange România*).

57 Véase, SÁNCHEZ LERÍA, R. (2022), "Los datos personales como contraprestación en la legislación de consumo (1)", *Actualidad Civil* (No. 3), p. 7 (versión digital Legalteca), quien plantea dos interpretaciones sobre las dos alternativas contrapuestas (no existe un verdadero consentimiento al tratamiento de datos; sí existe, pero los arts. 7.4 RGPD y 6.3 LOPD deben aplicarse estrictamente).

que las estipulaciones contractuales no deben inducir al interesado al error en lo que respecta a la posibilidad de celebrar el contrato pese a su negativa a dar el consentimiento para el tratamiento de datos. En otras palabras, el consentimiento al tratamiento de datos, como el contractual, debe manifestarse libre de vicios.

No obstante, la realidad demuestra una y otra vez que esta exigencia es incumplida reiteradamente en el entorno digital donde al consumidor no toma conciencia de esta separación, pese a que ambos consentimientos, el contractual y el relativo al tratamiento de datos, deben presentarse por separado; ni tampoco le queda claro si el consentimiento al tratamiento de datos es necesario o no para el cumplimiento del contrato o la prestación de algún servicio.

Dejando aparte los supuestos de violencia e intimidación, en un entorno especialmente complejo como el digital, el supuesto del error se antoja más típico y habitual de lo que en un inicio pudiera pensarse[58]. Sin embargo, las dificultades para hacerlo valer, por un consumidor medio, son excesivamente gravosas en un contexto tan imbricado como la contratación digital, pues se le exigiría una atención especialísima a la que no está acostumbrado, ni se le puede pedir que lo esté, y la reunión por su parte de unas pruebas para hacerlo valer que a duras penas sería capaz de procurarse (por ej. la realización de pantallazos de cada página en la que avanza, su contraste con las condiciones generales

---

58 DE BARRÓN ARNICHES, P. (2024), "Vulneraciones automatizadas del derecho a la protección de datos personales y mecanismos de tutela", *Revista de Derecho Civil* (vol. XI, No. 1), 2024, p. 29, invoca el vicio del error en caso de que los datos personales sean recabados por el prestador de servicios sin haber observado los deberes precontractuales de información. Cfr. opinión contraria en GARCÍA-RIPOLL MONTIJANO, M. (2020), "El consentimiento al tratamiento de datos personales", pp. 119 y ss.

y la información sobre el tratamiento de datos, la comprobación de la presentación de las páginas, etc.).

En otro orden de cosas, aunque el art. 7.4 RGPD veta que la ejecución del contrato o la prestación de un servicio se supedite al consentimiento de datos personales que no sean necesarios para su ejecución, el consumidor no tendrá los conocimientos necesarios, salvo en supuestos de ilicitud notoria (por ej. solicitud de datos sobre su orientación sexual o sus creencias), para discernir entre datos necesarios y datos innecesarios para la ejecución del contrato.

Consentimiento específico. El art. 6.1 RGPD indica que el consentimiento del interesado para el tratamiento de sus datos personales deberá prestarse para uno o varios fines específicos. Estos deben describirse de forma clara e inequívoca. La STJUE de 1 de octubre de 2019 (*caso Planet 49*) establece que la manifestación del consentimiento debe presentarse de forma inteligible y de fácil acceso, empleando un lenguaje claro y sencillo. Asimismo, conforme al artículo 7.2 RGPD, dicho consentimiento ha de distinguirse de manera inequívoca del otorgado para otros fines.

Sin embargo, en el entorno digital, esta exigencia se satisface, en la mayoría de los casos, de modo meramente formal, sin alcanzar una efectividad real y tangible. El consumidor, pese a las garantías normativas, continúa enfrentándose a una barrera cognitiva derivada del lenguaje técnico o ambiguo utilizado para describir el tratamiento de sus datos personales. Así, aunque el RGPD impone el uso de un lenguaje claro, resulta casi extraordinario que el interesado comprenda *conscientemente* y con precisión el "fin específico" del tratamiento, frecuentemente encubierto bajo la invocación genérica al "interés legítimo" del responsable.

Por lo demás, la posibilidad que abre el art. 6.4 a que el responsable de datos pueda establecer un tratamiento de los datos personales para otro fin distinto de aquel para el que estos fueron recogidos, sin el consentimiento del interesado, es bastante laxa, al contrario de lo que un principio pueda pensarse en una primera lectura de su formulación legal. Así, para la modificación del fin o fines, el responsable del tratamiento deberá tener en cuenta, entre otras cosas, las siguientes: cualquier relación entre los fines para los cuales haya recogido los datos personales y los fines ulteriores, el contexto, la naturaleza de los datos, las posibles consecuencias para los interesados y la existencia de garantías adecuadas. Esta posibilidad mina el carácter específico del tratamiento y permite al responsable la modificación del fin en virtud de su exclusivo interés comercial o estrategia económica. En especial, por dos razones. En primer lugar, porque no se trata de una lista exhaustiva de requisitos que deba verificar y acreditar uno por uno el responsable del tratamiento, lo que no excluye que la razón principal por la que modifique los fines sea precisamente su exclusivo interés comercial o su línea estratégica. En segundo lugar, porque, dada la redacción del precepto, le bastará con maquillar su decisión, e incluso enmascararla, estableciendo simplemente una relación, aunque sea mínima, entre los fines antiguos y los ulteriores, tarea que le resultará sumamente sencilla, y podrá justificarla con cierta apariencia de objetividad enlazando un relato con el resto de las circunstancias que se enumeran, esto es, el contexto, la naturaleza de los datos, las posibles consecuencias y la existencia de garantías adecuadas. De este modo, la propia norma consiente tanto la justificación fácil de la modificación de los fines del tratamiento de datos como el automatismo comercial en la toma de esta decisión.

Consentimiento informado. El Considerando 39 RGPD alude al principio del consentimiento informado al declarar lo siguiente: "para las personas físicas debe quedar totalmente claro que se están recogiendo, utilizando, consultando o tratando de otra manera datos personales que les conciernen, así como la medida en que dichos datos son o serán tratados". Esto se traduce en el art. 4.11 RGPD en la exigencia de que el consentimiento del interesado debe ser informado[59]. La información que se suministre al interesado debe ser suficiente para alcanzar una comprensión cabal del fin o fines específicos para los que sus datos personales serán tratados; junto a ello, el responsable deberá informar al interesado sobre su identidad, el tiempo durante el cual conservará los datos personales y la existencia de los diversos derechos (acceso, rectificación, cancelación, oposición, portabilidad y liberación).

La información, según el TJUE, deberá facilitarse por el responsable del tratamiento y alcanza las siguientes materias de conformidad con el RGPD (arts. 4, punto 11, y 13; Cdo. 42): "todas las circunstancias relacionadas con el tratamiento de datos, con una formulación inteligible y de fácil acceso que emplee un lenguaje claro y sencillo, debiendo el interesado conocer, en particular, qué datos serán tratados, la identidad del responsable del tratamiento, la duración del tratamiento y su forma, y los fines que se persigue con dicho tratamiento". "Esta información debe permitir a esa persona determinar fácilmente las consecuencias de cualquier consentimiento que pueda dar y garantizar que dicho consentimiento se otorgue con pleno conocimiento de causa" [60].

Analizando esta doctrina de la jurisprudencia europea, el contenido y los requisitos del consentimiento informado al tratamiento de datos pueden sistematizarse, a mi juicio, en torno a las siguientes pautas. Las tres cuestiones básicas son determinar sobre qué se informa, cómo debe informarse y cuál debe ser el

---

59 García-Ripoll Montijano, M. (2020), "El consentimiento al tratamiento de datos personales", p. 108 y Bueno Biot, A. (2025), "La contraprestación en forma de datos personales: el nuevo paradigma en la era digital", p. 1147, hablan de "voluntad informada".

60 STJUE de 11 de noviembre de 2020 (*caso Orange România*), Apartado 40, y por analogía, STJUE de 1 de octubre (*caso Planet 49*), Apartado 74.

grado de cognoscibilidad por parte del interesado o consumidor medio a partir de la información facilitada. Estas tres cuestiones pueden corresponder con tres pruebas o test. ¿Sobre qué debe informarse? 1) Circunstancias relacionadas con el tratamiento. 2) Identificación de los datos que serán tratados. 3) Identidad del responsable del tratamiento de datos. 4) Duración y forma del tratamiento. 5) Fines perseguidos. ¿Cómo debe informarse? 1) Formulación inteligible. 2) Fácilmente accesible. 3) Con un lenguaje claro y sencillo. ¿Cuál debe ser el grado de cognoscibilidad a partir de la información facilitada? 1) Capacidad para determinar fácilmente las consecuencias del consentimiento que pueda darse. 2) Garantía de que el consentimiento se otorga con pleno conocimiento de causa.

Así pues, el consentimiento informado al tratamiento de datos no solo requiere que el interesado o el consumidor conozca determinado contenido y que éste sea suministrado en la forma requerida, sino también que el interesado o el consumidor sea consciente sobre las consecuencias de su consentimiento y exista la garantía de que otorga el consentimiento con pleno conocimiento de causa (*cognoscibilidad*). La duda esencial que entonces surge es si las cláusulas corrientes sobre el tratamiento de datos en contratos sobre contenidos o servicios digitales, por su contenido, forma, presentación y formulación, así como por la rapidez e inmediatez del entorno digital, superan o no con las suficientes garantías el *test de la cognoscibilidad*. La respuesta, infelizmente, es negativa en un elevadísimo número de casos[61].

---

61 En sentido análogo, DE BARRÓN ARNICHES, P. (2019), "La pérdida de privacidad en la contratación electrónica (entre el Reglamento de protección de datos y la nueva Directiva de suministro de contenidos digitales)", p. 54, pone en duda que se estén respetando los principios de la protección de datos en la realidad del comercio con consumidores, ya que "es prácticamente imposible saber cuándo estamos siendo monitorizados y qué usos posteriores se le va a dar a nuestra información".

Por lo demás, de acuerdo con la doctrina de nuestro Tribunal Constitucional acerca del derecho fundamental a la protección de datos el deber de información previa forma parte del contenido esencial de dicho derecho[62]. Y, aunque LOPDP, siguiendo al RGPD en este punto, pretende su garantía, el corporativismo digital viola este derecho continuamente por cuanto la estructura o el entramado comercial creado para dirigir al "consumidor digital" al contrato y recabar su consentimiento no supera mínimamente el mencionado *test.*

Consentimiento inequívoco. El art. 4.11 RGPD requiere que el consentimiento sea inequívoco en el sentido de que debe existir una voluntad expresa del interesado dirigida a la aceptación del tratamiento de datos. De acuerdo con el art. 7.1 RGPD, además, la carga de probar que el interesado ha expresado su consentimiento recae sobre el responsable del tratamiento (una manifestación, entre otras, del "principio de responsabilidad proactiva"). Sobre las formas en que puede recogerse la aceptación del interesado, el Cdo. 32 indica que puede prestarse por escrito, incluso por medios electrónicos, o a través de declaración verbal. En el caso del consentimiento expresado por medios electrónicos, "el empresario puede incluir marcar una casilla de un sitio web en internet, escoger parámetros técnicos para la utilización de servicios de la sociedad de la información, o cualquier otra declaración o conducta que indique claramente en este contexto que el interesado acepta la propuesta de tratamiento de sus datos personales".

Sin embargo, no siempre el consumidor proporciona sus datos personales activamente a través de un registro durante la navegación, la suscripción de una cuenta para el acceso a contenidos o servicios digitales o la utilización de una aplicación bajo registro. La tecnología de monitoreo y minería de datos

---

62 STC (Pleno) 39/2016, de 3 de marzo de 2016 (ECLI:ES:TC:2016:39).

permite al empresario recoger los datos de navegación y preferencias de cualquier usuario que entre en contacto con su sitio de Internet, sus redes sociales o cualquier formato digital con el que presente su oferta, publicidad o promoción, especialmente a través de las denominadas *cookies*, e incluso sondear sus datos personales.

Esta práctica no ha sido atendida expresamente en la legislación sobre los contratos digitales. No se encuentra ni en la DCSD ni a nivel interno en el TRLGCU. Sin embargo, el Cdo. 25 DCSD aclara que la Directiva no debe aplicarse a situaciones en las que el empresario recaba únicamente metadatos tales como información del dispositivo del consumidor o su historial de navegación", ni tampoco a las situaciones "en las que el consumidor, sin haber celebrado un contrato con el empresario, se expone a recibir publicidad con el fin exclusivo de obtener acceso a los contenidos o servicios digitales". Esta omisión lleva a parte de la doctrina a considerar que el legislador abre la posibilidad de que el empresario pueda recabar los datos personales de esta forma y que, a falta de una prohibición expresa, también puede hablarse de la existencia de un contrato sobre suministro de contenidos o servicios digitales a cambio de datos personales del consumidor cuando estos sean obtenidos de forma pasiva a partir de la continuación por el consumidor o usuario en la navegación o visionado de la página[63]. En conse-

---

63 BUENO BIOT, A. (2025), "La contraprestación en forma de datos personales: el nuevo paradigma en la era digital", pp. 1152-1153; MILÀ RAFEL, R. (2022), "Datos personales como contraprestación en la Directiva de contenidos y servicios digitales", en GÓMEZ POMAR, F./ FERNÁNDEZ CHACÓN, I. (dirs.), *Estudios de Derecho Contractual Europeo: Nuevos problemas, nuevas reglas,* Thomson Reuters-Aranzadi, Cizur Menor, p.425; CÁMARA LAPUENTE, S (2021), "Un primer balance de las novedades del RDL 7/2021, de 27 de abril, para la defensa de los consumidores en el suministro de contenidos y servicios digitales", *Diario La Ley* (No. 9887), p. 26. En contra, excluyendo los

cuencia, esta misma doctrina plantea que estas situaciones no deben entenderse necesariamente excluidas del TRLGDCU, si de acuerdo con las reglas del derecho general de contratos puede entenderse que merecen la calificación como contratos.

Con independencia del acierto de esta postura, que persigue el loable objetivo de procurar al donante de datos la protección de la DCSD y la normativa nacional correspondiente, con la que estoy de acuerdo no sin cierto escepticismo, debe reconvenirse sobre el hecho de que tal "contrato" no atiende a un consentimiento inequívoco del consumidor según los parámetros del art. 4.11 RGPD por lo que al tratamiento de datos se refiere.

"Consiente o paga" (cookies walls). Tanto el TJUE en su Sentencia de 4 de julio de 2023 (caso C-252/21, *Facebook v. Bundeskartellamt*) como la Agencia Española de Protección de Datos (Guía sobre el uso de las cookies, versión de enero de 2024) abren la posibilidad de que las redes sociales y las páginas digitales como los periódicos digitales puedan imponer a sus usuarios una modalidad de pago como única alternativa al tratamiento de sus datos personales con fines publicidad personalizada. Desde entonces las redes sociales y las páginas en línea han generalizado esta práctica. Si bien puede considerarse que el consentimiento a la cesión de datos en estos casos se sostiene tanto sobre una base legal como jurisprudencial, debe ponerse en duda que sea un consentimiento libre y verdaderamente informado. Es un consentimiento que se manifiesta bajo la presión del momento y que no sobrepasa el *test de la cognoscibilidad.* La exigencia por parte de TRUJILLO CABRERA de que este modelo debe tener un límite es plenamente acertada. En

---

browse agreements, ARROYO AMAYUELAS, E. (2023), "La transformación digital de los contratos de consumo en España", en GONZÁLEZ PACANOWSKA, I./ PLANA ARNALDOS, Mª. C. (dirs.), *Contratación en el entorno digital,* Editorial Aranzadi, Cizur Menor, p. 32.

la mayoría de los casos el acceso del usuario al contenido de la red social o de la página en línea implica que el prestador de servicios pueda diseccionar sus interacciones previas, perfilar su comportamiento e inferir a partir del conjunto de datos obtenidos nuevos datos que el usuario no tenía la intención de compartir[64]. La autodeterminación informativa y el control sobre el destino de los datos personales, bases del derecho fundamental a la protección de datos, quedan, a mi juicio, heridos de muerte en estos contextos.

El propio Tribunal Constitucional pone en tela de juicio ciertas prácticas e incluso la validez del consentimiento de los usuarios desvalidos ante la posición absolutamente dominante de corporaciones como *Meta*. Así, la STC 27/2020, de 24 de febrero, afirma que "el uso de condiciones generales empleado en este procedimiento de contratación *online*, sus características, y la falta de capacidad de los usuarios/consumidores para negociar el clausulado, arroja dudas relevantes sobre la existencia de una adecuada manifestación de voluntad, libre, inequívoca, específica e informada, mediante la que el interesado consienta indiscriminadamente". Por lo que se refiere al lenguaje empleado en las condiciones de uso y las políticas de privacidad, aun cuando estén disponibles en la página Web, el Tribunal Constitucional llega a afirmar que "no alcanzan su finalidad última, que no es otra que la comprensión por el usuario del objeto, la finalidad y el plazo para el que otorga dicha autorización" (Fundamento Jurídico 4).

---

64 TRUJILLO CABRERA, C. (2024), "Los nuevos *cookie walls*: «consent or pay»: A propósito de la Sentencia del Tribunal de Justicia de la Unión Europea de 4 de julio de 2023", *Revista de Derecho Civil* (vol. XI, núm. 2), p. 106.

4.2. Algunas reflexiones acerca de la consideración de los datos personales como contraprestación

Existe una coincidencia generalizada en la literatura especializada sobre los contratos de servicios y contenidos digitales en subrayar el especial valor que adquieren los datos personales en la economía digital. Evidentemente, este valor económico no lo tienen los datos personales individualmente considerados, sino su agregación técnica en un conjunto, y su procesamiento masivo en grandes paquetes mediante la ingeniería del *big data*[65]. En este contexto, los datos son una mercancía que puede ser objeto de un negocio jurídico de intercambio, aunque siempre haya dificultades para determinar su concreto valor pecuniario, y es esta la razón por la que los datos son explotados de muy diversas maneras, con extrema libertad, por las corporaciones digitales y las empresas que los adquieren en grandes paquetes[66].

Como es sabido, el legislador comunitario rehuyó calificar expresamente los datos personales como contraprestación en el art. 3.1. pº 2º DCSD, aun cuando incluye en su ámbito de aplicación los contratos de suministros de contenidos y servicios digitales a cambio de datos personales, salvo cuando los datos personales facilitados por el consumidor sean tratados exclusivamente por el empresario con el fin de suministrar los contenidos o servicios digitales con arreglo a la Directiva o para permitir que el empresario cumpla los requisitos legales

---

65 Por todos, BEDIR, C. (2020), "Contract Law in the Age of Big Data", *Tilburg Private Law Working Paper Series* (No. 04), pp. 1-4; NAVAS NAVARRO, S. (2018), "El valor de los datos personales en el mercado", en KINDL, J./ARROYO VENDRELL, T./GSELL, B. (eds.), *Verträge über digitale Inhalte und digitale Dienstleistungen*, Nomos, Baden-Baden, 2018, pp. 101-104.

66 DRABINSKI, A. (2022), *Die vertragliche Datenüberlassung und das Kaufrecht*, Nomos, Baden-Baden, pp. 48-49.

a los que está sujeto, y el empresario no trate esos datos para ningún otro fin. En concreto, en su Cdo. 24 la Directiva realizó una finta a la posibilidad de reconocer que los datos personales tengan la consideración de contraprestación económica del contrato afirmando que "la protección de datos personales es un derecho fundamental, por lo que los datos personales no pueden considerarse una mercancía".

Con esta excusa las grandes corporaciones digitales defienden insistentemente la exclusión de las normas protectoras del derecho de consumidores escudándose el carácter gratuito de los servicios que prestan. *Facebook* defiende, por ejemplo, la posición de que los contratos de uso de su plataforma no están sometidos a la Directiva sobre cláusulas abusivas, puesto que deben considerarse contratos gratuitos, y no estar obligada, por esta misma razón, a informar sobre los fines comerciales para los que serán utilizados los datos personales de sus usuarios[67]. *Twitter* (ahora *X*) ofrece un acuerdo a sus usuarios con un amplio clausulado de derechos y obligaciones para las partes[68], pero incluye una cláusula resolutoria muy abierta que le

---

67 Cuestión analizada por el *Tribunal de Grande Instance de París* en su Sentencia de 9 de abril de 2019, donde desbarató esta alegación al afirmar que los datos de los usuarios de *Facebook* son monetizados con terceros de modo que existe una ventaja económica de acuerdo con el Código Civil francés (art. 1107). También debe destacarse la Resolución de 29 de noviembre de 2018 de la *Autorità Garante della Concorrenza e del Mercato*, que fijó una multa de diez millones de euros a *Facebook* por la información insuficiente facilitada por esta empresa a sus usuarios en Italia sobre el uso de sus datos personales, y la alegación contraria de Facebook centrada en que presta un servicio gratuito y que no debe informar, en consecuencia, sobre los fines comerciales para los que se utilizarán los datos. Véase, ALONSO PÉREZ, Mª. T./HERNÁNDEZ SAINZ, E. (2020), *Servicios digitales, condiciones generales y transparencia*, Aranzadi, Cizur Menor.

68 En la interacción entre el derecho de contratos y el derecho regulatorio de los servicios digitales, por el contenido ilícito incitando al

permite cancelar la suscripción con independencia del derecho de contratos (esto es, fuera de la DCSD) y no siempre en consonancia con el derecho regulatorio del mercado digital (Ley de Servicios Digitales[69]).

El legislador español, contemplando la hipótesis de partida con mayor pragmatismo, ha incluido en el art. 119 ter. 2 TRLGDCU expresamente la calificación de la cesión de los datos personales como contraprestación del contrato en sede de regulación del remedio de la resolución contractual.

Entre las opiniones contrarias a considerar la cesión de datos personales como contraprestación, se cifra la opinión de algún autor patrio que invoca el art. 1271 CC para calificar estos como *res extra commercium*. Sobre esta premisa, dado que la protección de datos es un derecho fundamental, se dice que la cesión gratuita de datos no podría ser objeto del contrato por el carácter indisponible de dicho derecho[70]. Esta postura parte del error de confundir objeto del contrato y renuncia al derecho fundamental. El carácter indisponible de los derechos de la personalidad no impide que algunos de ellos, aquellos que tienen alguna facultad o contenido económico, puedan constituir el objeto de un contrato de explotación (ej. cesión de la explotación de los derechos de imagen). En otras palabras, el objeto de la contraprestación son los datos personales,

---

odio expresado por un usuario que se amparaba en la libertad de expresión, puede verse en la SAP-Baleares (Secc. 3ª) de 26 de marzo de 2020 (ECLI: ES:APIB:2020:513).

69 Reglamento (UE) 2022/2065 relativo a un mercado único de servicios digitales y por el que se modifica la Directiva 2000/31/CE (Reglamento de Servicios Digitales).

70 GARCÍA HERRERA, V. (2020), "El pago con datos personales. Incoherencias legislativas derivadas de la configuración de los datos como posible 'contraprestación' en el suministro de contenidos y servicios digitales", *Actualidad Civil* (No. 1), p. 6.

no el derecho fundamental a la protección de datos[71]. Este es irrenunciable previamente en cualquier caso y a él se anuda un conjunto de derechos que integra su contenido esencial, el cual es indisponible. Por el contrario, la cesión de los datos personales como contraprestación, exista o no pago en dinero de parte del consumidor, si cumple estrictamente los requisitos exigidos por el RGPD[72], puede ser perfectamente un objeto comerciable (*res in commercium*)[73] y responde a intereses jurídicamente relevantes para ambas partes[74]. Cuestión diferente es la "desposesión de los datos" a la que antes me he referido cuando estos son recabados más allá de la cognoscibilidad por

71 Para el derecho alemán, véase, STAUDINGER, A./ARTZ, M. (2022), *Neues Kaufrecht und Verträge über digitale Produkte*, Beck, München, p. 133.

72 La clave es, pues, la libertad del consentimiento al tratamiento de datos, la cual es la verdadera "llave que permite la convivencia entre la economía de datos y la protección de datos personales", CASTILLO PARRILLA, J. A. (2021), "Los datos personales como contraprestación en la reforma del TRLGDCU y las tensiones normativas entre la economía de los datos y la interpretación garantista del RGPD", *La Ley mercantil* (No. 82), p. 13 (versión digital Legalteca).

73 En sentido análogo, BUENO BIOT, A. (2025), "La contraprestación en forma de datos personales: el nuevo paradigma en la era digital", pp. 1134-1135; DOMÍNGUEZ YAMASAKI, Mª. I. (2020), "El tratamiento de datos personales como prestación contractual: Gratuidad de contenidos y servicios digitales a elección del usuario", *Revista de Derecho Privado* (Nº 104), 2020, p. 101; también, las reflexiones de CÁMARA LAPUENTE, S. (2018), "Una prospectiva crítica sobre el régimen de los contratos de suministro de contenidos digitales. Acerca de algunas decisiones legales en curso sobre su concepto, ámbito subjetivo, información, desistimiento y conformidad", en CAPILLA, F./ESPEJO, M./ARANGUREN, F. J./MURGA, J. P. (dirs.), *Derecho Digital: Retos y cuestiones actuales*, Aranzadi, Cizur Menor, 2018, pp. 13-14 (versión digital Legalteca).

74 SCHEIBENPFLUG, A. (2022), *Personenbezogene Daten als Gegenleistung*, Duncker & Humblot, Berlín, p.186.

el consumidor o interesado con quebranto de su autonomía informativa.

Finalmente, no debe perderse de vista, trayendo a colación la acertada tesis de CASTILLO PARRILLA y MORAIS CARVALHO, que la noción del precio no debería quedar circunscrita al pago monetario y que son también contratos onerosos aquellos en los que la contraprestación no es un pago monetario, sino otro tipo de prestación (*ex* art. 1088 CC), dándose esta circunstancia en el entorno digital donde podemos encontrar contraprestaciones diferentes del pago de un precio, como el pago con datos (obligación de dar), el pago mediante obligaciones de hacer (por ej. soportar publicidad comportamental) o incluso el pago mediante obligaciones de no hacer (por ej. desactivar la geolocalización)[75].

---

[75] CASTILLO PARRILLA, J. A./ MORAIS CARVALHO, J. (2024), "Pay or ok". Pagar con datos personales tras la Directiva 2019/770: Una visión comparada entre España y Portugal", *Revista Electrónica de Direito. RED* (Vol. 34, No. 2), pp. 104-105; véase también, ESPÍN ALBA, I. (2020), "Contrato de suministro de contenidos y servicios digitales en la Directiva 2019/770/UE: Datos, consumidores y "prosumidores" en el Mercado Único Digital", *Revista de Derecho Privado* (Nº 104), p. 19. En contra, CONESA CABALLERO, O. (2024), "El encaje contractual de la cesión de datos de carácter personal", *InDret* núm. 2 (2024), p. 13, enfatizando que la existencia del derecho a la revocación del consentimiento al tratamiento de datos (art. 7.3 RGPD) excluye que la prestación a cargo del consumidor pueda encajar en la categoría de obligación. Esta última postura incurre en el equívoco de mezclar dos planos diferentes en el mismo nivel jerárquico. El obligacional y el relativo al derecho fundamental. Siempre que exista un contrato de contenidos y servicios digitales en el que la prestación del consumidor sea la cesión de datos y se haya conformado válidamente, el contrato desplegará todos sus efectos y deberá ejecutarse en conformidad. La existencia del derecho de revocación es una facultad más que permite la realización del derecho fundamental. Su ejercicio, si es el caso, hace decaer el vínculo contractual,

5. CONCLUSIONES

Entre la segunda y tercera ola civilizatorias la protección de datos es una necesidad constante. Es un imperativo ético retirar el velo de ignorancia que tenemos delante de nosotros, adquirir consciencia sobre lo que hacemos en la *infoesfera* y exigir mecanismos más eficientes de protección. Lo contrario es sencillamente aterrador: solo seremos productos del capitalismo de vigilancia y no ciudadanos o consumidores conscientes que es lo que deberíamos –y querríamos– ser.

El modo en que las corporaciones digitales obtienen y tratan los datos personales de los usuarios en el entorno digital pone continuamente en quiebra la validez del consentimiento al tratamiento de datos, el cual deja de responder a los requisitos exigidos en su configuración legal objetiva (consentimiento libre, informado, específico e inequívoco). Desde el mismo instante en que el consumidor o interesado acepta el contrato en el entorno digital (sea en sentido estricto, sea en sentido amplio) la maquinaria invisible de la "desposesión digital" entra en marcha. Somos titulares de un derecho fundamental, pero el ejercicio efectivo de las facultades que lo integran carece frecuentemente de contenido real. El *habeas data* del que se habla recurrentemente es más simbólico que eficiente y tiene la misma tasa de éxito que el clásico *habeas corpus*. Pese a que el Reglamento Europeo General de Protección de datos es norma prioritaria frente al derecho contractual, la posibilidad del ejercicio de los derechos garantizados por el Reglamento queda, en innumerables casos, desactivada. Cuando estos derechos son reclamados o ejercidos por el consumidor o interesado, el empresario ya los ha utilizado, ya los ha agregado, esto es, les ha sacado todo el partido posible.

---

pero no desnaturaliza las obligaciones recíprocas que en él se han reunido.

6. BIBLIOGRAFÍA

ABRIL, P. S./ PIZARRO MORENO, E. (2014), "La intimidad europea frente a la privacidad americana", *InDret* (No. 1, 2014), pp. 1-62.

AGENCIA ESPAÑOLA DE PROTECCIÓN DE DATOS (2024), *Neurodatos - EDPS TechDispatch 2024-1,* pp. 1-32.

ALONSO PÉREZ, Mª. T./HERNÁNDEZ SAINZ, E. (2020), *Servicios digitales, condiciones generales y transparencia,* Aranzadi, Cizur Menor.

ÁLVAREZ MORENO, Mª. T. (2022), "Los derechos del consumidor derivados de la falta de conformidad en la compra de bienes y en los contratos de contenidos y servicios digitales", en ARNAU RAVENTÓS, L. (dir.) (2022), *La digitalización del derecho de contratos en Europa,* Atelier, Barcelona, pp. 131-156.

ARROYO AMAYUELAS, E. (2022), "Las nuevas Directivas sobre digitalización del derecho de contratos", en ARNAUA RAVENTÓS, L. (dir.) (2022), *La digitalización del derecho de contratos en Europa,* Atelier, Barcelona, pp. 19-46.

ARROYO AMAYUELAS, E. (2023), "La transformación digital de los contratos de consumo en España", en GONZÁLEZ PACANOWSKA, I./ PLANA ARNALDOS, Mª. C. (dirs.), *Contratación en el entorno digital,* Editorial Aranzadi, Cizur Menor, pp. 23-61.

ARROYO AMAYUELAS, E. (2025), "Digitalización de los contratos de crédito", en ARROYO AMAYUELAS, E. /RODRÍGUEZ DE LAS HERAS, T./ET AL. (eds.), *Digitalización del crédito y otros servicios financieros,* Aferre, Barcelona, pp. 83-107.

BARRIO ANDRÉS, M. (2021), "Los derechos digitales: de la LOPDGDD a la Carta de Derechos Digitales de España", *Derecho Digital e Innovación. Digital Law and Innovation Review* (No. 9, abril-junio), pp. 1-2 (versión digital Legalteca).

BAUMAN, Z. (2002), *Modernidad líquida* (trad. Mirta Rosenberg), Fondo de Cultura Económica.

BEDIR, C. (2020), "Contract Law in the Age of Big Data", *Tilburg Private Law Working Paper Series* (No. 04).

BUENO BIOT, A. (2024), *El contrato de suministro de contenidos y servicios digitales: Un estudio a raíz de la directiva 2019/770 y su transposición al TRLDCU,* Tirant lo Blanch, Valencia.

BUENO BIOT, A. (2025), "La contraprestación en forma de datos personales: el nuevo paradigma en la era digital", *Actualidad jurídica iberoamericana* (No. 22), pp.1122-1185.

BUENO BIOT, A. (2025), "Entre la resolución contractual y los datos personales: nuevos dilemas de la digitalización", *Revista Boliviana de Derecho* (No. 39), pp. 124-167.

CÁMARA LAPUENTE, S. (2018), "Una prospectiva crítica sobre el régimen de los contratos de suministro de contenidos digitales. Acerca de algunas decisiones legales en curso sobre su concepto, ámbito subjetivo, información, desistimiento y conformidad", en CAPILLA, F./ESPEJO, M./ARANGUREN, F. J./MURGA, J. P. (dirs.), *Derecho Digital: Retos y cuestiones actuales,* Aranzadi, Cizur Menor, 2018.

CÁMARA LAPUENTE, S. (2020), "Resolución contractual y destino de los datos y contenidos generados por los usuarios de servicios digitales", en ARROYO AMAYUELAS, E./ CÁMARA LAPUENTE, S. (dirs.), *El derecho privado en el nuevo paradigma digital,* Colegio Notarial de Cataluña/ Marcial Pons, Madrid-Barcelona-Buenos Aires-São Paulo, 2020, pp. 141-174.

CÁMARA LAPUENTE, S (2021), "Un primer balance de las novedades del RDL 7/2021, de 27 de abril, para la defensa de los consumidores en el suministro de contenidos y servicios digitales", *Diario La Ley* (No. 9887), p. 1-38.

CÁMARA LAPUENTE, S. (2021), "La propuesta de Carta de Derechos Digitales: reflexiones de Derecho privado y técnica legislativa, *La Ley* (16317/2021) (versión digital Legalteca).

CÁMARA LAPUENTE, S. (2022), "Nuevos perfiles del consentimiento en la contratación digital en la Unión Europea: ¿navegar es contratar (servicios digitales "gratuitos")?", en GÓMEZ POMAR, F./FERNÁNDEZ CHACÓN, I. (dirs.), *Estudios de derecho contractual europeo,* Thomson Reuters Aranzadi, Cizur Menor, pp. 331-405.

CASTILLO PARRILLA, J. A. (2021), "La «Dichiarazione dei diritti in Internet» de 14 de julio de 2015 y la importancia y vigencia de su contenido", *Derecho Digital e Innovación* (No 9, abril-junio), pp. 1-10 (versión digital Legalteca).

CASTILLO PARRILLA, J. A. (2021), "Los datos personales como contraprestación en la reforma del TRLGDCU y las tensiones normativas entre la economía de los datos y la interpretación garantista del RGPD", *La Ley mercantil* (No. 82), pp. 1-22.

CASTILLO PARRILLA, J. A./ MORAIS CARVALHO, J. (2024), "Pay or ok". Pagar con datos personales tras la Directiva 2019/770: Una visión comparada entre España y Portugal", *Revista Electrónica de Direito. RED* (Vol. 34, No. 2), pp. 100-144.

CONESA CABALLERO, O. (2024), "El encaje contractual de la cesión de datos de carácter personal", *InDret* núm. 2 (2024), pp. 136-171.

CONSOLI, D./CASTELLACCI, F./SANTOALHA, A. (2023), "E-skills and income inequality within European regions", *Industry and Innovation*, 30(7), pp. 919-946. doi: 10.1080/13662716.2023.2230222.

CORTE INTERAMERICANA DE DERECHOS HUMANOS (1999), *Opinión Consultiva* OC-16/99, 1 de octubre de 1999.

COUNCIL OF EUROPE/EUROPEAN COURT OF HUMAN RIGHTS (2025), *Guide on Article 8 of the European Convention on Human Rights*. Updated on 28 February 2025.

DE BARRÓN ARNICHES, P. (2019), "La pérdida de privacidad en la contratación electrónica (entre el Reglamento de protección de datos y la nueva Directiva de suministro de contenidos digitales)", *Cuadernos Europeos de Deusto* (No. 61), pp. 29-65.

DE BARRÓN ARNICHES, P. (2024), "Vulneraciones automatizadas del derecho a la protección de datos personales y mecanismos de tutela", *Revista de Derecho Civil* (vol. XI, No. 1), 2024, pp. 149-194.

DE CASTRO Y BRAVO, F. (1982), "Notas sobre las limitaciones intrínsecas de la autonomía de la voluntad", *Anuario de Derecho Civil* (Vol. 35, No. 4), pp. 987-1086.

DE LA SIERRA, S. (2022), "Una introducción a la Carta de Derechos Digitales", en COTINO HUESO, L. (2022) (coord.), *La Carta de Derechos Digitales*, Tirant lo Blanch, Valencia, pp. 27-52.

DOMÍNGUEZ YAMASAKI, Mª. I. (2020), "El tratamiento de datos personales como prestación contractual: Gratuidad de contenidos y servicios digitales a elección del usuario", *Revista de Derecho Privado* (Nº 104), 2020, pp. 93-120.

DRABINSKI, A. (2022), *Die vertragliche Datenüberlassung und das Kaufrecht*, Nomos, Baden-Baden.

DUROVIC, M./ MONTANARO, M. (2021), "Data Protection and Data Commerce: Friends or Foes?", *ERCL* (No. 17-1), pp. 1-36.

ESPÍN ALBA, I. (2020), "Contrato de suministro de contenidos y servicios digitales en la Directiva 2019/770/UE: Datos, consumidores y "prosumidores" en el Mercado Único Digital", *Revista de Derecho Privado* (Nº 104), pp. 3-38.

ESTEVE PARDO, J. (2023), *El camino de la desigualdad. Del imperio de la ley a la expansión del contrato,* Marcial Pons, Barcelona.

KÜHLING, J./ KLAR, M./ SACKMANN (2025), F., *Datenschutzrecht,* 6. Aufl., Müller, Heidelberg.

GARCÍA MAHAMUT, R./TOMÁS MALLÉN, B./ARENAS RAMIRO, M. (2019), *El Reglamento general de protección de datos: un enfoque nacional y comparado: especial referencia a la LO 3/2018 de protección de datos y garantía de los derechos digitales,* Tirant lo Blanch, Valencia.

GARCÍA HERRERA, V. (2020), "El pago con datos personales. Incoherencias legislativas derivadas de la configuración de los datos como posible 'contraprestación' en el suministro de contenidos y servicios digitales", *Actualidad Civil* (No. 1), pp. 1-12.

GARCÍA PÉREZ, R. Mª. (2020), "Interacción entre protección del consumidor y protección de datos personales en la Directiva (UE) 2019/770: Licitud del tratamiento y conformidad de contenidos y servicios digitales", en ARROYO AMAYUELAS, E./ CÁMARA LAPUENTE, S. (dirs.), *El derecho privado en el nuevo paradigma digital,* Colegio Notarial de Cataluña/Marcial Pons, Madrid-Barcelona-Buenos Aires-São Paulo, 2020, pp, 175-208.

GARCÍA-RIPOLL MONTIJANO, M. (2020), "El consentimiento al tratamiento de datos personales", en GONZÁLEZ PACANOWSKA, I. (Coord.), *Protección de datos personales,* Tirant lo Blanch/APDC, Valencia, pp. 79-159.

GARCÍA-RIPOLL MONTIJANO, M. (2023), "La resolución del consumidor del contrato de suministro de contendido y servicios digitales", en GONZÁLEZ PACANOWSKA, I./ PLANA ARNALDOS, Mª. C. (dirs.), *Contratación en el entorno digital,* Editorial Aranzadi, Cizur Menor, pp. 221-270.

GARCÍA RUBIO, Mª. P. (2016), "Sociedad líquida y codificación", *Anuario de Derecho Civil* (Tomo LXIX, Fasc. III), pp. 743-780.

GILI SALDAÑA, Mª A. (2024), "La resolución de los contratos de suministro de contenidos y servicios digitales", en GÓMEZ POMAR, F./ FERNÁNDEZ CHACÓN, I. (dirs.), *El nuevo derecho digital: I. Los contratos de suministros de contenidos y servicios digitales,* Fundación Ramón Areces-Aranzadi, Cizur Menor, pp. 713-794.

GÓMEZ POMAR, F. (2022), Viejos y nuevos problemas contractuales en la Directiva 2019/771/UE, en GÓMEZ POMAR, F./ FERNÁNDEZ CHACÓN, I. (dirs.), *Estudios de derecho contractual europeo*, Thomson Reuters Aranzadi, Cizur Menor, pp. 495-549.

GONZÁLEZ DE LA GARZA, L. M. (2022), "Derechos digitales en el empleo de las neurotecnologías: los neuroderechos (XXVI)", en COTINO HUESO, L. (coord.), *La Carta de Derechos Digitales*, Tirant lo Blanch, Valencia, pp. 327-362.

GONZÁLEZ PORRAS, A. J. (2015), *Privacidad en Internet: Los derechos fundamentales de privacidad e intimidad en Internet y su regulación jurídica. La vigilancia masiva*, Tesis doctoral, UCLM.

HERNÁNDEZ LÓPEZ, J. M. (2013), *El derecho a la protección de datos personales en la doctrina del Tribunal Constitucional*, Aranzadi, Cizur Menor.

HERNÁNDEZ LÓPEZ, J. M. (2019), *Protección de datos personales*, Tirant lo Blanch, Valencia.

LETE ACHIRICA, J. (2023), "Com. Art. 119/119 ter TRLGDCU", en CAÑIZARES LASO, A./ZUMAQUERO GIL, L. (dirs.), *Comentarios al Texto Refundido de la Ley de Consumidores y Usuarios*, Tirant lo Blanch, Valencia.

MAQUEO RAMÍREZ, Mª/ MORENO GONZÁLEZ, J./RECIO GAYO, M. (2017), "Protección de datos personales, privacidad y vida privada: la inquietante búsqueda de un equilibrio global necesario". *Revista de Derecho* (Vol. XXX, No. 1), pp. 77-96.

MARTÍNEZ MARTÍNEZ, R. (2013), "Protección de datos personales y redes sociales: un cambio de paradigma", en RALLO LOMBARTE, A./MARTÍNEZ MARTÍNEZ, R. (coords.), *Derecho y redes sociales*, Cívitas, Madrid, pp. 83-115.

METZGER, A. (2020), "Un modelo de mercado para los datos personales: estado de la cuestión a partir de la nueva Directiva sobre contenidos y servicios digitales", en ARROYO AMAYUELAS, E./CÁMARA LAPUENTE (dirs.), *El derecho privado en el nuevo paradigma digital*, Marcial Pons-Colegio Notarial de Cataluña, 2020, pp. 121-140.

MILÀ RAFEL, R. (2024), "Remedios asociados a la falta de conformidad de los contenidos y servicios digitales", en GÓMEZ POMAR, F./ FERNÁNDEZ CHACÓN, I. (dirs.), *El nuevo derecho digital: I. Los contratos de suministros de contenidos y servicios digitales*, Fundación Ramón Areces-Aranzadi, Cizur Menor, pp. 591-711.

MILÀ RAFEL, R. (2022), "Datos personales como contraprestación en la Directiva de contenidos y servicios digitales", en GÓMEZ POMAR, F./

FERNÁNDEZ CHACÓN, I. (dirs.), *Estudios de Derecho Contractual Europeo: Nuevos problemas, nuevas reglas,* Thomson Reuters-Aranzadi, Cizur Menor, pp. 407-450.

NAVARRO CASTRO, M. (2023), "El derecho de desistimiento en los contratos de servicios digitales", en GONZÁLEZ PACANOWSKA, I./ PLANA ARNALDOS, Mª. C. (dirs.), *Contratación en el entorno digital,* Editorial Aranzadi, Cizur Menor, pp. 463-500.

NAVAS NAVARRO, S. (2018), "El valor de los datos personales en el mercado", en KINDL, J./ARROYO VENDRELL, T/GSELL, B. (eds.), *Verträge über digitale Inhalte und digitale Dienstleistungen,* Nomos, Baden-Baden, 2018, pp. 101-122.

PUIG BRUTATU, J. (1954), *Fundamentos de Derecho Civil,* T. II, Vol. I, *Doctrina general del contrato,* Bosch, Barcelona.

ROIG BATALLA, A. (2009), "E-privacidad y redes sociales", *IDP: revista de Internet, derecho y política* (No. 9), pp. 42-542.

ROIG BATALLA, R. (2024), *La expectativa razonable de privacidad: Orígenes y recepción jurisprudencial en España,* Bosch, Barcelona.

SÁNCHEZ, M./COLOMBARA, C./MONTI, N. (eds.) (2024), *En defensa de los Neuroderechos – Impacto mundial de la Sentencia de la Corte Suprema de Chi Girardi vs. Emotiv, y su papel en la protección de la privacidad mental,* Kamanau.

SÁNCHEZ LERÍA, R. (2022), "Los datos personales como contraprestación en la legislación de consumo (1)", *Actualidad Civil* (No. 3), pp. 1-15 (versión digital Legalteca).

SARTORI, G. (2012), *Homo videns. La sociedad teledirigida* (trad. esp. Santiago Sánchez González, sobre ed. it. 1997), Taurus.

SCHEIBENPFLUG, A. (2022), *Personenbezogene Daten als Gegenleistung,* Duncker & Humblot, Berlín.

SCHULZE, REINER, S./STAUDENMAYER, D. (eds.) (2020), *EU digital law: article-by-article commentary,* Nomos, Baden-Baden.

SCHULZE, R. (2023), "European Private Law in the Digital Age – Developments, Challenges and Prospects", in JANSSEN/LEHMANN/SCHULZE, *The Future of European Private Law,* Nomos, Baden-Baden, pp. 141-167.

SERRANO SÁNCHEZ, B. (2025), *Los datos como contraprestación para el suministro de contenidos digitales,* Dykinson, 2025.

SOLOVE, D. J. (2006), "A Taxonomy of Privacy", *University of Pennsylvania Law Review* (Vol 154, No. 3), pp. 477-560.

STAUDENMAYER, D. (2020), "Art. 3 Directive (UE) 2019/770", in Schulze, R./D. Staudenmayer, D. (eds.), *EU Digital Law. Article-by-Article Commentary*, Nomos, Baden-Baden, 2020, pp. 57-91.

STAUDINGER, A./ARTZ, M. (2022), *Neues Kaufrecht und Verträge über digitale Produkte*, Beck, München.

TOFFLER, A. (1981), *La tercera ola* (trad. esp. Adolfo Martín), Plaza & Janés.

TRONCOSO REIGADA, A. (2021), "Introducción y presentación", en IDEM (dir.), *Comentario al Reglamento general de protección de datos y a la Ley orgánica de protección de datos personales y garantía de los derechos digitales*, Vo. I., Cívitas, Cizur Menor.

TRUJILLO CABRERA, C. (2024), "Los nuevos cookie walls: «consent or pay»: A propósito de la Sentencia del Tribunal de Justicia de la Unión Europea de 4 de julio de 2023", *Revista de Derecho Civil* (vol. XI, núm. 2), pp. 75-112.

TWIGG-FLESNER, C. (2016), "Disruptive Technology - Disrupted Law? How the digital revolution affects (Contract) law", in DE FRANCESCHI, A., (ed.), *European Contract Law and the Digital Single Market*, Intersentia, Camdbridge, pp. 21-48.

VASAK, K. (1979), "Les droits de l'homme: Emergence et développement", *Revue des droits de l'homme.*

VÁZQUEZ PASTOR JIMÉNEZ, L. (2023), *Contratos de suministro de contenidos y servicios digitales*, Dykinson.

VÁZQUEZ PASTOR JIMÉNEZ, L. (2025), "Garantía por falta de conformidad de los contenidos y servicios digitales", *Revista Crítica de Derecho Inmobiliario* (No. 809), pp. 1359-1401.

ZECH, H. (2016), "Data as a Tradeable Commodity – Implications for Contract Law", in DE FRANCESCHI, A., (ed.), *European Contract Law and the Digital Single Market*, Intersentia, Cambridge, pp. 51-79.

ZUBOFF, S. (2020), *La era del capitalismo de la vigilancia* (trad. esp. Albino Santos Mosquera), Ediciones Paidós.

ZUBOFF, S. (2022), "Surveillance Capitalism or Democracy? The Death Match of Institutional Orders and the Politics of Knowledge in Our Information Civilization", *Organization Theory*, 3(3), pp. 1-79. https://doi.org/10.1177/26317877221129290.

Capítulo IV

Inteligencia artificial y contratación: transparencia y acceso a la lógica de las decisiones automatizadas

AMANDA KALIL

Profesora Ayudante Doctora

Universidad Pablo de Olavide, de Sevilla

1. INTRODUCCIÓN

Casi sin pedir permiso, la inteligencia artificial pasó a tomar decisiones que antes pertenecían al dominio exclusivo de la voluntad humana. Decisiones como la concesión de un préstamo, la asignación de una beca, la fijación de una prima de seguro, la imposición de una sanción administrativa, la recomendación de una cirugía, pasan a ser delegadas a la IA. Ese desplazamiento no ha sido homogéneo, sino hecho de avances y retrocesos, de fascinaciones tecnológicas y temores reguladores, de entusiasmos empresariales y sospechas de los consumidores.

Sin embargo, todas esas tensiones confluyen hoy en la exigencia cada vez más imperiosa de que el algoritmo rinda cuentas, explique su lógica, deje pistas que un ser humano razonable pueda recorrer para comprobar si la promesa de eficiencia no se cobra el precio de la discriminación y la arbitrariedad. La obsesión con la "*explicabilidad*" *(*XAI*)*[1] es mucho más que un capricho epistemológico, es, en última instancia, un intento de proteger el consumidor dentro de un ecosistema dominado por procesos cuyo funcionamiento interno permanece, para la mayoría, en una penumbra algorítmica que ni la retórica del código abierto alcanza a disipar.

El Reglamento General de Protección de Datos de la Unión Europea, adoptado en 2016 y en vigor desde 2018, fue la primera gran pieza normativa que quiso adentrar en esa opacidad. Consagró, por un lado, un derecho a no ser sometido a decisiones "exclusivamente automatizadas" que produzcan efectos jurídicos o afecten de modo similar de forma significativa al

---

1 Según el documento emitido por el Supervisor Europeo De Protección De Datos, *explicabilidad* es la capacidad de los sistemas de IA para proporcionar explicaciones claras y comprensibles de sus acciones y decisiones, haciendo entendibles para los humanos los mecanismos subyacentes del proceso de decisión automatizada. En definitiva, la *explicabilidad* se refiere a los detalles y razones que un modelo ofrece para hacer comprensible su funcionamiento. En términos prácticos, existen técnicas variadas para que la *explicabilidad* funcione, desde modelos intrínsecamente interpretables (reglas lógicas, árboles de decisión simples) hasta métodos *post hoc* aplicables a cualquier modelo (LIME, SHAP). Todas comparten el objetivo de abrir la caja negra lo suficiente como para que un usuario no experto pueda seguir el porqué de un resultado. SUPERVISOR EUROPEO DE PROTECCIÓN DE DATOS, "Explainable Artificial Intelligence (XAI)", en Informe EDPS TechDispatch, 2023, p. 5 ARRIETA, et al, distingue la *explicabilidad* (acción activa de clarificar) de la interpretabilidad (característica pasiva de que el modelo "tenga sentido" por sí mismo. ARRIETA, A. et al., "Explainable Artificial Intelligence (XAI): Concepts, taxonomies, opportunities and challenges toward responsable AI", disponible en: https://arxiv.org/abs/1910.10045, pp.6-7.

interesado, por otro, estableció la obligación de proporcionar "información significativa sobre la lógica aplicada" cuando, pese a la automatización, la decisión estuviera amparada por una excepción legítima. A partir de ahí surgieron las primeras discrepancias doctrinales, ¿esa información significativa equivalía a un auténtico "derecho a explicación" o se trataba apenas de una obligación de transparencia minimalista pensada más para auditores que para ciudadanos? Mientras la doctrina menos optimista, personificada por Wachter, Mittelstadt y Floridi, afirma que el texto definitivo del artículo 22 RGPD nunca mencionó expresamente el término "derecho" y rebajó las exigencias de la versión preliminar[2], posiciones más progresivas defienden que, al leerse en conjunto con los artículos 13 a 15 y con el principio de lealtad del tratamiento, se configura de facto una prerrogativa robusta capaz de exigir no solo la lógica abstracta sino el nexo causal entre las variables y el resultado[3].

---

2 Para esta corriente doctrinal, el RGPD no promulga un "derecho a explicación" explícito, sino un limitado "derecho a ser informado". Aunque artículos 13 a 15 RGPD prevén ciertas obligaciones de transparencia informativa, están formulados en términos genéricos y más orientados a garantizar auditorías administrativas que empoderar efectivamente a los ciudadanos. En otros términos, rechazan que el RGPD de por sí permita exigir *explicabilidad* causal robusta, y prefieren trasladar la discusión a reformas legales o interpretaciones futura. Wachter, S., Mittelstadt, B., & Floridi, L. (2017). Why a Right to Explanation of Automated Decision-Making Does Not Exist in the General Data Protection Regulation. International Data Privacy Law, 7(2), 76–99.

3 MALGIERI, G., COMANDÉ, G., "Why a Right to Legibility of Automated Decision-Making Exists in the General Data Protection Regulation" en *International Data Privacy Law*, vol. 7, n.º 4, 2017, pp. 243–265. SELBST, A. D., POWLES, J., "Meaningful Information and the Right to Explanation" en *International Data Privacy Law*, vol. 7, n.º 4, 2017, pp. 233–242. EDWARDS, L., VEALE, M., "Enslaving the Algorithm: From a Right to an Explanation to a Right to Better Decisions" en *Duke Law and Technology Review*, vol. 16, 2017, pp. 18–62.

Esa doctrina expansiva empezó a recibir carburante jurisprudencial en la saga Schufa[4], cuyo clímax llegó el 7 de diciembre de 2023, cuando el Tribunal de Justicia de la Unión Europea sostuvo que un *scoring* crediticio puede constituir, por sí mismo, una decisión automatizada relevante a efectos del artículo 22, aun cuando un empleado del banco confirmara el resultado posteriormente.

Antes de que el polvo de esa sentencia se posara, en el asunto C-203/22, conocido como el caso Dun & Bradstreet Austria, llegó el día 27 de febrero de 2025 para reafirmar que el interesado tiene derecho a exigir una explicación "concisa, transparente, inteligible y de fácil acceso" que incluya los principios y el procedimiento que condujeron al *score*, incluso si ello implica tensionar el secreto comercial protegido por la Directiva 2016/943[5].

Existe consenso doctrinal en que la "*explicabilidad*" de los modelos de IA es crucial para su legitimidad y aceptación en el ámbito de consumo. Desde la ética de la IA hasta el derecho del consumo, se postula que principios como transparencia, *explicabilidad*, equidad y rendición de cuentas son pilares de una "IA confiable" (*trustworthy AI*). La transparencia es la condición necesaria para los demás principios, puesto que, sin entender un sistema, es imposible evaluarlo por equidad o corregir sesgos. Por ello, para que los consumidores confíen en decisiones automatizadas, y las consideren legítimas, deben poder obtener explicaciones comprensibles de cómo y por qué se ha tomado una decisión que les afecta[6].

---

4 Sentencia TJUE (Sala Primera) de 7 de diciembre de 2023, C-634/21, SCHUFA Holding AG, EU\:C:2023:957

5 Sentencia TJUE (Sala Primera) de 27 de febrero de 2025, C-203/22, Dun & Bradstreet Austria. GmbH, EU\:C:2025:117

6 MALGIERI, G., COMANDÉ, G., "Why a Right to Legibility of Automated Decision-Making Exists in the General Data Protection Regu-

El RGPD ya incorpora esta filosofía, es decir, el derecho a una explicación significativa de la lógica aplicada (art. 15.1.h) y el derecho a ser informado cuando opera una decisión automatizada (arts. 13-14) son manifestaciones de que el individuo no debe ser sometido a un resultado algorítmico inescrutable. Por ello, la jurisprudencia del TJUE subraya que brindar al interesado una explicación del funcionamiento del mecanismo y del resultado alcanzado es clave para que pueda ejercer su derecho a oponerse o impugnar la decisión (art. 22.3 RGPD). En efecto, sin conocer los motivos, aunque sean generales, el derecho a recurrir la decisión sería ilusorio.

La doctrina ha explorado vías para hacer operativa esta *explicabilidad* sin menoscabar la innovación o el secreto empresarial. Por ejemplo, Wachter Mittelstadt y Russell propusieron el uso de explicaciones contra fácticas (contrafactuales), en otras palabras, informar al usuario qué tendría que cambiar en su perfil para que el algoritmo hubiera dado un resultado distinto, en lugar de revelar el algoritmo completo[7]. Curiosamente, en el caso Dun & Bradstreet Austria el TJUE dio un respaldo implícito a este enfoque al sugerir que, en perfiles de solvencia, podría ser suficiente indicar cómo una modificación de ciertos datos personales del interesado habría alterado el resultado del *score*. Esa es precisamente la lógica de una *explicabilidad* contra fáctica, que comunica de forma comprensible la influencia de distintos factores. De este modo, se dota de *explicabilidad* material al modelo de IA, puesto que el consumidor entiende qué factores le perjudicaron o beneficiaron sin que el empresario tenga que divulgar el secreto técnico exacto.

---

lation" en *International Data Privacy Law*, vol. 7, n.º 4, 2017, p. 256.

7 WACHTER, S., MITTELSTADT, B. y RUSSELL, C., "Counterfactual Explanations without Opening the Black Box: Automated Decisions and the GDPR", en *Harvard Journal of Law & Technology*, vol. 31, nº 2, 2017, pp. 843-844.

Otros autores han ido más allá al proponer marcos combinados jurídico-técnicos. Un reciente trabajo de Kesari, Sele, Ash & Bechtold sugiere un "marco legal para la IA *explicable*", donde se desarrolla una taxonomía de explicaciones legales para decisiones algorítmicas y se integran principios de derecho, informática y comportamiento humano para orientar a los reguladores[8]. Por ejemplo, recomiendan distinguir distintos tipos de explicaciones (globales vs. locales, completas vs. selectivas) y ajustar las obligaciones según el contexto.También enfatizan que los legisladores especifiquen qué características del algoritmo deben explicarse a los usuarios en cada caso, puesto que no es lo mismo explicar un algoritmo de recomendación de películas que un algoritmo que deniega un crédito. El objetivo es que el usuario no solo reciba datos, sino que pueda realmente entender la decisión automatizada y reaccionar, solicitar revisión humana, corregir sus datos, cambiar de proveedor, etc. En suma, la legitimidad de la IA en las relaciones de consumo dependerá en gran medida de proveer explicaciones útiles y accesibles que empoderen al individuo frente a la "*black-box*"[9].

---

8 KESARI, A., SELE, D., ASH, E., y BECHTOLD, S., "Explaining eXplainable AI" en *SSRN Working Paper, 2024,* disponible en: https://papers.ssrn.com/abstract=4972085, pp. 5-6.

9 Los modelos de *machine learning* transforman los datos personales en vectores "*embeddings*" que sitúan a cada individuo dentro de un espacio n-dimensional. Esta representación permite calcular "distancias semánticas" y agrupar a los sujetos en clústeres de comportamiento. La complejidad estadística se intensifica cuando el proveedor utiliza redes neuronales profundas o ensamblajes de cientos de árboles aleatorios. Su lógica interna con pesos, capas y umbrales resulta inescrutable incluso para los propios desarrolladores, colocándola dentro del llamado *black-box problem.*

2. PERSPECTIVA TÉCNICA: HACIA UNA IA EXPLICABLE

Desde el punto de vista técnico, el campo de la *Explainable Artificial Intelligence* (XAI, eXplainable AI) se dedica a desarrollar métodos para lograr que los modelos de IA, especialmente los de tipo "*black-box*" o "cajas negras", como redes neuronales profundas, puedan ofrecer explicaciones comprensibles de sus decisiones. Organismos como el Supervisor Europeo de Protección de Datos (EDPS) advierten que un sistema "*black-box*" dificulta identificar por qué, por ejemplo, ciertos solicitantes son rechazados en un proceso automatizado de selección o de crédito, lo que torna casi imposible para el afectado detectar y combatir una posible discriminación[10]. En el ámbito financiero, un cliente bancario cuyo préstamo es denegado por un algoritmo tiene derecho a saberlo, pero si el sistema es opaco impide entender la lógica subyacente y, por tanto, impide también impugnarla o corregirla[11].

Los beneficios de la transparencia algorítmica van más allá del individuo, como ya advertía el Supervisor Europeo De Protección De Datos, un sistema de IA transparente habilita la rendición de cuentas, permitiendo que consumidores, reguladores, auditores, etc, validen y auditen el proceso de decisión automatizada, detecten sesgos o injusticias, y verifiquen que el sistema opera conforme a estándares éticos y legales. Dicho de otro modo, la *explicabilidad* refuerza la *accountability*, puesto que las empresas y diseñadores de IA pueden ser responsabilizados si sus modelos toman decisiones arbitrarias o ilegales, ya

---

10 SUPERVISOR EUROPEO DE PROTECCIÓN DE DATOS, "Explainable Artificial Intelligence (XAI)", en *Informe EDPS TechDispatch*, 2023.

11 DOMÍNGUEZ ROMERO, J., "El derecho a la explicación en la inteligencia artificial: exigencias jurídicas y límites técnicos", en *Revista General de Derecho Administrativo*, n.º 62, 2023, p. 324.

que habrá trazabilidad y posibilidad de examen[12]. Esto resulta crítico en aplicaciones de alto impacto en consumidores, donde la confianza en la tecnología es imprescindible.

En la Unión Europea, las políticas recientes insisten en la *explicabilidad* tanto como en la transparencia. El Reglamento de IA de la UE (AI Act) aprobado en 2024[13], exige para sistemas de alto riesgo, varios de ellos ligados a consumidores, como crédito o educación, obligaciones de documentación, información al usuario y posible evaluación de conformidad en cuanto a *explicabilidad*. Asimismo, organismos como Comité Europeo de Protección de Datos han emitido Directrices sobre decisiones automatizadas y elaboración de perfiles que recomiendan proporcionar ejemplos y descripciones fáciles de entender de cómo funciona el algoritmo para el interesado[14]. Todas estas iniciativas recalcan que la transparencia no es solo publicar el algoritmo, sino hacer que la información cobre sentido para quien la recibe.

---

12 COMISIÓN EUROPEA, Generar confianza en la inteligencia artificial centrada en el ser humano, COM(2019) 168 final, Bruselas, 8.4.2019, p. 4-7.

13 Reglamento (UE) 2024/1689, conocido como Artificial Intelligence Act (AI Act). Disponible en https://eur-lex.europa.eu/eli/reg/2024/1689. Fue aprobado por el Parlamento el 13 de junio de 2024 y publicado ese mismo día en el Diario Oficial de la UE. Entrada en vigor 1 de agosto de 2024 y ya se aplican las prohibiciones de "riesgo inaceptable" y los principios generales. A partir de agosto 2025 empezarán las obligaciones para modelos de propósito general, el régimen sancionador y la plena operatividad de AESIA, los requisitos para sistemas de alto riesgo llegarán progresivamente y el reglamento estará completamente en vigor en 2027.

14 Guidelines on Automated individual decision-making and Profiling for the purposes of Regulation 2016/679 (WP251 rev. 01). Disponible en https://ec.europa.eu/newsroom/article29/items/612053/en

En la práctica, implementar *explicabilidad* en IA orientada al consumidor no solo cumple con las normativas de transparencia, sino que puede generar ventajas competitivas. Un proveedor que explique claramente a un solicitante de crédito por qué fue rechazado (por ejemplo, "su nivel de ingresos es X y nuestro umbral mínimo es Y") le ofrece la oportunidad de corregir errores en sus datos o mejorar su perfil para el futuro. Lo mismo aplica en seguros al entender factores de riesgo o al comercio electrónico para entender precios personalizados. En todos estos supuestos de contratación con consumidores, la *explicabilidad* efectiva permite al usuario tomar control, ya sea recurriendo la decisión, adaptando su comportamiento o simplemente sintiendo mayor confianza al saber que el proceso es justo y abierto a escrutinio. Así, la combinación de derecho a la información y soluciones técnicas de XAI consigue que las decisiones automatizadas pasen de ser cajas negras inaccesibles a procesos parcialmente auditables y corregibles, en línea con los valores democráticos y de protección al consumidor de la Unión Europea.

La ingeniería que aspira a reconciliar la potencia estadística de los modelos contemporáneos con la claridad epistemológica exigida por la transparencia representa, en cierto modo, el arte de empacar complejidad en formatos comprensibles. Desde la perspectiva técnica, explicar un sistema de inteligencia artificial consiste en aislar, dentro del tejido denso de pesos y activaciones, aquellas señales que poseen valor semántico para una mente humana razonable.

El reto no se limita a traducir correlaciones en enunciados, sino a garantizar que la traducción conserve fidelidad con la operación interna del modelo. Esa fidelidad, conocida como *faithfulness*, es la condición *sine qua non* para que la *explicabilidad* (XAI) sea algo más que un decorado posproducción, un espejismo tranquilizador sin anclaje en la mecánica real de la decisión. Para capturar esa *faithfulness*, los ingenieros han desarrollado dos grandes familias de técnicas, por un lado, las aproximaciones locales, que iluminan la contribución de características concretas a una predicción determinada, y por otro, las aproximaciones globales, que procuran describir el comportamiento medio del modelo a lo largo de su dominio[15].

Para entender el funcionamiento general, se usa copias más simples del modelo, un proceso llamado "modelos sustitutos", además de "destilación" y "revisión" a gran escala de qué variables importan más. Los "modelos sustitutos" son versiones fáciles de leer, como un árbol de decisión pequeño, entrenado con las mismas entradas y salidas que la red profunda. La "destilación", por su parte, funciona como pasarle apuntes, un modelo "maestro" muy complejo envía sus respuestas a un "alumno" más ligero. Si ese alumno es de por sí claro, por ejemplo,

---

15 Entre las locales, el paradigma de facto son los métodos de atribución aditiva como LIME y SHAP. LIME genera modelos lineales de juguete entrenados sobre réplicas perturbadas de la entrada original; así puede estimar la pendiente, en un vecindario minúsculo, de cada característica respecto del resultado. SHAP, por su parte, se apoya en los valores de Shapley de la teoría de juegos cooperativos: considera todas las permutaciones posibles de características y calcula la contribución marginal promedio de cada una, otorgando garantías de equidad y consistencia. Técnicamente, ello supone recorrer un espacio de 2^n coaliciones, pero algoritmos de estimación por muestreo reducen la complejidad a un tiro estadístico razonable. El valor práctico de SHAP radica en que la suma de las contribuciones reproduce exactamente la predicción, lo cual satisface la propiedad de *additivity* y facilita cuadros de mando donde la persona percibe, troceado y ordenado, el peso que cada variable tuvo en el dictamen. Aun así, la foto sigue siendo local: cambia con cada individuo y no retrata la lógica general. ARRIETA, A. B., RODRÍGUEZ, N. D., DEL SER, J., BENNETOT, A., TABIK, S., GONZÁLEZ, A. B., GARCÍA, S., GIL-LÓPEZ, S., MOLINA, D., BENJAMINS, V. R., CHATILA, R. y HERRERA, F., "Explainable Artificial Intelligence (XAI): Concepts, taxonomies, opportunities and challenges toward responsable AI", disponible en: https://arxiv.org/abs/1910.10045, pp. 18-20.

un modelo de *boosting* sencillo, obtenemos un reflejo que las personas pueden entender. Sin embargo, tanto "modelos sustitutos" como la "destilación" simplifican el mapa y, al hacerlo, pueden esconder injusticias que solo aparecen en los rincones. Por eso, para explicar bien, hay que comprobar que no se esté tapando ningún sesgo y solo entonces se pasa a la "revisión[16].

Ese examen de sesgo se basa cada vez más en medidas numéricas de equidad. Antes se comparaban solo las tasas de aprobación entre grupos protegidos, pero la IA añade muchas más dimensiones. Se entrena un modelo que genera versiones virtuales de una persona con un único cambio y se comprueba la estabilidad del resultado. Esta simulación no solo sirve para auditorías, sino también permite explicarle a alguien, por ejemplo, "si tu género fuera distinto, tu probabilidad de aprobación no cambiaría más de un 1 %"[17]. Esa transparencia desmonta sospechas y cumple con la norma de que el consumidor entienda la ausencia de trato injusto. La forma de la explicación se mejora con generación automática de lenguaje, es decir, un motor convierte números en frases claras, como, por ejemplo, "Tu buen historial de pagos sumó 17 puntos, tu deuda alta restó 22". Se hacen pruebas A/B y se usan métricas de legibilidad para asegurarse de que todo el mundo lo entienda. En varios idiomas, se usan glosarios para no perder matices. Palabras como "significativamente" o "moderadamente" se enlazan con rangos numéricos concretos[18].

---

16 KESARI, A., SELE, D., ASH, E., y BECHTOLD, S., "Explaining eXplainable AI" en *SSRN Working Paper, 2024,* disponible en: https://papers.ssrn.com/abstract=4972085, p.31

17 DATTA, A., SEN, S. y ZICK, Y., "Algorithmic Transparency via Quantitative Input Influence", en IEEE SP 2016, p.3.

18 Un desafío nuevo son los grandes modelos de lenguaje que redactan explicaciones. Pueden inventar razones que no reflejen la lógica real. Para evitarlo, se les "ancla" con datos: solo generan texto después de recibir los valores clave, y otro sistema comprueba que

Mientras tanto, la seguridad lógica se controla con puntos de políticas. Al pedir una explicación, el sistema mira quién la solicita, si es el titular de los datos, recibe la versión educativa; si es un auditor acreditado, se habilita una capa técnica; pero si es alguien sin permiso, se bloquea. Además, se limita la frecuencia de consultas y se añade privacidad diferencial para evitar filtraciones por acumulación[19].

En definitiva, la explicación redistribuye poder, quien entiende la mecánica puede mejorar su perfil, quien no, queda en desventaja. La educación digital completa el círculo, sin ella, la explicación no sirve. Así fluye la ingeniería de una IA "explicable", una mezcla de métodos locales y globales, auditorías, relatos claros, seguridad y privacidad, todo apoyado en registros trazables y cifrado. Cada avance busca el equilibrio entre proteger secretos y ganar transparencia, para cumplir una explicación concisa, transparente, inteligible y de fácil acceso, como determina el TJUE.

3. LAS SENTENCIAS DEL TJUE Y EL ACCESO A LA LÓGICA DE LAS DECISIONES AUTOMATIZADAS

En los últimos años, la justicia europea ha sentado precedentes importantes sobre IA, transparencia y contratación con

---

lo dicho coincida con los números. Si no coincide, se regenera. ARRIETA, A. B., RODRÍGUEZ, N. D., DEL SER, J., BENNETOT, A., TABIK, S., GONZÁLEZ, A. B., GARCÍA, S., GIL-LÓPEZ, S., MOLINA, D., BENJAMINS, V. R., CHATILA, R. y HERRERA, F., "Explainable Artificial Intelligence (XAI): Concepts, taxonomies, opportunities and challenges toward responsable AI", disponible en: https://arxiv.org/abs/1910.10045, pp. 18-20

19 Véase KESARI, A., SELE, D., ASH, E., y BECHTOLD, S., "Explaining eXplainable AI" en *SSRN Working Paper, 2024,* disponible en: https://papers.ssrn.com/abstract=4972085.

consumidores (especialmente en ámbitos como el crédito al consumo). El caso SCHUFA Holding, el Tribunal de Justicia interpretó por primera vez el alcance del artículo 22 RGPD en materia de *credit scoring*. Confirmó que la generación automatizada de una puntuación de solvencia sí puede constituir una "decisión individual automatizada" en el sentido del RGPD cuando ese *score* se utiliza con fines contractuales, por ejemplo, para decidir la concesión de un crédito. El TJUE abogó por una interpretación amplia del concepto de decisión "basada únicamente en tratamiento automatizado" para afrontar los riesgos de discriminación que este tipo de evaluaciones conlleva en la era de la IA. Además, destacó que cuando se toman decisiones automatizadas sobre consumidores, como denegar un contrato o servicio por un score crediticio, cobra especial importancia el derecho del interesado a acceder a información significativa sobre la lógica del algoritmo utilizado[20]. Este caso sentó las bases de que los consumidores deben poder saber que un algoritmo ha influido en una decisión contractual importante y tener alguna explicación de su funcionamiento general[21].

A su vez, a principios de 2025 el caso Dun & Bradstreet Austria ha constituido un hito jurisprudencial en materia de transparencia algorítmica. Una consumidora en Austria vio rechazada la contratación de un servicio de telefonía móvil debido a una evaluación automatizada de solvencia realizada por la agencia Dun & Bradstreet y al solicitar explicaciones sobre el motivo, la empresa rehusó alegando secreto comercial. El

20 MANFREDI, A., "I processi decisionali automatizzati nel GDPR", en *Rivista Italiana di Informatica e Diritto*, nº 1, 2025, pp. 11-14.

21 Véase ARROYO AMAYUELAS, E., "El scoring de Schufa", en InDret, 3/2024 y SILVEIRA, A., "Automated Individual Decision-Making & Profiling (Case SCHUFA)", en UNIO – EU Law Journal, vol. 8, nº 2, 2023, pp. 74-85.

TJUE resolvió que, incluso si el algoritmo está protegido como secreto comercial bajo la Directiva 2016/943, este secreto no puede prevalecer de forma absoluta sobre el derecho de acceso a la información del artículo 15 RGPD. El responsable del tratamiento no está obligado a revelar el código fuente ni todos los detalles técnicos del modelo, pero sí debe proporcionar al afectado una explicación "significativa" e "inteligible" de la lógica subyacente a la decisión automatizada. Es decir, una descripción comprensible de los principios y el procedimiento aplicados por el algoritmo, suficiente para que el consumidor entienda qué datos personales suyos se emplearon y cómo influyeron en el resultado. Esta explicación permite al interesado ejercer efectivamente sus derechos, por ejemplo, pedir rectificación de datos, solicitar intervención humana o impugnar la decisión.

De hecho, la opinión del Abogado General agregó matices esenciales, recordando que el objetivo real del artículo 15.1 h) RGPD consiste en que la persona reciba información comprensible según sus necesidades. El Abogado descartó que esa obligación implique desnudar el código fuente, lo consideró, de hecho, técnicamente desproporcionado y normativamente innecesario, y precisó que el controlador debe aportar detalles suficientes sobre el método de cálculo y la relevancia relativa de los factores para que el afectado pueda impugnar el resultado. Dicho de otro modo, el corazón de la explicación no está en abrir la caja negra hasta su último *bit*, sino en iluminar aquello que, desde fuera, permite verificar coherencia, corrección y ausencia de sesgos.

Esa postura, alineada con la línea doctrinal del "*explanation-by-design*", relativiza el culto contemporáneo a la transparencia total y reivindica un equilibrio pragmático entre la claridad suficiente y la protección de los secretos industriales legítimos. El Tribunal acabó asumiendo esa lógica al subrayar que el derecho a la información "significativa" puede exigir revelar variables, ponderaciones y reglas esenciales, pero siempre mediante salvaguardas de confidencialidad proporcionadas, de modo que no se vacíe de contenido el derecho del interesado ni se convierta la empresa en un libro abierto para sus competidores. El secreto comercial, en suma, deja de ser excusa absoluta y pasa a ser un "interés contrapuesto" ponderable, no necesariamente prevalente.

Con esta sentencia, el Tribunal marcó un punto de equilibrio. Por un lado, fijó un umbral mínimo de información, el individuo debe comprender los fundamentos del razonamiento automatizado que llevó a la decisión, sin excusas de excesiva complejidad técnica. Incluso sugirió que, en casos de *scoring* de solvencia, puede ser suficiente indicar cómo cambiaría el resultado si se modifican ciertos datos personales del interesado, a modo de explicación contra fáctica simple. Por otro lado, estableció un límite superior, no se debe abrumar al usuario con información excesivamente técnica o inaccesible, por ejemplo, fórmulas matemáticas complejas o documentación opaca. La obligación no llega a entregar el algoritmo entero, sino a dar una exposición accesible, transparente y significativa del razonamiento subyacente.

Asimismo, el TJUE aclaró el procedimiento cuando haya conflictos con secretos comerciales u otros derechos. En este sentido, si el responsable cree que ciertos detalles solicitados están protegidos por secreto empresarial o implican datos de terceros, deberá comunicar esa información confidencial a la autoridad de control o juez competente, para que allí se ponderen los intereses en juego y se decida qué se divulga al interesado. Además, el TJUE señaló que no es compatible con el RGPD una norma nacional que excluya categóricamente el derecho de acceso por invocar secreto comercial. En suma, la sentencia consagra un verdadero "derecho a la explicación práctica" de las decisiones algorítmicas en Europa, incluso en contratos con consumidores, obligando a aportar información comprensible pese a la existencia de secretos empresariales.

En esta etapa, resulta imposible eludir la fuerza normativa que emana del artículo 8 de la Carta de Derechos Fundamentales de la Unión Europea, cuya densidad axiológica se vislumbra como un hilo conductor durante todo este recorrido interpretativo de la Sentencia del caso Dun & Bradstreet Austria. Dicho precepto, recordémoslo, establece que toda persona tiene derecho a la protección de los datos de carácter personal que le conciernan, y que esos datos habrán de ser tratados con equidad, sobre bases legítimas y bajo el control de una autoridad independiente[22]. A su vez, el artículo 15 apartado 1 letra h) del Reglamento General de Protección de Datos refuerza ese compromiso garantizando el acceso a información significativa sobre la lógica aplicada en los procesos de decisión automatizada, consolidando así un imperativo de transparencia que sirve de puente entre la norma de la Carta y las exigencias infra constitucionales del RGPD. En definitiva, la Sentencia recupera ese mandato y lo proyecta sobre la praxis cotidiana de los sistemas de *scoring*, ejemplificando cómo el derecho supranacional moldea el perímetro de la discrecionalidad empresarial. Con ello, el Tribunal sienta un precedente que coloca el secreto comercial en un plano de ponderación, nunca de prevalencia automática, y nos recuerda que el titular del dato no es un invitado sino el sujeto medular del orden jurídico europeo. Si bien esta conclusión parece de sentido común, en realidad subsume décadas de debate académico sobre la conveniencia de ofrecer explicaciones pormenorizadas o, al menos, contrafactuales accionables[23], de modo que la persona pueda impug-

---

22 MEDINA GUERRERO, M., "El derecho a conocer los algoritmos utilizados en la toma de decisiones. Aproximación desde la perspectiva del derecho fundamental a la protección de datos personales", en *Teoría y Realidad Constitucional*, nº 49, 2022, pp. 154-155.

23 Los contrafactuales, precisamente, se han convertido en la herramienta estrella de la explicabilidad. La estrategia propuesta por Wachter, Mittelstadt y Russell, evita revelar el algoritmo y es útil para el

nar, corregir o sencillamente comprender la decisión que le afecta. En este contexto, dos lecciones se desprenden, primero, la Carta opera como parámetro hermenéutico, segundo, el artículo 15(1)(h) funciona como regla de procedimiento, y la sentencia Dun & Bradstreet Austria articula ambos extremos en el terreno fáctico de la solvencia crediticia.

4. EL REGLAMENTO EUROPEO DE INTELIGENCIA ARTIFICIAL (AI ACT)

El Reglamento Europeo de Inteligencia Artificial (AI Act) es el esfuerzo político por estabilizar el terreno jurídico de la Inteligencia artificial. El texto distingue niveles de riesgo y asigna al nivel "alto riesgo" una batería de obligaciones, desde sistema de gestión de calidad, documentación técnica exhaustiva, registro de eventos durante el ciclo de vida, supervisión humana, gobierno de datos y, crucialmente, transparencia de los sistemas ante usuarios y afectados. El documento incluye, en su artículo 86, un "derecho a explicación adicional" que, por primera vez, deslinda la transparencia de la decisión de la mera protección de datos y la extiende a la seguridad operacional y la responsabilidad civil. No obstante, muchas voces[24]

---

consumidor porque ofrece un camino claro de mejora, su ampliación en contextos altamente regulados, como el crédito al consumo o el aseguramiento de salud, es hoy prácticamente ineludible. Pero la contrapartida reside en garantizar que los contrafactuales sean verídicos y que cubran todo el espectro de variables influyentes, algo nada fácil cuando los modelos incorporan cientos de características. WACHTER, S., MITTELSTADT, B. y RUSSELL, C., "Counterfactual Explanations without Opening the Black Box: Automated Decisions and the GDPR", en Harvard Journal of Law & Technology, vol. 31, nº 2, 2017, pp. 841-887.

24 Véase *TZIMAS, T.* "Algorithmic Transparency and Explainability under EU Law", en *European Public Law,* vol. 29, nº 4, 2023, p. 403

alertan de la ambigüedad que, una vez más, afecta al detalle, el *AI Act* se queda en la exigencia de "información comprensible" sin precisar si tal comprensión supone abrir los pesos de la red neuronal, exponer los ejemplos de entrenamiento o entregar un manual que traduzca porcentajes a medidas de corrección. Esa indeterminación podría disiparse en los actos delegados posteriores, pero el precedente del RGPD sugiere que el debate interpretativo volverá a revivir en los tribunales[25].

Mientras tanto, los sectores regulados por normativa específica, finanzas, seguros, sanidad, justicia administrativa, no se han detenido a esperar. En el ámbito bancario, la Directiva de Crédito al Consumo revisada en 2023 obliga a justificar cualquier decisión de denegación de préstamo con un razonamiento claro y auditable[26]. En seguros, la jurisprudencia de los tribunales neerlandeses ha empezado a exigir que las mutuas expliquen la "importancia relativa" de variables como el historial médico, desafiando la tesis de que la tarifa actuarial sea un secreto absoluto. En la contratación pública, la Comisión Europea ha emitido directrices para evaluar sistemas de puntuación de riesgos en licitaciones, recomendando la publicación de las ponderaciones de criterios y la metodología de normalización.

---

25 COTOGNI, G., "The Explainability of Automated Decision-Making: A Historical Perspective through EU Legislation", en *Journal of Law, Market & Innovation*, vol. 3, nº 3, 2024, p. 423-427.

26 Sin embargo, como bien señala Domínguez Romero, "parece bastante probable es que a los usuarios de servicios financieros poco les preocupará la exigencia de transparencia algorítmica hasta el día en que, viendo rechazadas sus solicitudes, fundamentalmente de crédito, sea un "porque lo dijo la IA". DOMÍNGUEZ ROMERO, J., "Transparencia algorítmica y servicios financieros", en INFANTE RUIZ, OLIVA BLÁZQUEZ (dirs.) y KALIL (coord.), La modernización de los contratos de servicios, Tirant lo Blanch, Valencia, 2023, p. 455.

Todas estas piezas se ensamblan en un mosaico que intensifica la presión, el algoritmo ya no puede permanecer mudo.

Sin embargo, cada avance normativo en transparencia choca con la pared, a menudo invisible pero muy real, del secreto comercial y la propiedad intelectual. La Directiva 2016/943 protege los conocimientos técnicos no divulgados contra revelación ilícita, y el artículo 9 RGPD recuerda que el derecho de acceso no puede menoscabar "los derechos y libertades de otros", incluida la confidencialidad empresarial. El dilema, por tanto, no es si hay que elegir entre revelar o callar, sino cómo habilitar mecanismos de acceso selectivo, es decir, auditorías independientes bajo acuerdo de confidencialidad, entornos de visualización "caja gris" donde el revisor observa resultados sin extraer el código, notas técnicas epigrafiadas que describen pesos en términos relativos, pero no absolutos. De la práctica norteamericana de "*fair lending audits*" se han importado técnicas como los "*model cards*" y los "*datasheets for datasets*", narrativas estructuradas que describen propósito, cobertura demográfica, métricas de rendimiento y riesgos conocidos[27]. En Europa, la Agencia Española de Protección de Datos y la CNIL francesa han empezado a publicar plantillas para informes de decisiones crediticias y procesos de contratación pública[28].

---

27 Cada etapa, desde la entrada de datos hasta el despliegue, graba metadatos inmutables. Las *model cards* describen propósito, rendimiento y sesgos; los *datasheets* cuentan de dónde viene cada dato. Durante la operación, los registros guardan entrada, salida, tiempos y la explicación mostrada. Así se puede reconstruir cualquier decisión meses después, algo exigido por las normas, y se guardan cifrados para proteger secretos comerciales.

28 España: Disponible como archivo RTF en el dominio oficial de la AEPD: aepd.es/documento/modelo-informe-eipd-sector-privado-en.rtf. Francia: CNIL Projet de référentiel pour l'octroi de crédit (sometido a consulta pública, julio 2025). Disponible en la web de

5. TRANSPARENCIA VS. SECRETOS COMERCIALES: UN EQUILIBRIO DELICADO

Históricamente, existía el temor de que las excepciones de secreto comercial hicieran inoperante el derecho a la explicación. Investigaciones previas observaron que bajo la Directiva de Protección de Datos de 1995, los tribunales tendían a exigir solo generalidades sobre los algoritmos, sin detalles específicos, para no vulnerar secretos empresariales. Ese enfoque minimalista, señalado por Wachter, Mittelstadt y Floridi[29] auguraba un derecho de acceso muy limitado, incluso "inocuo", frente a algoritmos opacos. Sin embargo, la evolución reciente apunta en otra dirección. Las últimas sentencias del TJUE han desencadenado oleadas de reformas internas en bancos, aseguradoras y plataformas de puntuación crediticia, "paquetes de transparencia" que contienen no sólo la copia de los datos brutos del solicitante, sino descripciones de las variables derivadas, tablas de ponderaciones, umbrales de decisión y ejemplos de contrafactuales[30].

---

la CNIL: cnil.fr/sites/default/files/2025-05/projet_referentiel_octroi_credit.pdf

29 WACHTER, S., MITTELSTADT, B. y FLORIDI, L., "Why a Right to Explanation of Automated Decision-Making Does Not Exist in the GDPR", en International Data Privacy Law, vol. 7, nº 2, 2017, pp. 94-111.

30 Aquí entra en juego la contribución técnica de Datta, Sen y Zick, quienes propusieron la familia de métricas Quantitative Input Influence (QII). Su objetivo era cuantificar, aun en presencia de correlaciones fuertes y modelos opacos, la influencia causal de cada entrada sobre un resultado dado, midiendo la variación esperada ante intervenciones aleatorias. QII respalda tanto la generación automática de contrafactuales como la elaboración de informes diferenciados para individuos, colectivos y reguladores, y, además, puede computarse preservando privacidad diferencial, lo que atenúa las reticencias de las compañías a exponer información sensible. En

El TJUE determina que las consideraciones de secreto comercial o propiedad intelectual no justifican negar toda la información al interesado, sino que obligan a una ponderación judicial o administrativa. En la práctica, esto significa que las empresas deberán revelar ciertos aspectos clave de sus algoritmos cuando un consumidor ejerza su derecho de acceso, aunque no toda la lógica detallada. La explicación facilitada ha de centrarse en criterios comprensibles, por ejemplo, qué tipos de datos aumentaron el riesgo crediticio del solicitante, o qué umbrales se aplicaron, en lugar de entregar la fórmula exacta. De este modo, se protege el *know-how* esencial, pero a la vez se evita la caja negra impenetrable para el afectado.

Las organizaciones no pueden simplemente escudarse en el secreto comercial para rehusar toda transparencia y el consumidor tiene derecho a información sobre el algoritmo o al menos información significativa sobre su funcionamiento[31]. Ahora bien, esas divulgaciones deben ser significativas, de poco sirve recibir un código fuente ilegible para la mayoría, por lo que propone adaptar la información a distintos niveles

---

su formulación básica, la influencia de un input i sobre la cantidad de interés Q se define como la diferencia entre Q(X) y $Q(X^{-i} U_i)$, es decir, entre el valor observado y el valor tras reemplazar ese input por una muestra aleatoria de su distribución marginal. Al extender la métrica a conjuntos de variables y promediar contribuciones marginales mediante valores de Shapley, el marco QII ofrece, con un barniz de teoría de juegos, un camino riguroso para repartir "créditos de responsabilidad" entre los distintos rasgos utilizados por el algoritmo, algo de enorme valor cuando el regulador exige demostrar que el factor "género" no fue determinante en una contratación laboral o que la variable "código postal" no sirvió de proxy discriminatorio en una póliza. DATTA, A., SEN, S. y ZICK, Y., "Algorithmic Transparency via Quantitative Input Influence", en IEEE SP 2016.

31 FOSS-SOLBREKK, K., "Searchlights Across the Black Box: Trade Secrecy versus Access to Information", en Computer Law & Security Review, vol. 50, 2023, art. 105811.

(autoridades regulatorias, público general, usuario individual) para que cada cual reciba explicaciones comprensibles y útiles. Esta idea de "transparencia contextual" coincide con la solución del TJUE de proporcionar información en lenguaje claro y apropiado al destinatario.

Para las organizaciones que diseñan o implementan IA, el paisaje normativo y doctrinal es ya demasiado denso como para ignorarlo. La práctica recomendada converge en varios puntos, documentar el flujo de datos desde el origen hasta la inferencia, conservar registros de entrenamiento, versiones de modelos y logs de inferencia, incorporar métricas de *explicabilidad* (SHAP, LIME, QII) en el *pipeline* de validación, ofrecer contrafactuales en lenguaje claro acompañados, si procede, de gráficos comparativos, establecer protocolos de revisión humana con verdadera capacidad de veto y rectificación y diseñar políticas internas que armonicen la revelación de información con la protección de secretos y la seguridad de los sistemas.

A nivel cultural, la explicación algorítmica también transforma la relación entre usuario y plataforma. Donde antes se aceptaba el dictamen del sistema con resignación o, a lo sumo, con sospecha, hoy empieza a emerger un ciudadano que exige cuentas, que reclama una pedagogía de la decisión y que dispone de bases legales y técnicas para respaldar su demanda. Esa mutación no es trivial, significa pasar de un paradigma de confianza ciega "el algoritmo sabe" a uno de confianza informada "el algoritmo demuestra". En términos económicos, obliga a las empresas a valorar el capital reputacional y la retención de clientes como externalidades positivas de la transparencia, en términos democráticos, fortalece la idea de que el poder computacional debe someterse a la deliberación pública y a los derechos fundamentales[32].

---

[32] MEDINA GUERRERO, M., "El derecho a conocer los algoritmos utilizados en la toma de decisiones. Aproximación desde la perspec-

No obstante, la senda está jalonada de peligros. El más obvio es la sobrecarga informativa, un caudal de datos técnicos ininteligibles para el común de los usuarios puede crear una ilusión de transparencia tan vacía como el silencio. Por eso la sentencia del caso Dun & Bradstreet Austria insiste en la inteligibilidad, la concisión y la facilidad de acceso, reivindicando un formato que traduzca la lógica algorítmica a narrativas comprensibles por personas sin formación matemática avanzada. Otro riesgo es el "juego con la explicación", empresas que optimizan estratégicamente el lenguaje para cumplir con la letra, pero no con el espíritu de la norma, ofreciendo descripciones vagas o contrafactuales triviales. Frente a esa tentación, los reguladores empiezan a hablar de "explicaciones accionables", es decir, aquellas que permiten al afectado comprender qué cambio concreto puede invertir el resultado.

En paralelo, la doctrina explora métodos automáticos para auditar la *explicabilidad* proporcionada, comparar contrafactuales con la sensibilidad real del modelo, detectar inconsistencias entre las ponderaciones declaradas y las observadas, o aplicar QII a los resultados devueltos al usuario para verificar que la explicación se ajusta a la influencia causal medida externamente. Estas técnicas, en combinación con auditorías humanas, prometen cerrar la brecha entre lo que la empresa dice y lo que la máquina hace.

Por supuesto, ningún marco legal o técnico podrá erradicar el conflicto de fondo, la tensión entre la eficiencia algorítmica y la necesidad humana de entender las razones, de sentirse partícipe del veredicto que le afecta. Pero las sociedades democráticas se definen, precisamente, por cómo equilibran las promesas de la innovación con los límites que impone la dignidad individual. De alguna manera, la epopeya del derecho

---

tiva del derecho fundamental a la protección de datos personales", en *Teoría y Realidad Constitucional*, nº 49, 2022, pp. 168-169.

a explicación es la reedición contemporánea del viejo problema ilustrado ¿cómo someter la razón instrumental a la razón práctica? Cuando Kant reclamaba que la persona nunca fuera tratada como un mero medio, no imaginaba que, dos siglos después, esa intuición se aplicaría a líneas de código ejecutadas a la velocidad de la luz[33].

Quizá el paso final de esta evolución llegue cuando los propios sistemas empiecen a auto-explicarse con elocuencia creciente, generando resúmenes en lenguaje natural, visualizaciones interactivas y simulaciones de escenarios alternativos. Entonces, la frontera entre la explicación humana y la explicación "maquínica" se diluirá, planteando nuevos dilemas ¿cómo verificar la sinceridad de una IA que relata sus motivos?, ¿qué hacer si la explicación no se ajusta a su código, pero resulta, para el usuario, perfectamente persuasiva?, ¿aceptaremos la "ficción útil" de un cuento ilustrativo que no coincide con la mecánica interna, pero satisface la búsqueda de sentido? En ese territorio por explorar confluyen la ciencia de datos, la filosofía del lenguaje y la ética de la persuasión.

En suma, el camino que va del RGPD a la *AI Act*, pasando por la jurisprudencia del caso SCHUFA y del caso Dun & Bradstreet Austria, por las métricas QII y por la proliferación de contrafactuales, describe una curva ascendente de exigencia democrática, cada salto normativo o técnico hace más difícil que el algoritmo se esconda tras sus gráficas y sus ecuaciones, cada condena judicial señala que la opacidad no es un atributo inevitable sino una opción de diseño. La próxima vez que alguien reciba la negativa de un préstamo, tal vez no se limite a aceptar el "no", podrá pedir las razones, recibirá la

---

33 Toda máxima que convierta personas en simples instrumentos queda descartada sin ponderación alguna, esa es la sumisión más clara de la razón de medios al fin moral. KANT, I. (2003). *Fundamentación de la metafísica de las costumbres.* El Cid Editor.

lista de variables, entenderá qué umbral desviarse y tendrá la oportunidad de desafiar la lógica si detecta un sesgo. Esa posibilidad, fútil en apariencia, encierra la esencia de la libertad contemporánea, el derecho a dialogar con la inteligencia que decide sobre nosotros, incluso cuando esa inteligencia no sea de carne y hueso, sino de silicio y estadística.

6. CONCLUSIONES

La convergencia entre el mandato legal de transparencia y las soluciones técnicas de IA para alcanzar la *explicabilidad* marca el camino hacia una contratación con consumidores más justa y basada en la transparencia. Incluso frente a secretos comerciales, los consumidores tienen derecho a una explicación comprensible de las decisiones automatizadas que les afectan. Por su parte, la doctrina académica y los avances técnicos proporcionan herramientas para materializar esa transparencia sin frenar la innovación. Se trata de equilibrar la protección de datos personales y los derechos del consumidor con la tutela de los intereses comerciales legítimos, algo que Europa está abordando mediante la *explicabilidad* como puente entre ambos.

En definitiva, la legitimidad de los modelos de IA en el mercado de consumo dependerá de su capacidad para abrir la caja negra lo suficiente como para que el usuario entienda y pueda influir en el resultado. Solo mediante explicaciones significativas y mecanismos de control efectivos por parte del consumidor será posible garantizar que la inteligencia artificial al servicio de la contratación respete los derechos fundamentales y genere confianza en la sociedad digital actual. Las bases están puestas, ahora corresponde a empresas, reguladores y desarrolladores implementar estos principios y convertir la transparencia algorítmica en una realidad cotidiana del comercio y la contratación con consumidores.

La sentencia del caso Dun & Bradstreet Austria cierra el círculo, ningún perfil automatizado con efectos jurídicos es legítimo sin una explicación material comprensible y sin un cauce efectivo de control por el consumidor. La utilidad económica del algoritmo no desplaza la jerarquía normativa, la caja negra debe volverse translúcida o abstenerse de tratar datos personales para respetar la autonomía y la dignidad informativa de los consumidores.

7. BIBLIOGRAFÍA

ARRIETA, A. B., RODRÍGUEZ, N. D., DEL SER, J., BENNETOT, A., TABIK, S., GONZÁLEZ, A. B., GARCÍA, S., GIL-LÓPEZ, S., MOLINA, D., BENJAMINS, V. R., CHATILA, R. y HERRERA, F., "Explainable Artificial Intelligence (XAI): Concepts, taxonomies, opportunities and challenges toward responsable AI", disponible en: https://arxiv.org/abs/1910.10045

ARROYO AMAYUELAS, E., "El scoring de Schufa", en InDret, 3/2024.

BARRIO ANDRÉS, M., "El derecho a la explicación de la toma de decisiones automatizada. Sentencia del Tribunal de Justicia 27 de febrero de 2025, as. C-203/22: Dun & Bradstreet Austria", en La Ley Unión Europea, nº 137, 2025.

BRKAN, M., "Do Algorithms Rule the World?", en *International Journal of Law and Information Technology*, vol. 27, nº 2, 2019, pp. 91-121.

BYGRAVE, L. A., "Article 22 Automated Individual Decision-Making, Including Profiling", en *The EU GDPR: A Commentary*, OUP, 2020.

COMISIÓN EUROPEA, Generar confianza en la inteligencia artificial centrada en el ser humano, COM(2019) 168 final, Bruselas, 8.4.2019, Disponible en https://eur-lex.europa.eu/legal-content/ES/ALL/?uri=CELEX:52019DC0168

COTOGNI, G., "The Explainability of Automated Decision-Making: A Historical Perspective through EU Legislation", en *Journal of Law, Market & Innovation*, vol. 3, nº 3, 2024, pp. 416-441.

DATTA, A., SEN, S. y ZICK, Y., "Algorithmic Transparency via Quantitative Input Influence", en *IEEE SP 2016*.

DOMÍNGUEZ ROMERO, J., "Transparencia algorítmica y servicios financieros", en INFANTE RUIZ, OLIVA BLÁZQUEZ (dirs.) y KALIL (coord.), *La modernización de los contratos de servicios*, Tirant lo Blanch, Valencia, 2023, pp. 437-456.

DOMÍNGUEZ ROMERO, J., "El derecho a la explicación en la inteligencia artificial: exigencias jurídicas y límites técnicos" en *Revista General de Derecho Administrativo*, n.º 62, 2023, pp. 310–335.

EDWARDS, L., VEALE, M., "Enslaving the Algorithm: From a Right to an Explanation to a Right to Better Decisions" en *Duke Law and Technology Review*, vol. 16, 2017, pp. 18–62.

FERNÁNDEZ, A., "Inteligencia artificial en los servicios financieros", en *Boletín* Económico - Banco de España, nº 2/2019. Disponible en https://repositorio.bde.es/bitstream/123456789/8448/1/be1902-art7.pdf

FOSS-SOLBREKK, K., "Searchlights Across the Black Box: Trade Secrecy versus Access to Information", en *Computer Law & Security Review*, vol. 50, 2023, art. 105811.

KANT, I. (2003). *Fundamentación de la metafísica de las costumbres.* El Cid Editor.

KESARI, A., SELE, D., ASH, E., y BECHTOLD, S., "Explaining eXplainable AI" en *SSRN Working Paper*, 2024. Disponible en: https://papers.ssrn.com/abstract=4972085

MALGIERI, G. y COMANDÉ, G., "Why a Right to Legibility of Automated Decision-Making Exists in the GDPR", en *International Data Privacy Law*, vol. 7, nº 4, 2017.

MANFREDI, A., "I processi decisionali automatizzati nel GDPR", en *Rivista Italiana di Informatica e Diritto*, nº 1, 2025.

MEDINA GUERRERO, M., "El derecho a conocer los algoritmos utilizados en la toma de decisiones. Aproximación desde la perspectiva del derecho fundamental a la protección de datos personales", en *Teoría y Realidad Constitucional*, nº 49, 2022, pp. 151-171.

SELBST, A. D., POWLES, J., "Meaningful Information and the Right to Explanation" en *International Data Privacy Law*, vol. 7, n.º 4, 2017, pp. 233–242.

SILVEIRA, A., "Automated Individual Decision-Making & Profiling (Case SCHUFA)", en *UNIO – EU Law Journal*, vol. 8, nº 2, 2023, pp. 74-85.

SUPERVISOR EUROPEO DE PROTECCIÓN DE DATOS, "Explainable Artificial Intelligence (XAI)", en *Informe EDPS TechDispatch*, 2023.

TZIMAS, T. "Algorithmic Transparency and Explainability under EU Law", en *European Public Law,* vol. 29, nº 4, 2023, pp. 563-589.

WACHTER, S., MITTELSTADT, B. y FLORIDI, L., "Why a Right to Explanation of Automated Decision-Making Does Not Exist in the GDPR", en *International Data Privacy Law,* vol. 7, nº 2, 2017, pp. 94-111.

WACHTER, S., MITTELSTADT, B. y RUSSELL, C., "Counterfactual Explanations without Opening the Black Box: Automated Decisions and the GDPR", en *Harvard Journal of Law & Technology,* vol. 31, nº 2, 2017, pp. 841-887.

Capítulo V.

Aproximación a la responsabilidad de la administración sanitaria por los daños causados en el uso de los sistemas de inteligencia artificial

DAVINIA CADENAS OSUNA
Profesora Titular de Derecho Civil
Universidad Pablo de Olavide, de Sevilla

1. INTRODUCCIÓN

El artículo 3.1) Reglamento (UE) 2024/1689 del Parlamento Europeo y del Consejo, de 13 de junio de 2024, por el que se establecen normas armonizadas en materia de inteligencia artificial y por el que se modifican los Reglamentos (CE) n. 300/2008, (UE) n. 167/2013, (UE) n. 168/2013, (UE) 2018/858, (UE) 2018/1139 y (UE) 2019/2144 y las Directivas 2014/90/UE, (UE) 2016/797 y (UE) 2020/1828 (Reglamento de Inteligencia Artificial), define el sistema de IA como "un sistema basado en una máquina que está diseñado para funcionar con distintos niveles de autonomía y que puede mostrar capacidad de adaptación tras el despliegue, y que, para objetivos explícitos o implícitos, infiere de la información de entrada que recibe la manera de generar resultados de salida, como predicciones, contenidos, recomendaciones o decisiones, que pueden influir en entornos físicos o virtuales".

Partiendo de esta definición, podemos afirmar que los sistemas de inteligencia artificial —en adelante, IA— se ejecutan en máquinas, pudiendo estar integradas físicamente en ellas o contribuir a su funcionalidad sin formar parte de las mismas.

Una de las principales características de los sistemas de IA es su capacidad de inferencia, referida al proceso de obtención de resultados de salida y a la suficiencia de tales sistemas para deducir modelos y/o algoritmos a partir de la información de entrada que recibe. La capacidad de inferencia de los sistemas de IA trasciende al mero tratamiento básico de datos, permitiendo el aprendizaje, el razonamiento o la modelización. Esta capacidad de autoaprendizaje permite al sistema de IA experimentar cambios mientras está en uso, adaptándose a los distintos contextos en los que se despliega. Asimismo, los sistemas de IA están diseñados para funcionar con distintos niveles de autonomía al objeto de que puedan actuar con cierto grado de independencia respecto de la actuación humana[1]. En definitiva, con distintos niveles de autonomía, un sistema de IA es capaz de colegir, de la información de entrada que recibe (*imputs*), una cierta información de salida (*outputs*) que puede consistir en predicciones, contenidos, recomendaciones o adopción de decisiones[2].

---

1 *Vid.* considerando (12) Reglamento de Inteligencia Artificial.

2 Luquin Bergareche, R. (2024). "Inteligencia artificial en la prestación de servicios de salud: funcionalidades, riesgos y responsabilidad civil". En Moreno Martínez, J. A. y Femenía López, P. J. (coords.),

La IA es un elemento clave en la denominada "salud digital" o "e-Salud", promovida esta tanto a nivel internacional por la Organización Mundial de la Salud[3] como en el ámbito nacional. En nuestro país, la Secretaría General de Salud Digital, Información e Innovación, dependiente del Ministerio de Sanidad, publicó en el año 2021 la *Estrategia de Salud. Sistema Nacional de Salud* como "marco de referencia para el desarrollo de las diferentes iniciativas y actuaciones de las Administraciones competentes en materia sanitaria, promoviendo que el Sistema Nacional de Salud aborde su transformación digital de manera armónica y coordinada"[4].

Las tecnologías digitales avanzadas, como el análisis masivo de datos —"*bid data*"—, la inteligencia artificial o el Internet de las cosas —*IoT*—, tienen el potencial de transformar el sistema de salud en diversos aspectos que abarcan desde la actividad diaria de los profesionales sanitarios y su relación con los pacientes hasta la anticipación de riesgos, precisión en el diagnóstico y prognosis, aplicación de tratamientos, cirugía, rehabilitación, desarrollo de la investigación y gestión global del sistema y sus recursos[5].

Inteligencia artificial y Derecho de daños: cuestiones actuales. Acorde al Reglamento (UE) 2024/1689. Dykinson, 485 y 586.

3 Organización Mundial de la Salud (2021). *Estrategia mundial sobre salud digital 2020-2025*. Disponible en https://iris.who.int/bitstream/handle/10665/344251/9789240027572-spa.pdf (recuperado el 30 de junio de 2025).

4 Secretaría General de Salud Digital, Información e Innovación para el SNS (2021). *Estrategia de Salud Digital. Sistema Nacional de Salud*, 1. Disponible en https://www.sanidad.gob.es/areas/saludDigital/doc/Estrategia_de_Salud_Digital_del_SNS.pdf (recuperado el 30 de junio de 2025).

5 *Ibid.*, 4. Sobre la utilidad de la IA en el ámbito de la salud, *vid.* Atienza Navarro, M. L. (2022). *Daños causados por inteligencia artificial y responsabilidad civil*. Atelier, 367 y ss.; Evangelio Llorca, R. (2024). "Responsabilidad civil e inteligencia artificial en el ámbito sanitario:

Aun cuando la aplicación de sistemas de IA en el sector de la sanidad no ha supuesto un incremento generalizado del riesgo de que se produzca un resultado lesivo, y aunque los daños originados por la IA no revistan unas características particulares y diferentes de aquellas lesiones que derivan de la aplicación de otras tecnologías menos avanzadas o de la propia actuación humana de los profesionales sanitarios, existe una gran preocupación por garantizar que los daños generados por los sistemas de IA sean resarcidos a los perjudicados. Esta inquietud se explica, de inicio, por la desconfianza general que la sociedad mantiene respecto de la IA, debido a su inherente capacidad para actuar con un cierto grado de autonomía respecto de la actividad humana. A este motivo se une la dificultad que en muchas ocasiones presenta la identificación de la causa del daño cuando en su producción interviene la IA, dificultad que se explica por las propias características de los sistemas de IA —complejidad, opacidad, apertura, autonomía, imprevisibilidad, dependencia de los datos y vulnerabilidad—[6].

Habida cuenta del carácter eminentemente público del sistema español de sanidad, es la responsabilidad patrimonial de la Administración la vía a la que con mayor asiduidad recurren

---

posibles vías de reclamación". En Moreno Martínez, J. A. y Femenía López, P. J. (coords.), *Inteligencia artificial y Derecho de daños: cuestiones actuales. Acorde al Reglamento (UE) 2024/1689*. Dykinson, 151 y ss.; Luquin Bergareche, R. (2024). "Inteligencia artificial..." *op. cit.*, 486 y ss. Véase también Bertolini, A. (2020). *Artificial Intelligence and Civil Liability. Legal Affairs*, informe realizado a petición del *European Parliament´s Committee on Legal Affairs*, 111 y ss. Disponible en https://www.europarl.europa.eu/RegData/etudes/STUD/2020/621926/IPOL_STU(2020)621926_EN.pdf (recuperado el 30 de junio de 2025).

6 Para un estudio de las características de la IA que implican problemas a los efectos de la determinación de la responsabilidad civil, véase Atienza Navarro, M. L. (2022). *Op. cit.*, 56 y ss. Véase también Evangelio Llorca, R. (2024). *Op. cit.*, 156 y ss.

los pacientes con el propósito de verse resarcidos por los daños sufridos en el desarrollo de los servicios sanitarios. Este hecho, unido a la creciente aplicación de los sistemas de IA en el ámbito de la salud y la preocupación que genera el resarcimiento de los daños causados por aquellos, nos ha impulsado a analizar en el presente trabajo la responsabilidad de la Administración por los daños causados al paciente en la prestación de un servicio sanitario con uso de la inteligencia artificial.

2. RESPONSABILIDAD PATRIMONIAL DE LA ADMINISTRACIÓN PÚBLICA

La responsabilidad patrimonial de la Administración ha experimentado una honda evolución desde su más absoluta irresponsabilidad —"teoría de la infalibilidad del ejecutivo real", consagrada en la expresión anglosajona *the King can do not wrong*[7]—, pasando por una responsabilidad subjetiva que se plasmó en el párrafo quinto del artículo 1903 CC[8], hasta llegar

---

[7] Calvo Sánchez, M. D. (2014). "Responsabilidad de la Administración sanitaria por la actuación de los profesionales de la Medicina". En Llamas Pombo, E. (dir.), *Estudios sobre la responsabilidad sanitaria: Un análisis interdisciplinar*. La Ley, 365.

[8] En su redacción original, y hasta su derogación por la Ley 1/1991, de 7 de enero, de modificación de los Códigos Civil y Penal en materia de responsabilidad civil del profesorado, el art. 1903 V CC recogía la denominada responsabilidad civil del Estado al establecer, en el marco del Capítulo II Título XVI Libro IV del CC —rubricado "De las obligaciones que nacen de culpa o negligencia"—, que el Estado es responsable cuando obra por mediación de un agente especial, pero no cuando el causante del daño sea el funcionario a quien compete la gestión practicada, en cuyo caso respondería el propio funcionario actuante conforme a lo previsto en el art. 1902 CC. En tal caso, no podía presumirse la culpa o negligencia del Estado en la organización de los servicios públicos y en la designación

al vigente régimen de responsabilidad directa y —aparentemente— objetiva establecido en la normativa administrativa[9].

El antecedente más inmediato de nuestro actual sistema de responsabilidad patrimonial de la Administración se halla en el artículo 121.1 de la Ley de 16 de diciembre de 1954, que reconocía a los particulares el derecho al resarcimiento por las lesiones que fueran consecuencia del "funcionamiento normal o anormal de los servicios públicos"[10]. Desde entonces, el

---

de sus agentes. Véase Martínez-Pereda Rodríguez, J. M. (2008). "La responsabilidad de la Administración Pública por los daños derivados de acto ilícito. Leyes 30/1992, de 26 de noviembre y 4/1999, de 13 de enero, de modificación de la Ley 30/1992. Indemnización a las víctimas del terrorismo. Ayuda a las víctimas de delitos violentos y contra la libertad sexual". En Sierra Gil de la Cuesta, I. (coord.), *Tratado de responsabilidad civil*, Tomo II, 2ª ed. Bosch, 974.

9 Para un análisis en profundidad de la evolución normativa del régimen de responsabilidad de la Administración hasta su configuración actual, *vid.* Cueto Pérez, M. (1997). *La responsabilidad de la Administración en la asistencia sanitaria.* Tirant lo Blanch, 35-83; Gil Ibáñez, J. L. (1999). "Evolución normativa y doctrinal de la responsabilidad patrimonial. Las grandes cuestiones". En Bello Janeiro, D. (dir.), *La responsabilidad patrimonial de las Administraciones Públicas.* Escola Galega de Administración Pública, 71-77; Parada Vázquez, J. R. (1999). "Responsabilidad patrimonial de los funcionarios y de la Administración". En Bello Janeiro, D. (dir.), *La responsabilidad patrimonial de las Administraciones Públicas.* Escola Galega de Administración Pública, 43-47; Martínez-Pereda Rodríguez, J. M. (2008). *Op. cit.*, 973 y ss.; López y García de la Serrana, J. (2011). "La responsabilidad patrimonial de las Administraciones Públicas". En López y García de la Serrana, J. y Cid Luque, A. (coords.), *Ponencias XI Congreso Nacional (Córdoba, Mayo 2011), sobre responsabilidad civil en general.* Sepin, 327-332; Mir Puigpelat, O. (2012). *La responsabilidad patrimonial de la Administración. Hacia un nuevo sistema.* IBdeF, 9-41.

10 El referido precepto, tácitamente derogado por la Ley 30/1992, de 26 de noviembre, de régimen Jurídico de las Administraciones Públicas y del Procedimiento Administrativo Común —en adelante, Ley 30/1992—, decía como sigue: "Dará también lugar a indem-

principio de responsabilidad patrimonial de la Administración pública, además de en nuestro texto constitucional[11], encuentra reflejo en diversa legislación ordinaria, pudiendo citarse la Ley de 20 de julio de 1957 sobre régimen jurídico de la Administración del Estado —arts. 40 y 41—, la Ley 7/1985, de 2 de abril de Bases de Régimen Local —art. 54— y la Ley 30/1992 —art. 139—, hasta llegar a la vigente Ley 40/2015, de 1 de octubre, de régimen Jurídico del Sector Público —en adelante, 40/2015—, cuyo artículo 32.1 reproducimos en su primer párrafo:

> "Los particulares tendrán derecho a ser indemnizados por las Administraciones Públicas correspondientes, de toda lesión que sufran en cualquiera de sus bienes y derechos, siempre que la lesión sea consecuencia del funcionamiento normal o anormal de los servicios públicos salvo en los casos de fuerza mayor o de daños que el particular tenga el deber jurídico de soportar de acuerdo con la Ley".

Queda así configurada la responsabilidad de la Administración como una responsabilidad directa que nace al margen del normal o anormal funcionamiento de los servicios públicos en cuya ejecución se produce el resultado lesivo, quedando exonerada la Administración en los casos de fuerza mayor o en

---

nización con arreglo al mismo procedimiento toda lesión que los particulares sufran en los bienes y derechos a que esta Ley se refiere, siempre que aquélla sea consecuencia del funcionamiento normal o anormal de los servicios públicos, o la adopción de medidas de carácter discrecional no fiscalizables en vía contenciosa, sin perjuicio de las responsabilidades que la Administración pueda exigir de sus funcionarios con tal motivo".

11 Establece el artículo 106.2 CE: "Los particulares, en los términos establecidos por la ley, tendrán derecho a ser indemnizados por toda lesión que sufran en cualquiera de sus bienes y derechos, salvo en los casos de fuerza mayor, siempre que la lesión sea consecuencia del funcionamiento de los servicios públicos".

aquellos en los que el particular tiene, por ministerio de la Ley, el deber jurídico de soportar el daño.

2.1. Responsabilidad por el funcionamiento normal o anormal de los servicios públicos

Con una literalidad muy similar en lo sustancial a la del artículo 139 Ley 30/1992, la Ley 40/2015 consagra la responsabilidad patrimonial de las Administraciones Públicas al reconocer a los particulares el derecho a ser indemnizados de toda lesión sufrida en sus bienes y derechos de resultas del funcionamiento normal o anormal de los servicios públicos[12], salvo en los

---

12 Afirma Parada Vázquez que el término "servicio público" se utiliza en este ámbito "en el más amplio sentido de función o actividad administrativa, como sinónimo de todo lo que hace ordinariamente la Administración, comprendiendo por consiguiente la actividad de servicio público en sentido estricto o prestacional, así como de policía o limitación, la actividad sancionadora y la arbitral. Incluso puede imaginarse la producción de daños a través de una actividad de fomento que favorezca a unos administrados en detrimento de otros". Desde otra perspectiva, entiende el autor que "el servicio, función o actividad administrativa que da lugar a la responsabilidad puede ser una actividad material, por acción u omisión, o bien tratarse de una actividad jurídica, la emanación de un reglamento o acto administrativo siempre que de origen a un daño indemnizable (antijurídico, efectivo, evaluable e individualizable)" —*op. cit.*, 51 y 52—. Por una exégesis amplia de la expresión "servicio público" aboga también Busto Lago, entendiendo que la misma engloba "toda actividad que [la Administración] lleve a cabo —con independencia de que lo sea en régimen de Derecho administrativo o en régimen de Derecho privado—, la actividad empresarial del sector público, las actividades materialmente administrativas propias de las funciones constitucionales de los órganos del Estado e incluso cualquier actividad privada de prestación que se considere de interés general regulada por el Derecho administrativo y controlada por la Administración" —(2014). "La responsabilidad civil de las Admi-

casos de fuerza mayor o de daños que el particular tenga el deber jurídico de soportar —art. 32.1—. En todo caso, para ser indemnizable, el perjuicio alegado por el particular debe ser efectivo[13], evaluable económicamente —*id est*, "valorable en dinero"[14]—[15] e individualizado con relación a una persona o grupo de personas —art. 32.2—[16]. Ahora bien, el daño sufrido

---

nistraciones Públicas". En Reglero Campos, L. F. y Busto Lago, J. M. (coords.), *Tratado de responsabilidad civil*, Tomo II, 5ª ed. Aranzadi, 1986—. Véanse también Rodríguez López, P. (2004). *Nuevas formas de gestión hospitalaria y responsabilidad patrimonial de la Administración.* Dykinson, 87; Bello Janeiro, D. (2009). *Responsabilidad civil del médico y responsabilidad patrimonial de la Administración sanitaria.* Editorial Reus, 173-189; Montañés Castillo, L. Y. (2011). "Los requisitos de la responsabilidad patrimonial en materia sanitaria". En Gallardo Castillo, M. J. (dir.), *La responsabilidad jurídico-sanitaria.* La Ley, 467-468.

13 En opinión de Villar Rojas, "[l]a efectividad exige que el daño sea real, no potencial; presente y no futuro; auténtico daño y no mera molestia; comprobable, no hipotético". De esta suerte, constituirá daño efectivo "toda minoración o despojo en el patrimonio del afectado, tanto el lucro cesante, como el daño emergente", sin que adquiera relevancia alguna la naturaleza jurídica de los bienes lesionados —(2002). *La responsabilidad de las Administraciones sanitarias: fundamento y límites.* Wolters Kluwer, 49—.

14 Martínez-Pereda Rodríguez, J. M. (2008). *Op. cit.*, 980.

15 En la actualidad, nuestra jurisprudencia admite el resarcimiento del daño moral y, por consiguiente, su carácter efectivo y cuantificable económicamente. Por todas, SSTS —salvo indicación expresa en contrario, todas las sentencias referidas en el presente trabajo corresponden a la Sala de lo Contencioso-Administrativo— de 23 de septiembre de 1992 —TOL1.677.365— y 4 de abril de 2000 —TOL1.716.583—.

16 Con la individualizacion del daño se busca, siguiendo a Villar Rojas: "por un lado, identificar y singularizar el patrimonio que soporta el perjuicio, sin que esta nota requiera un único patrimonio afectado, pueden estarlo un grupo de personas, y por otro, afirmar la no indemnizabilidad de las cargas comunes de la vida social". Esta individualización es posible en los daños causados por actos médi-

por el particular solo podrá imputarse a la Administración y, en consecuencia, declararse su responsabilidad, cuando haya sido causado por las autoridades y personal a su servicio —art. 36.1 Ley 40/2015—. En otros términos, el agente causante del daño ha de formar parte de la organización administrativa, debiendo realizarse la actuación a la que se imputa causalmente la lesión en el ejercicio o con ocasión del desempeño de las funciones que en el seno de la Administración tiene el agente encomendadas[17].

> MIR PUIGPELAT distingue entre la "imputación de primer nivel" o "imputación de conductas", en la que se plantea "cuándo una conducta desarrollada por una persona puede ser atribuida a la Administración pública (cuándo puede decirse que ha existido una *actuación de la Administración*)", y la "imputación de segundo nivel" o "imputación de daños", donde se discute "cuándo un *daño* —no ya una conducta— puede ser atribuido a la Administración (a la conducta de una persona física a su vez atribuida —en virtud del primer nivel de imputación— a la Administración", siendo en éste segundo nivel en el que resulta incardinable la teoría de la imputación objetiva[18]. Con relación a la imputación de primer nivel, sostiene MIR PUIGPELAT que la misma depende de la concurrencia acumulativa de dos circunstancias, a saber, "que la persona física de que se trate esté integrada en la organización administrativa", de un lado, y "que actúe en el ejercicio o con ocasión de sus funciones o, en la formulación preferida por la doctrina y jurisprudencia

---

cos, habida cuenta de que no existen intervenciones médicas con efectos generales, sino que, aun siendo repetidas, afectan siempre persona a persona —*op. cit.*, 55—.

17 Busto Lago, J. M. (2014). *Op. cit.*, 1951.

18 Mir Puigpelat, O. (2000). *La responsabilidad patrimonial de la Administración sanitaria. Organización, imputación y causalidad.* Civitas, 60-62; Mir Puigpelat, O. (2012). *La responsabilidad patrimonial de la Administración sanitaria. Hacia... op. cit.*, 251.

> administrativistas de nuestro país, que actúe en el desempeño o ejercicio de su cargo"[19].

El funcionamiento de los servicios públicos es anormal cuando la Administración no cumple el estándar mínimo de diligencia exigible en su prestación, esto es, la *lex artis*. De esta manera, se reputará que el perjuicio es consecuencia del funcionamiento anormal de los servicios públicos cuando en su ejecución se observe alguna ilegalidad o irregularidad, aun cuando esta no resulte de un actuar culposo —o doloso— del agente causante del daño. En tal hipótesis se engloban, por tanto, los supuestos de no funcionamiento, mal funcionamiento y funcionamiento tardío del servicio público[20]. Por su parte, el funcionamiento normal permite, en principio, imputar a la Administración todos los daños causados en la ejecución de los servicios públicos, incluso aquellos que no traigan causa en un actuar negligente del personal al servicio de la Administración, sino que supongan la realización del riesgo generado por la actividad administrativa, aun cuando sean causados de modo fortuito[21].

La alusión en la legislación administrativa a los daños causados como consecuencia del funcionamiento "normal" de los servicios públicos como generadores de responsabilidad patrimonial de la Administración[22] motiva una referencia ge-

---

19 Mir Puigpelat, O. (2000). *La responsabilidad patrimonial de la Administración sanitaria. Organización... op. cit.*, 144.

20 Villar Rojas, F. J. (2002). *Op. cit.*, 128.

21 *Id.*

22 El artículo 106.2 CE contiene una referencia genérica al funcionamiento de los servicios públicos. En opinión de Rodríguez López, la Carta Magna no hace mención al carácter normal o anormal del funcionamiento de los servicios públicos "porque en un Estado social y democrático de Derecho incluir en la responsabilidad de la Administración pública los supuestos de funcionamiento normal

neralizada en la jurisprudencia al carácter objetivo de dicha responsabilidad. En tal hipótesis, por razones obvias, el fundamento de la responsabilidad de la Administración no puede hallarse en la culpa del personal a su servicio, sino en el propio riesgo que para los particulares entrañan las actividades potencialmente dañosas desarrolladas en el seno de la Administración[23].

Sin embargo, un examen en profundidad de la jurisprudencia nos permite colegir que la alusión al carácter objetivo de la responsabilidad de la Administración no constituye más que una cláusula de estilo cuya interpretación literal se postularía a favor de un régimen de responsabilidad de un potencial indemnizatorio tan inabarcable que nos abocaría, pronta e irremediablemente, a la más completa y absoluta ruina de las arcas públicas[24]. De este modo, se observa entre nuestros tribunales

---

de un servicio público puede ocasionar graves problemas interpretativos" —(2007). *Responsabilidad patrimonial de la Administración en materia sanitaria.* Atelier, 28—.

23 Busto Lago, J. M. (2014). *Op. cit.*, 2006; Asúa González, C. I. (2014). "Responsabilidad civil médica". En Reglero Campos, L. F. y Busto Lago, J. M. (coords.), *Tratado de responsabilidad civil,* Tomo II, 5ª ed. Aranzadi, 392.

24 *Vid.* Pantaleón Prieto, Á. F. (1995). *Responsabilidad médica y responsabilidad de la Administración (Hacia una revisión del sistema de responsabilidad patrimonial de las Administraciones Públicas).* Civitas, 82 y 83; Lledó Yagüe, F. (2012). "Prólogo motivado: el estado de la cuestión. La responsabilidad en el acto médico". En Lledó Yagüe, F. y Morillas Cueva, L. (dirs.), *Responsabilidad médica civil y penal por presunta mala práctica profesional (El contenido reparador del consentimiento informado).* Dykinson, 18. En contra, Muñoz Machado, S. (1994). "Responsabilidad de los médicos y responsabilidad de la Administración Sanitaria (Con algunas reflexiones sobre las funciones actuales de la responsabilidad civil)". *Documentación administrativa. Ejemplar dedicado a: La responsabilidad patrimonial de las Administraciones Públicas,* (237-238), 279. A juicio de este último autor, un sistema de responsabilidad

una manifiesta tendencia a limitar el potencial resarcitorio de la Administración en los casos de inexistencia de culpa, rechazando su responsabilidad sobre la base de alguno —o ambos— de los siguientes argumentos[25].

De un lado, porque la actuación diligente de la Administración complica sobremanera la inferencia de nexo causal entre el daño sufrido por el particular y el funcionamiento de los servicios públicos, relación de causalidad cuya concurrencia resulta imprescindible para que pueda declararse la responsabilidad patrimonial de la Administración, ya se defienda su carácter objetivo o, por el contrario, culposo[26]. Este argumento cobra una especial relevancia en el ámbito médico-sanitario, donde el respeto de la *lex artis ad hoc* en la ejecución del acto médico eleva al extremo la dificultad de colegir si la verdadera causa del daño soportado por el paciente se halla en la actuación de los profesionales sanitarios o, por el contrario, en la propia enfermedad del paciente. Es más, aun admitiendo la existencia

---

patrimonial de la Administración de índole objetiva resulta sustentable para el erario público, pues no existen tantas reclamaciones de indemnización como para que las arcas públicas no puedan hacer frente a ellas. Asimismo, sostiene Muñoz Machado que no es cierto que el establecimiento de un seguro general —que facilite y haga menos onerosas las complicaciones prácticas de la responsabilidad— implique el abono de precios "elevadísimos" en comparación con el montante de los presupuestos públicos sanitarios.

25 *Vid.* Asúa González, C. I. (2000). "Responsabilidad Sanitaria". En Díaz Alabart, S. y Asúa González, C. I., *Responsabilidad de la Administración en la sanidad y en la enseñanza.* Editorial Montecorvo, 215 y ss.

26 Coincidimos con Parada Vázquez en que "el problema de la relación de causalidad no tiene porque [*sic*] plantearse en términos disímiles en una u otra rama del Derecho, resultando de ello que el Derecho administrativo, donde la responsabilidad ha sido de reciente admisión será siempre tributario de los mayores desarrollos doctrinales que sobre la relación de causalidad se han efectuado en la dogmática civil y, sobre todo, en la penal" —*op. cit.*, 56—.

de un vínculo material de causalidad entre el acto médico y el daño sufrido por el paciente, la imputación objetiva de este a aquel plantearía serios reparos, fundamentalmente sobre la base del criterio del incremento del riesgo, puesto que, si este sostiene la imputación objetiva cuando la conducta del agente eleva el riesgo de causación del resultado dañoso respecto de la conducta alternativa diligente, dicho criterio excluiría la imputación objetiva cuando el acto médico es ejecutado con respeto a las exigencias de la *lex artis ad hoc*[27].

---

[27] En contra, sostiene Beladíez Rojo que, si bien nuestro Ordenamiento jurídico establece "claramente" un régimen de responsabilidad objetiva, no convierte a la Administración en aseguradora universal de todos los riesgos que pueda sufrir el ciudadano, pues tal responsabilidad únicamente puede ser declarada cuando, amén de existir un vínculo material entre el daño sufrido por el particular y el servicio público correspondiente, aquel pueda ser imputado objetivamente a este —(1997). *Responsabilidad e imputación de daños por el funcionamiento de los servicios públicos.* Tecnos, 30, nota al pie n. 1—. No obstante, entiende la autora que los criterios de imputación objetiva elaborados por la doctrina son muy casuísticos, no existiendo una regla general sobre su aplicación. Así, en sede de responsabilidad patrimonial de la Administración, considera Beladíez Rojo que no presenta relevancia a efectos de imputación objetiva la licitud o ilicitud en el proceder de la Administración, habida cuenta del carácter objetivo de su responsabilidad, debiendo en tal caso afirmarse la imputación objetiva cuando la lesión se produzca de resultas de la materialización de un riesgo jurídicamente creado por el servicio público, pues solo en tal hipótesis puede el daño ser calificado de antijurídico y, consiguientemente, no tiene el particular el deber jurídico de soportarlo —*op. cit.*, 103—. En nuestra opinión, esta tesis se construye sobre la base de una premisa que, en la actualidad, parece descartada por la jurisprudencia, a saber, el carácter objetivo de la responsabilidad patrimonial de la Administración. Y es que, aun cuando nuestros tribunales se empecinan en advertir tal objetividad en sus pronunciamientos, en la generalidad de los casos dicha referencia no constituye más que una cláusula de estilo, pues, a la

De otro lado, porque la inexistencia de culpa en el proceder de la Administración excluye la antijuridicidad de las lesiones sufridas por el particular, teniendo este, en consecuencia, el deber de soportar el daño *ex* artículos 32.1 y 34.1 Ley 40/2015. Establece este último precepto, en su primer inciso, que "[s]ólo serán indemnizables las lesiones producidas al particular provenientes de daños que éste no tenga el deber jurídico de soportar de acuerdo con la Ley". En otros términos, la Administración únicamente tiene el deber de indemnizar al particular por el daño sufrido cuando pueda calificarse de antijurídico, *id est*, "cuando el riesgo inherente al funcionamiento del servicio ha sobrepasado los límites impuestos por los estándares de seguridad exigibles según la conciencia social"[28]. En caso contrario, como señala De Ángel Yagüez, «la exclusión de la responsabilidad de la Administración [...] obedece a una razonable traducción al mundo del Derecho de la idea de que en el ámbito de la Administración sanitaria, en concreto, existen eventualidades y contingencias ante las que el particular tiene que "resignarse"»[29]. Así, la jurisprudencia rescata la noción de culpa al excluir la antijuridicidad del daño y, por consiguiente, la responsabilidad de la Administración cuando esta actúa conforme a los estándares de diligencia que le son exigibles en cada caso. Todo ello se traduce, en el ámbito sanitario, en que la Administración debe responder del daño sufrido por el paciente cuando no tenga el deber jurídico de soportarlo, es decir, cuando el daño pueda ser

postre, hacen depender la antijuridicidad del daño de la negligencia en la realización de la conducta administrativa que lo causa.

28 Seuba Torreblanca, J. C. (2002). *Sangre contaminada, la responsabilidad civil y ayudas públicas. Respuestas jurídicas al contagio transfusional del SIDA y de la Hepatitis*. Civitas, 281.

29 De Ángel Yagüez, R. (2008). "El complejo régimen de responsabilidad por asistencia sanitaria". En Adroher Biosca, S. y De Montalvo Jääskeläinen, F. (dirs.), *Los avances del Derecho ante los avances de la Medicina*. Aranzadi, 188.

calificado de antijurídico, lo que obliga a valorar la corrección del acto médico y permite a la Administración exonerarse de responsabilidad cuando acredite el cumplimiento por los profesionales sanitarios de las exigencias impuestas por la *lex artis ad hoc*[30]. De esta manera, reproduciendo a ASÚA GONZÁLEZ, "a la referencia a la responsabilidad objetiva [de la Administración] se *acumula* una fórmula de claro fondo subjetivista"[31].

> Termina el primer apartado del artículo 34.1 Ley 40/2015 excluyendo la responsabilidad patrimonial de la Administración por los daños derivados de hechos o circunstancias que no se hubiesen podido prever o evitar según el estado de los conocimientos de la ciencia o de la técnica existentes al tiempo de producirse aquellos[32], sin perjuicio de las prestaciones

---

30 En la doctrina, véase Salvador Coderch, P. *et al.* (2002). "Respondeat Superior I". *InDret*, (2), 12 y 13; Blas Orbán, C. (2006). *El equilibrio en la relación médico-paciente*. Bosch, 220; Rodríguez López, P. (2007). *Responsabilidad patrimonial... op. cit., passim*; González Morán, L. (2008). "¿Crisis de la responsabilidad objetiva de las administraciones públicas sanitarias?". En Adroher Biosca, S. y De Montalvo Jääskeläinen, F. (dirs.), *Los avances del Derecho ante los avances de la Medicina*. Aranzadi, 168 y 169.

31 Asúa González, C. I. (2014). "Responsabilidad civil..." *op. cit.*, 406.

32 Postula Mir Puigpelat que podría perfectamente defenderse que la exoneración de responsabilidad de la Administración prevista en el artículo 141.1 Ley 30/1992 —referencia que hoy se debe entender hecha al artículo 34.1 Ley 40/2015— deba aplicarse a los riesgos de desarrollo que no se conozcan cuando se lleva a cabo la actuación lesiva, y no en el momento de producirse el daño. De esta manera, la redacción del precepto restringe la operatividad de la cláusula exoneratoria: "si se hubiera fijado como momento relevante, no ya el de producción del daño, sino uno temporalmente anterior, el de la actuación administrativa que se encuentra en el origen del daño (lo que, a mi juicio, hubiera sido perfectamente defendible), las consecuencias de exoneración de la Administración con base en el nuevo art. 141.1 serían mayores, habida cuenta que la ciencia y la técnica podrán haber progresado (pero no ya retrocedido) entre el momento en que actuó la Administración y el momento

asistenciales o económicas que la Ley pueda prever para estos supuestos.

En los términos reproducidos describe el legislador los llamados "riesgos de desarrollo" o "riesgos de progreso" —*State of Art*—, que pueden definirse, siguiendo a Gómez Calle, como "aquellos riesgos excepcionales que son desconocidos porque la literatura médica, dadas sus limitaciones, aún no los ha explicado"[33]. La cláusula de los riesgos de desarrollo fue prevista por primera vez en la derogada Directiva 1985/374/CEE del Consejo, de 25 de julio de 1985, relativa a la aproximación de las disposiciones legales, reglamentarias y administrativas de los Estados Miembros en materia de responsabilidad por los daños causados por productos defectuosos, cuyo artículo 7.e) exoneraba de responsabilidad al productor cuando probase "que, en el momento en que el producto fue puesto en circulación, el estado de los conocimientos científicos y técnicos no permit[ía] descubrir la existencia del defecto". Esta Directiva fue transpuesta al Ordenamiento jurídico español por el artículo 6.1 de la derogada Ley 22/1994, de 6 de julio,

---

—cronológicamente posterior— en que se ha producido el daño". Así pues, "la Administración no podrá alegar el nuevo art. 141.1 cuando el daño, siendo inevitable o imprevisible según el estado técnico-científico en el momento en que ella actuó, haya dejado de serlo posteriormente, al producirse el daño". Véase Mir Puigpelat, O. (2012), *La responsabilidad patrimonial de la Administración. Hacia... op. cit.*, p. 29.

33 Gómez Calle, E. (1998). "El fundamento de la responsabilidad civil en el ámbito médico-sanitario". *Anuario de Derecho Civil,* (v. 51, n. 4), 1727. En sentido similar, Plaza Penadés, J. (2002). *El nuevo marco de la responsabilidad médica y hospitalaria.* Aranzadi, Monografía asociada a Revista Aranzadi de Derecho Patrimonial (7), 148. Coincidimos con Sánchez Jordán en que las expresiones "riesgos de desarrollo" y "riesgos de progreso" resultan imprecisas, ya que el riesgo no se deriva del propio desarrollo de la ciencia y la técnica, sino, más bien al contrario, de las lagunas existentes en el conocimiento científico-técnico —(1999). "Los riesgos del desarrollo, causa de exoneración en algunos supuestos de responsabilidad patrimonial de la Administración". *DS: Derecho y salud,* (v. 7, n. 1), 94—.

de responsabilidad civil por los daños causados por productos defectuosos. Esta disposición legal, junto con el artículo 141.1 Ley 30/1992 —tras la modificación introducida por la Ley 4/1999, de 13 de enero, de modificación de la Ley 30/1992, de 26 de noviembre, de Régimen Jurídico de las Administraciones Públicas y del Procedimiento Administrativo Común (en adelante, Ley 4/1999)—, positivizaron un principio ya latente en la regulación anterior[34]. En la actualidad, es el artículo 34.1 Ley 40/2015 el que recoge la cláusula de los riesgos de desarrollo en la responsabilidad de la Administración, no siendo pacífica, sin embargo, la causa que justifica la exoneración de la Administración en tales situaciones. Así, según la exposición de motivos de la Ley 4/1999, la incorporación de la cláusula de los riesgos de progreso al artículo 141.1 Ley 30/1992 matiza los casos de fuerza mayor que no dan lugar a responsabilidad, posicionamiento ya sostenido por el Consejo de Estado en el dictamen número 5356/1997, de 22 de enero de 1998. Igualmente, se postula a favor de la calificación jurídica de los riesgos de progreso como un supuesto de fuerza mayor el Tribunal Supremo en la sentencia de 6 de octubre de 2015[35], al establecer que la previsión del artículo 141.1 Ley 30/1992 se hace "a efectos de antijuridicidad del daño y como modalidad de fuerza mayor exonerante de responsabilidad"[36]. Esta calificación es rechazada por SEUBA TORREBLANCA, que encuentra la principal diferencia existente entre los riesgos de desarrollo y la fuerza mayor en cómo afectan al producto en particular, pues mientras aquellos hacen que el producto sea defectuoso en origen, la fuerza mayor actúa sobre un producto en el que no necesariamente concurre un defecto. De este modo, "[p]uede afirmarse [...] que la fuerza mayor opera *ex post facto*, mientras que los riesgos presuponen que el producto es originariamente defectuoso"[37]. Asimismo, rechaza SEUBA TORREBLANCA la calificación jurídica de los riesgos de desarrollo

---

34 STS de 31 de mayo de 1999 —TOL1.715.717—.

35 TOL5.512.861.

36 En la doctrina, *vid.* Plaza Penadés, J. (2002). *Op. cit.*, 160.

37 Seuba Torreblanca, J. C. (2002). *Op. cit.*, 296. En igual sentido, Salvador Coderch, P. *et al.* (2001). "Los riesgos de desarrollo. Ministerio de Sanidad y Consumo, Consejo General del Poder Judicial, Madrid, 26-28 de Febrero de 2001". *InDret*, (1), 8.

como fuerza mayor porque esta se halla prevista como causa de exclusión de la responsabilidad de la Administración en el artículo 106.2 CE y porque falta en los riesgos de progreso el requisito de la ajenidad que caracteriza a la fuerza mayor, imponiéndose su calificación como caso fortuito[38]. En este sentido, el magistrado don Jesús Ernesto Peces Morate, en el voto particular formulado a la sentencia del Tribunal Supremo de 31 de mayo de 1999[39] —al que se adhirió el magistrado don José Manuel Sieira Míguez—, consideró que la inoculación a un paciente del virus de la Hepatitis C a través de una transfusión sanguínea administrada antes de producirse el aislamiento del virus —situación calificable como riesgo de desarrollo— no podía estimarse fuerza mayor ante la carencia del elemento de ajenidad que la caracteriza, sino de caso fortuito, no derivándose, sin embargo, la responsabilidad de la Administración ante la falta de antijuridicidad del daño a los efectos del artículo 141.1 Ley 30/1992 —actual artículo 34.1 Ley 40/2015—. En contra, postula Mir Puigpelat que los riesgos de desarrollo no inciden en la antijuridicidad del daño ni representan un supuesto de fuerza mayor, sino que "constituye[n] un *título de no-imputación del daño* a la Administración", de suerte que "cuando el daño sufrido por la víctima haya derivado de un hecho inevitable o imprevisible según el estado de la ciencia o de la técnica, no nacerá la responsabilidad administrativa porque dicho daño no podrá ser *imputado* a la Administración que lo ha causado". En otros términos, "[e]l daño, pese a haber sido *causado* por la Administración, no le podrá ser *imputado*, porque no podrá ser considerado *obra* del servicio público"[40]. Finalmente, la jurisprudencia, aun sin pronunciarse en muchos casos de manera explícita sobre su calificación jurídica como

---

38 Seuba Torreblanca, J. C. (2002). *Op. cit.*, 305 y 306. *Vid.* también Montañés Castillo, L. Y. (2011). *Op. cit.*, 489; Busto Lago, J. M. (2014). *Op. cit.*, 2015.

39 TOL1.715.717.

40 Mir Puigpelat, O. (1999). "La reforma del sistema de responsabilidad patrimonial de las Administraciones Públicas operada por la Ley 4/1999, de 13 de enero, de modificación de la LRJPAC". *Revista Jurídica de Catalunya*, (v. 98, n. 4), 64.

> fuerza mayor o caso fortuito, se aviene sin desavenencias a la negación de la antijuridicidad de los riesgos de progreso[41].

En suma, la cláusula de los riesgos de desarrollo constituye una "aclaración del sistema de responsabilidad, donde se acogería un supuesto de ausencia de antijuridicidad"[42]. Ahora bien, únicamente conforman el estado de la ciencia y de la técnica a estos efectos los conocimientos verdaderamente científicos —excluyéndose, en consecuencia, los procedentes de las denominadas pseudociencias—[43]. Asimismo, se exige en tales conocimientos una difusión tal que permita que la información pueda llegar a todo especialista medio del sector, con independencia de la vía a través de la cual hayan sido divulgados[44].

Esta pareja de argumentos los recoge la sentencia del Tribunal Supremo de 22 de diciembre de 2001[45] en unos términos que, por su claridad expositiva, reproducimos literalmente:

> "Ciertamente que en el instituto de la responsabilidad patrimonial de la Administración el elemento de la culpabilidad del agente desaparece frente al elemento meramente objetivo del nexo causal entre la actuación del servicio público y el resultado lesivo o dañoso producido, si bien, cuando del servicio sanitario o médico se trata, el empleo de una técnica correcta es un dato de gran relevancia para decidir si hay o no relación de causalidad entre el funcionamiento del servicio público y el resultado producido ya que, cuando el acto médico ha sido

---

41 Por todas, SSTS de 25 de noviembre de 2000 —TOL1.716.872—, 14 de octubre de 2002 —TOL1.717.373— y 11 de noviembre de 2004 —TOL520.772—.

42 Rodríguez López, P. (2007). *Responsabilidad patrimonial... op. cit.*, 67 y 68.

43 Salvador Coderch, P. *et al.* (2001). "Los riesgos de..." *op. cit.*, 10.

44 Mir Puigpelat, O. (2000) *La responsabilidad patrimonial de la Administración sanitaria. Organización... op. cit.*, 279 y 280.

45 TOL4.977.066.

acorde con el estado del saber, resulta extremadamente complejo deducir si, a pesar de ello, causó el daño o más bien éste obedece a la propia enfermedad o a otras dolencias del paciente[46].

[...] Aun aceptando, pues, que algunas de las secuelas que sufre la recurrente tuvieran su causa en la intervención quirúrgica a la que fue sometida y no en su previo padecimiento, lo cierto es que la técnica quirúrgica empleada fue correcta de acuerdo con el estado del saber, de manera que sus resultados no habrían podido evitarse según el estado de los conocimientos de la dicha técnica quirúrgica, y, en consecuencia, el daño producido, de acuerdo con el citado artículo 141.1 de la Ley de Régimen Jurídico de las Administraciones Públicas y del Procedimiento Administrativo Común[47], no sería indemnizable por no tratarse de una lesión antijurídica sino de un riesgo que la paciente tiene el deber de soportar.

---

46 Abunda en esta línea el Consejo Consultivo de Andalucía en sus dictámenes nn. 409/2007, de 27 de julio de 2007; 121/2008, de 20 de febrero de 2008; 460/2008, de 9 de septiembre de 2008; 114/2009, de 18 de febrero de 2009; 651/2009, de 30 de septiembre de 2009; 0029/2010, de 20 de enero de 2010; 0111/2010, de 4 de marzo de 2010; 0235/2010, de 21 de abril de 2010; 0047/2011, 26 de enero de 2011; 0322/2011, de 18 de mayo de 2011; 0770/2011, de 29 de noviembre de 2011; 0296/2012, de 25 de abril de 2012; 0337/2012, de 2 de mayo de 2012; 0279/2014, de 22 de abril de 2014; 0696/2014, de 21 de octubre de 2014; 0778/2014, de 19 de noviembre de 2014; 0063/2016, de 27 de enero de 2016; 0431/2016, de 22 de junio de 2016; 0529/2016, de 8 de septiembre de 2016; 0651/2016, de 18 de octubre de 2016; 0729/2016, de 15 de noviembre de 2016; 0754/2016, de 23 de noviembre de 2016; 0755/2016, de 23 de noviembre de 2016; 0829/2016, de 21 de diciembre de 2016; 0060/2017, de 1 de febrero de 2017; 0108/2017, de 23 de febrero de 2017; 0157/2017, de 16 de marzo de 2017; 0276/2017 y 0278/2017, de 9 de mayo de 2017; 0346/2017, de 31 de mayo de 2017, entre otros.

47 Tras la derogación del art. 141 Ley 30/1992 esta referencia legal debe entenderse hecha al art. 34.1 Ley 40/2015.

> En definitiva, aunque concurriese el requisito del nexo causal, que la Sala de instancia pone en duda, nos encontramos ante la inexistencia de lesión o daño antijurídico, que es otro de los requisitos para que nazca la responsabilidad patrimonial de la Administración sanitaria, razón por la que el motivo de casación invocado no puede prosperar"[48].

En conclusión, debe descartarse el carácter objetivo de la responsabilidad patrimonial de la Administración y la consideración de esta última como aseguradora universal de todos los riesgos sociales, pues, aun cuando se mantenga que el funcionamiento normal de los servicios públicos no excluye la imputación objetiva de las lesiones, quedaría descartada la antijuridicidad del daño y, consiguientemente, la propia responsabilidad de la Administración.

Este razonamiento resulta plenamente predicable también en la hipótesis de aplicación de los sistemas de IA a los servicios sanitarios prestados en el seno de la Administración pública. Son muchas las posibles utilidades de la IA en este ámbito, pudiendo afectar al proceso de comunicación entre el profesio-

---

48 Esta misma doctrina se refleja en innumerables pronunciamientos del Tribunal Supremo, pudiendo citarse, a título meramente ejemplificativo, las SSTS de 26 de febrero de 2002 —TOL1.717.554—, 21 de octubre de 2002 —TOL1.717.374—, 17 de mayo de 2004 —TOL452.970—, 14 de marzo de 2005 —TOL633.629—, 10 de mayo de 2005 —TOL698.357—, 7 de marzo de 2007 —TOL1.049.993—, 4 de diciembre de 2007 —TOL1.214.193—, 30 de junio de 2010 —TOL1.920.409—, 29 de marzo de 2011 —TOL2.082.942—, 29 de junio de 2011 —TOL2.185.651—, 2 de noviembre de 2011 —TOL2.301.816—, 7 de diciembre de 2011 —TOL2.299.113—, 5 de junio de 2012 —TOL2.558.022—, 18 de junio de 2012 —TOL2.578.422—, 26 de junio de 2012 —TOL2.584.218—, 10 de julio de 2012 —TOL2.586.008—, 17 de julio de 2012 —TOL2.596.346—, 19 de septiembre de 2012 —TOL2.651.403—, 9 de octubre de 2012 —TOL2.668.624—, 21 de diciembre de 2012 —TOL2.722.733— y 30 de abril de 2013 —TOL3.706.438—.

nal y el paciente, a la propia realización del acto médico *stricto sensu* —ya lo lleve a cabo la máquina que ejecuta la IA de manera autónoma e independiente de la conducta humana o ya actúe aquella como asistente del profesional sanitario— o en la gestión global del sistema y sus recursos. Cualquiera que sea la aplicación de los sistemas de IA en los servicios sanitarios públicos, la Administración solo responderá de los daños cuando traigan causa en el funcionamiento anormal del servicio. Esta anormalidad que puede deberse, entre otras muchas causas, a un defecto en la fabricación, programación, marcha, actualización o revisión de los sistemas de IA que intervienen en la prestación del servicio[49], pero también a una decisión negligente del profesional sanitario. Y es que, aunque los sistemas de IA estén diseñados para funcionar con distintos niveles de autonomía respecto de la actuación humana, lo cierto es que la decisión última corresponde al profesional, quien, a tal efecto, deberá comprender, al menos, el razonamiento logarítmico que conduce al sistema a inferir una determinada información de salida a partir de unos particulares *imputs*[50]. En otros términos, comprendida la lógica interna del sistema, corresponde al profesional adoptar la decisión última, que puede consistir, incluso, en la no utilización de aquel. La diligencia del profesional en la adopción de las decisiones relativas a los actos médicos auxiliados por sistemas de IA será valorada a los efectos de determinar si la actuación del profesional se adecúa a la *lex artis ad hoc*, pues la utilización de tecnologías digitales avanzadas en la prestación de los servicios sanitarios en modo alguno exonera al profesional del empleo de todos los medios a su

---

49 Para un análisis de la responsabilidad por los daños causados por la IA como producto defectuoso, *vid.* Atienza Navarro, M. L. (2022). *Op. cit.*, 133 y ss.; Evangelio Llorca, R. (2024). *Op. cit.*, 166 y ss.

50 Luquin Bergareche, R. (2024). "Inteligencia artificial..." *op. cit.*, 491.

alcance para cumplir con la obligación de medios que, como regla general, tiene atribuida[51].

El binomio obligación de medios-obligación de resultado únicamente surte efectos cuando el profesional sanitario garantiza de manera expresa al paciente el éxito de la intervención o tratamiento o cuando la actuación por aquel comprometida consista en la entrega de una cosa corporal. En los restantes supuestos, la obligación asumida por el profesional sanitario es siempre de medios —y, consiguientemente, el de servicios médicos un contrato de arrendamiento de servicios—, con inde-

---

51 Luquin Bergareche, R. (2024). "Responsabilidad contractual por el uso de la IA en la prestación de servicios de telemedicina y aplicaciones de salud digital". En Álvarez Lata, N. (coord.), *Derecho de contratos, responsabilidad extracontractual e inteligencia artificial.* Aranzadi, 281. No existiendo un marco regulatorio específico, para la concreción de la *lex artis ad hoc* en el ámbito de la salud digital se atenderá al tradicional concepto de *lex artis* acuñado por la jurisprudencia —*mutatis mutandis*—, así como a las normas deontológicas, protocolos y guías de práctica clínica. En este sentido, Luquin Bergareche, R. (2024). "Inteligencia artificial..." *op. cit.*, 483; Luquin Bergareche, R. (2024). "La digitalización de los servicios de salud: implicaciones jurídicas de un nuevo paradigma". En Luquin Bergareche, R. (dir.), *Servicios privados de telemedicina y salud digital: desafíos e implicaciones jurídicas*, ed. digital. Tirant lo Blanch, 19. Sobre el valor de los protocolos y guías de práctica clínica en la configuración del estándar de diligencia del profesional sanitario, *vid.* Solé Feliú, J. (2024). "Responsabilidad civil y telemedicina: el valor de las guías de práctica clínica y protocolos en la determinación del estándar de diligencia". En Luquin Bergareche, R. (dir.), *Servicios privados de telemedicina y salud digital: desafíos e implicaciones jurídicas*, ed. digital. Tirant lo Blanch, 278 y ss.; Toral Lara, E. (2024). "La prestación de servicios de salud digital y la responsabilidad por incumplimiento: especial referencia a la telemedicina". En Luquin Bergareche, R. (dir.), *Servicios privados de telemedicina y salud digital: desafíos e implicaciones jurídicas*, ed. digital. Tirant lo Blanch, 332 y ss.

pendencia de la finalidad terapéutica o satisfactiva perseguida con la realización del acto médico[52].

2.2. Responsabilidad directa de la Administración pública y deber de repetir contra el agente

El examen de esta cuestión debe partir de la propia literalidad del artículo 36 Ley 40/2015, en virtud del cual:

> "Para hacer efectiva la responsabilidad patrimonial a la que se refiere esta Ley, los particulares exigirán directamente a la Administración Pública correspondiente las indemnizaciones por los daños y perjuicios causados por las autoridades y personal a su servicio".

Del precepto se infiere el carácter directo y exclusivo de la responsabilidad patrimonial de la Administración pública, de suerte que el particular lesionado en sus bienes y derechos por el funcionamiento de los servicios públicos que quiera ver resarcido su daño debe dirigirse exclusivamente contra la Administración, no pudiendo accionar directamente —ya sea en exclusiva o junto con la Administración respectiva— contra el concreto agente cuya acción u omisión es causa material del daño, salvo, obviamente, que su conducta sea constitutiva de ilícito penal[53]. Sin embargo, lo afirmado no empece que,

---

52 Para un análisis en profundidad, Cadenas Osuna, D. (2018). *El consentimiento informado y la responsabilidad médica.* BOE, 411 y ss.

53 En este último caso, el particular puede exigir la responsabilidad personal del agente conforme a la normativa criminal, debiendo la Administración, *ex* art. 121 CP, responder subsidiariamente "de los daños causados por los penalmente responsables de los delitos dolosos o culposos, cuando éstos sean autoridad, agentes y contratados de la misma o funcionarios públicos en el ejercicio de sus cargos o funciones siempre que la lesión sea consecuencia directa del funcionamiento de los servicios públicos que les estuviesen confiados,

cuando la demanda de responsabilidad patrimonial entablada contra la Administración se sustente en la actuación dolosa o gravemente culposa del agente, pueda este personarse en el proceso contencioso-administrativo con el fin de defenderse frente a unas acusaciones que, de resultar condenada la Administración con base en ellas, fundamentarían la posterior repetición contra el propio agente[54].

Por tanto, el carácter exclusivo de la responsabilidad de la Administración no entraña en modo alguno la irresponsabilidad del agente cuando de su conducta no se derive su responsabilidad criminal, pues, si bien el artículo 36.1 Ley 40/2015 veta al particular la posibilidad de accionar directamente contra el agente para exigirle su responsabilidad con base en la normativa administrativa, el apartado segundo de dicho precepto obliga a la Administración, "cuando hubiera indemnizado a los lesionados", a exigir "de oficio en vía administrativa de sus autoridades y demás personal a su servicio la responsabilidad en que hubieran incurrido por dolo, o culpa o negligencia graves, previa instrucción del correspondiente procedimiento". Se configura así la responsabilidad patrimonial del empleado público como una "cuestión interna" entre el mismo y la Administración[55]. De esta manera, son dos los requisitos

---

sin perjuicio de la responsabilidad patrimonial derivada del funcionamiento normal o anormal de dichos servicios exigible conforme a las normas de procedimiento administrativo, y sin que, en ningún caso, pueda darse una duplicidad indemnizatoria". Continúa el precepto: "Si se exigiera en el proceso penal la responsabilidad civil de la autoridad, agentes y contratados de la misma o funcionarios públicos, la pretensión deberá dirigirse simultáneamente contra la Administración o ente público presuntamente responsable civil subsidiario".

54 Busto Lago, J. M. (2014). *Op. cit.*, 1951.

55 Domínguez Luelmo, A. (2007). *Derecho sanitario y responsabilidad médica. Comentario a la Ley 41/2002, de 14 de noviembre, sobre derechos del*

cuyo cumplimiento se exige para que pueda hacerse efectiva la vía de repetición contra el agente: de un lado, el previo resarcimiento del lesionado por la Administración, que no puede, en consecuencia, financiar el pago de la indemnización al particular lesionado con la suma exigida previamente al funcionario causante del daño[56]; de otro, el resultado dañoso debe encontrar su causa en el dolo o la culpa o negligencia graves del agente. Cumplidos ambos requisitos, y previa instrucción del correspondiente procedimiento, la Administración queda obligada a exigir de oficio al agente la responsabilidad en que hubiera incurrido, lo que supone una diferencia fundamental con el régimen de la responsabilidad civil extracontractual por hecho ajeno, donde el artículo 1904.1 CC configura la vía de regreso como una facultad atribuida a quien paga el daño causado por sus dependientes[57]. Quien escribe estima absolutamente justificado el reconocimiento a la Administración del deber de repetir contra su personal, habida cuenta de que la responsabilidad patrimonial de aquella se satisface con dinero del erario público, debiendo extremarse las cautelas sobre el

---

paciente, información y documentación clínica, 2ª ed. Lex Nova, 96 y 97.

56 Parada Vázquez, J. R. (1999). *Op. cit.*, 35; Busto Lago, J. M. (2014). *Op. cit.*, 2072.

57 En su redacción original, el art. 145.2 de la derogada Ley 30/1992 configuraba la repetición contra el agente como una facultad discrecional de la Administración, estableciendo que esta, "cuando hubiere indemnizado directamente a los lesionados podrá exigir de sus Autoridades y demás personal a su servicio la responsabilidad en que hubieran incurrido por dolo, culpa o negligencia grave, previa la instrucción del procedimiento que reglamentariamente se establezca". No obstante, la Ley 4/1999 otorgó al citado precepto una nueva redacción en la que se reemplazaba el término "podrá" por la expresión "exigirá de oficio", lo que se traducía en la configuración de la vía de regreso como un deber —y no una facultad— de la Administración, habiendo seguido la vigente Ley 40/2015 la senda iniciada con la reforma operada en el año 1999.

destino de tales fondos en aras de evitar que las arcas del Estado hagan frente a la indemnización de un daño causado por el dolo o la culpa o negligencia graves de un agente al servicio de la Administración. Sin embargo, pese al carácter vinculante de la vía de regreso, resulta destacable el escaso número de ocasiones en las que la Administración hace uso de ella.

El dolo o la culpa o negligencia graves del agente que abren la vía de regreso a la Administración pueden apreciarse en la utilización de los sistemas de IA aplicados a los servicios sanitarios públicos. De esta suerte, por citar un ejemplo, la Administración deberá repetir contra su personal cuando haya previamente indemnizado a la víctima por los daños sufridos como consecuencia de una intervención quirúrgica que el profesional sanitario practicó con asistencia de un robot sin atender a la más mínima diligencia en su manipulación.

Finalmente, por lo que al *quantum* de la repetición respecta, establece el último inciso del artículo 36.2 Ley 40/2015 que, para la exigencia y cuantificación de la responsabilidad del agente se deben ponderar, *inter alia*, "el resultado dañoso producido, el grado de culpabilidad, la responsabilidad profesional del personal al servicio de las Administraciones públicas y su relación con la producción del resultado dañoso". Por tanto, a diferencia de lo que ocurre en la esfera de la responsabilidad vicaria, donde el artículo 1904 CC faculta a quien paga el daño causado por sus dependientes para repetir de estos "lo que hubiese satisfecho", en sede de responsabilidad patrimonial de la Administración no se impone la equivalencia entre la cantidad pagada al particular en concepto de indemnización y la que, *a posteriori*, la Administración repite del agente, pudiendo esta última cantidad ser incluso modificada por los tribunales en su procedencia o importe en caso de reclamación judicial del agente[58].

3. APLICACIÓN A LOS SERVICIOS SANITARIOS DEL RÉGIMEN DE RESPONSABILIDAD DEL ARTÍCULO 148 TRLGDCU

Como regla general, el artículo 147 Real Decreto Legislativo 1/2007, de 16 de noviembre, por el que se aprueba el texto refundido de la Ley General para la Defensa de los Consumidores y Usuarios y otras leyes complementarias —en adelante, TRLGDCU—, establece un régimen de responsabilidad subjetiva con inversión de la carga de la prueba de la culpa para los daños y perjuicios causados a los consumidores y usuarios por los prestadores de servicios, salvo que estos acrediten que han cumplido las exigencias y requisitos establecidos reglamentariamente y los demás cuidados y diligencias que imponga la naturaleza del servicio.

Como excepción a este régimen de responsabilidad, el artículo 148 TRLGDCU establece uno de índole aparentemente objetiva que abarca los daños originados en el correcto uso de aquellos servicios que, por su propia naturaleza o reglamentación, exijan la garantía de ciertos niveles de eficacia o seguridad determinados de manera objetiva y conlleven controles técnicos, profesionales o sistemáticos de calidad hasta llegar al consumidor y usuario en debidas condiciones. A este régimen

---

58 Por ello, sostiene Busto Lago que "no se trata tanto de una vía en virtud de la que la Administración repercute sobre el agente del daño como persona a su servicio la misma indemnización que tuvo que pagar a la víctima, sino que se configura como una nueva indemnización a la Administración consecuencia de la conducta desarrollada por el funcionario o persona a su servicio que estará en función de la responsabilidad profesional de éste" —*op. cit.*, 2077—.

de responsabilidad se someten, por imperativo del referido precepto, los servicios sanitarios, ya sea el prestador público o privado[59] y siempre que asuma el riesgo empresarial[60]. Quedando a salvo lo establecido en otras disposiciones legales, la responsabilidad prevista en el artículo 148 TRLGDCU tienen como límite la cuantía de 3.005.060,52 euros.

De la lectura del artículo 148 TRLGDCU parece inferirse el carácter objetivo del régimen de responsabilidad en él previsto, del que se excluyen solo los daños causados por un uso incorrecto de los servicios por el consumidor y usuario, *id est*, los que se deban a su culpa exclusiva[61]. Empero, no faltan en la doctrina voces que cuestionan la naturaleza objetiva de la responsabilidad establecida en la normativa de consumo, al entender que la misma, en su aplicación a los servicios sani-

---

59 Por la aplicación del régimen de responsabilidad del art. 148 TRLGDCU a los prestadores de servicios tanto públicos como privados se inclina la jurisprudencia. Por todas, SSTS de 21 de enero de 2021 —TOL8.301.657—, 28 de enero de 2021 —TOL8.310.447—, 9 de junio de 2021 —TOL8.485.165—, 17 de noviembre de 2021 —TOL8.667.678—, 1 de diciembre de 2021 —TOL8.692.044—, 23 de febrero de 2022 —TOL8.833.279— y 3 de marzo de 2022 —TOL8.830.256—. En contra, postula Santos Morón que los arts. 147 y 148 TRLGDCU se aplican únicamente a los servicios sanitarios privados —(2017). "La imputación de responsabilidad médica con base en las normas de protección de consumidores: el artículo 148 TRLC". *Anuario de Derecho Civil*, (t. LXX, fasc. I), 123—.

60 Santos Morón, M. J. (2017). *Op. cit.*, 123.

61 STS —Sala de lo Civil— de 1 de julio de 1997 —TOL5.156.484—. En la doctrina, véase Díaz-Regañón García-Alcalá, C. (1996). *El régimen de la prueba en la responsabilidad civil médica. Hechos y Derecho*. Aranzadi, 375; Rebollo Puig, M. (2011). "La responsabilidad del prestador de servicios en la legislación de consumidores y usuarios". En López y García de la Serrana, J. y Cid Luque, A. (coords.), *Ponencias XI Congreso Nacional (Córdoba, Mayo 2011) sobre responsabilidad civil en general*. Sepin, 462 y 463.

tarios, presupone la negligencia del establecimiento de salud por incumplimiento de los niveles de eficacia y seguridad y los controles técnicos, profesionales o sistemáticos de calidad que menciona el artículo 148 TRLGDCU. En otros términos, solo cuando el servicio sea defectuoso se imputarán los daños al prestador. Esta es la conclusión a la que llega Santos Morón con base en la noción de defecto, que, según la autora, debería guiar la aplicación del artículo 148 TRLGDCU. De esta suerte, solo cuando el servicio sea defectuoso —esto es, cuando no cumpla con las condiciones y niveles de seguridad que legítimamente pueden esperarse del mismo[62]— podrá aplicarse al prestador el régimen de responsabilidad de la normativa de consumo[63]. En contra, defienden otros autores que el régimen de responsabilidad previsto en la normativa de consumo sí presenta carácter objetivo, pues impone que el servicio del que se deriva el resultado lesivo incluya ciertas medidas de seguridad, pero no que las mismas sean incumplidas para que surja el deber de resarcir el daño[64].

La jurisprudencia aplica sin reparos el régimen de responsabilidad del artículo 148 TRLGDCU a los servicios sanitarios, si bien "desnatando" su naturaleza objetiva cuando se aplica a daños que traen causa en actos médicos propiamente dichos. En esta sede, los tribunales aplican la normativa de consumo,

---

62 Sobre el concepto de servicio médico defectuoso, véase Santos Morón, M. J. (2017). *Op. cit.*, 135 y ss.

63 *Ibid.*, 129. A igual conclusión llega Evangelio Llorca con fundamento en el sentido común y en la rúbrica del Libro III TRLGDCU, a saber, "Responsabilidad civil por bienes o servicios defectuosos" —*op. cit.*, 193—. *Vid.* también Díaz-Regañón García-Alcalá, C. (1996). *El régimen de… op. cit.*, 381 y ss.; Díaz-Regañón García-Alcalá, C. (2006). *Responsabilidad objetiva y nexo causal en el ámbito sanitario.* Comares, 115; Galán Cortés, J. C. (2016). *Responsabilidad civil médica*, 5ª ed. Aranzadi, 410.

64 Por todos, Plaza Penadés, J. (2002). *Op. cit.*, 117.

generalmente, junto con los artículos 1101, 1902 y 1903 CC, esto es, cuando la culpa del establecimiento sanitario ha sido acreditada, sea de modo directo o a través de presunciones. Así pues, aun cuando la jurisprudencia aplica el régimen de responsabilidad del artículo 148 TRLGDUC, declarando abiertamente su carácter objetivo, el substrato del fallo se fundamenta ostensiblemente en la culpa[65]. Esta doctrina se manifiesta en la sentencia del Tribunal Supremo de 21 de julio de 1997[66], en un supuesto de infección nosocomial en el que la demandante ingresó en un centro sanitario por una fractura de resultas de una caída y, tras diversas curas e intervenciones quirúrgicas, acaba con una pierna amputada. Sobre esta base, declaró el Tribunal la responsabilidad directa del Instituto Nacional de la Salud en virtud del artículo 1903 IV CC y la responsabilidad objetiva tanto por la objetivación creciente de la responsabilidad civil extracontractual como por aplicación de la legislación de consumo. Sobre esta sentencia, y la previa de 1 de julio de 1997[67], postula DÍAZ-REGAÑÓN GARCÍA-ALCALÁ que, aunque tienen el mérito de mencionar a la normativa de consumidores en la fundamentación jurídica del fallo condenatorio, "tan solo se queda en una alusión meramente formal, ya que, como bien se ha dicho, la aplicación de aquellos preceptos constituyen [*sic*] un *obiter dicta*", pues "[l]a verdadera *ratio* no es otra que la aplicación de la culpa como criterio de imputación de la responsabilidad"[68]. En definitiva, siempre que los tribuna-

---

65 Abundan en esta línea Díaz-Regañón García-Alcalá, C. (2006). *Responsabilidad objetiva... op. cit.*, 183; Asúa González, C. I. (2014). "Responsabilidad civil..." *op. cit.*, 418.

66 TOL3.363.794.

67 TOL5.156.484.

68 Díaz-Regañón García-Alcalá, C. (2014). *Responsabilidad objetiva y... op. cit.*, 184. Véanse también las SSTS —Sala de lo Civil— de 9 de junio de 1998 —TOL5.120.041—, 18 de junio de 1998 —TOL2.044.737—, 9 de diciembre de 1998 —TOL4.035.980—, 5 de enero de 2007

les aplican el artículo 148 TRLGDCU, o bien fundamentan la condena de prestador del servicio también en un régimen de responsabilidad de corte subjetivo —arts. 1101, 1902 y 1903 CC— o bien, aunque resulta poco frecuente, condenan con base exclusivamente en el artículo 148 TRLGDCU, si bien considerando acreditada la existencia de culpa o negligencia del prestador. En este sentido se pronuncia ASÚA GONZÁLEZ, quien, para sustentar su razonamiento, realiza un recorrido por las sentencias en las que el Tribunal Supremo estimó aplicable el artículo 28 de la derogada Ley 26/1984, de 19 de julio, General para la Defensa de los Consumidores y Usuarios[69], análisis que le permite llegar a la siguiente conclusión: el precepto está relegado a un papel reforzador de la objetivación de otros artículos cuya aplicación requiere la culpa, siendo escasos los pronunciamientos en los que el Alto Tribunal se ha apartado de esta tendencia negacionista del papel autónomo del artículo 148 TRLGDCU incidiendo en la posibilidad de su aplicación aun cuando no se hubiera apreciado un actuar culposo en el prestador del servicio[70].

Sobre esta base, podemos concluir que la jurisprudencia restringe la aplicación del régimen de responsabilidad del artículo 148 TRLGDCU, en su concepción netamente objetiva —*id est*, sin fundamento en la actuación culposa del prestador del servicio—, a los aspectos organizativos o de prestación de los servicios sanitarios —no afectando, en consecuencia, a los

---

—TOL1.040.249—, 16 de abril de 2007 —TOL1.075.934— y 4 de julio de 2007 —TOL1.113.032—.

69 Entiéndase hoy la referencia hecha al art. 148 TRLGDCU.

70 Asúa González, C. I. (2007). "Responsabilidad sin culpa en la medicina privada: el artículo 28 LGDCU". En Moreno Martínez, J. A. (coord.), *La responsabilidad civil y su problemática actual.* Dykinson, 49 y ss.

actos médicos *stricto sensu*—[71]. En los últimos años ha crecido exponencialmente la aplicación de los sistemas de IA en la organización de los servicios sanitarios. Así ocurre, *exempli gratia*, cuando se emplea la IA para el triaje de los pacientes en el servicio de urgencias de los establecimientos sanitarios o para el almacenamiento de productos. En tales hipótesis, el prestador del servicio responderá de los daños que se causen al paciente, incluso cuando el servicio se haya desarrollado con absoluta normalidad y no haya existido culpa del prestador ni un funcionamiento defectuoso del sistema de IA.

4. REFERENCIAS BIBLIOGRÁFICAS

Asúa González, C. I. (2000). "Responsabilidad Sanitaria". En Díaz Alabart, S. y Asúa González, C. I., *Responsabilidad de la Administración en la sanidad y en la enseñanza*. Editorial Montecorvo, 177-298.

(2007). "Responsabilidad sin culpa en la medicina privada: el artículo 28 LGDCU". En Moreno Martínez, J. A. (coord.), *La responsabilidad civil y su problemática actual*. Dykinson, 35-66.

(2014). "Responsabilidad civil médica". En Reglero Campos, L. F. y Busto Lago, J. M. (coords.), *Tratado de responsabilidad civil*, Tomo II, 5ª ed. Aranzadi, 331-438.

[71] Por todas, SSTS —Sala de lo Civil— de 26 de marzo de 2004 —TOL376.561—, 7 de mayo de 2007 —TOL1.106.756—, 15 de noviembre de 2007 —TOL1.221.223—, 28 de noviembre de 2007 —TOL1.213.859—, 4 de diciembre de 2007 —TOL1.256.811—, 23 de octubre de 2008 —TOL1.389.660—, 4 de junio de 2009 —TOL1.547.703—, 20 de julio de 2009 —TOL1.577.955—, 20 de noviembre de 2009 —TOL1.748.410—, 29 de octubre de 2010 —TOL1.991.910—, 25 de noviembre de 2010 —TOL2.008.895—, 20 de mayo de 2011 —TOL2.129.823—, 16 de enero de 2012 —TOL2.411.900—, 18 de mayo de 2012 —TOL2.538.591—, 28 de junio de 2013 —TOL3.843.023—, 3 de julio de 2013 —TOL3.846.412— y 18 de julio de 2019 —TOL7.482.410—.

Atienza Navarro, M. L. (2022). Daños causados por inteligencia artificial y responsabilidad civil. Atelier.

Beladíez Rojo, M. (1997). *Responsabilidad e imputación de daños por el funcionamiento de los servicios públicos.* Tecnos.

Bello Janeiro, D. (2009). *Responsabilidad civil del médico y responsabilidad patrimonial de la Administración sanitaria.* Editorial Reus.

Bertolini, A. (2020). *Artificial Intelligence and Civil Liability. Legal Affairs,* informe realizado a petición del *European Parliament´s Committee on Legal Affairs.* Disponible en https://www.europarl.europa.eu/RegData/etudes/STUD/2020/621926/IPOL_STU(2020)621926_EN.pdf (recuperado el 30 de junio de 2025).

Blas Orbán, C. (2006). *El equilibrio en la relación médico-paciente.* Bosch.

Busto Lago, J. M. (2014). "La responsabilidad civil de las Administraciones Públicas". En Reglero Campos, L. F. y Busto Lago, J. M. (coords.), *Tratado de responsabilidad civil,* Tomo II, 5ª ed. Aranzadi, 1937-2140.

Cadenas Osuna, D. (2018). *El consentimiento informado y la responsabilidad médica.* BOE.

Calvo Sánchez, M. D. (2014). "Responsabilidad de la Administración sanitaria por la actuación de los profesionales de la Medicina". En Llamas Pombo, E. (dir.), *Estudios sobre la responsabilidad sanitaria: Un análisis interdisciplinar.* La Ley, 341-434.

Cueto Pérez, M. (1997). *La responsabilidad de la Administración en la asistencia sanitaria.* Tirant lo Blanch.

De Ángel Yagüez, R. (2008). "El complejo régimen de responsabilidad por asistencia sanitaria". En Adroher Biosca, S. y De Montalvo Jääskeläinen, F. (dirs.), *Los avances del Derecho ante los avances de la Medicina.* Aranzadi, 185-211.

Díaz-Regañón García-Alcalá, C. (1996). *El régimen de la prueba en la responsabilidad civil médica. Hechos y Derecho.* Aranzadi.

(2006). *Responsabilidad objetiva y nexo causal en el ámbito sanitario.* Comares.

Domínguez Luelmo, A. (2007). *Derecho sanitario y responsabilidad médica. Comentario a la Ley 41/2002, de 14 de noviembre, sobre derechos del paciente, información y documentación clínica,* 2ª ed. Lex Nova.

Evangelio Llorca, R. (2024). "Responsabilidad civil e inteligencia artificial en el ámbito sanitario: posibles vías de reclamación". En Moreno Martínez, J. A. y Femenía López, P. J. (coords.), *Inteligencia artificial y Derecho de daños: cuestiones actuales. Acorde al Reglamento (UE) 2024/1689.* Dykinson, 149-222.

Galán Cortés, J. C. (2016). *Responsabilidad civil médica*, 5ª ed. Aranzadi.

Gómez Calle, E. (1998). "El fundamento de la responsabilidad civil en el ámbito médico-sanitario". *Anuario de Derecho Civil*, (v. 51, n. 4), 1693-1768.

González Morán, L. (2008). "¿Crisis de la responsabilidad objetiva de las administraciones públicas sanitarias?". En Adroher Biosca, S. y De Montalvo Jääskeläinen, F. (dirs.), *Los avances del Derecho ante los avances de la Medicina*. Aranzadi, 157-171.

Guerrero Zaplana, J. (1999). "La responsabilidad patrimonial de la Administración en el ámbito sanitario público". En Bello Janeiro, D. (dir.), *La responsabilidad patrimonial de las Administraciones Públicas*. Escola Galega de Administración Pública, 169-188.

Lledó Yagüe, F. (2012). "Prólogo motivado: el estado de la cuestión. La responsabilidad en el acto médico". En Lledó Yagüe, F. y Morillas Cueva, L. (dirs.), *Responsabilidad médica civil y penal por presunta mala práctica profesional (El contenido reparador del consentimiento informado)*. Dykinson, 17-20.

López y García de la Serrana, J. (2011). "La responsabilidad patrimonial de las Administraciones Públicas". En López y García de la Serrana, J. y Cid Luque, A. (coords.), *Ponencias XI Congreso Nacional (Córdoba, Mayo 2011), sobre responsabilidad civil en general*. Sepin, 327-380.

Luquin Bergareche, R. (2024). "Inteligencia artificial en la prestación de servicios de salud: funcionalidades, riesgos y responsabilidad civil". En Moreno Martínez, J. A. y Femenía López, P. J. (coords.), *Inteligencia artificial y Derecho de daños: cuestiones actuales. Acorde al Reglamento (UE) 2024/1689*. Dykinson, 481-538.

(2024). "La digitalización de los servicios de salud: implicaciones jurídicas de un nuevo paradigma". En Luquin Bergareche, R. (dir.), *Servicios privados de telemedicina y salud digital: desafíos e implicaciones jurídicas*, ed. digital. Tirant lo Blanch, 13-75.

(2024). "Responsabilidad contractual por el uso de la IA en la prestación de servicios de telemedicina y aplicaciones de salud digital". En Álvarez Lata, N. (coord.), *Derecho de contratos, responsabilidad extracontractual e inteligencia artificial*. Aranzadi, 265-337.

Martínez-Pereda Rodríguez, J. M. (2008). "La responsabilidad de la Administración Pública por los daños derivados de acto ilícito. Leyes 30/1992, de 26 de noviembre y 4/1999, de 13 de enero, de modificación de la Ley 30/1992. Indemnización a las víctimas del terrorismo. Ayuda a las víctimas de delitos violentos y contra la libertad sexual".

En Sierra Gil de la Cuesta, I. (coord.), *Tratado de responsabilidad civil,* Tomo II, 2ª ed. Bosch, 973-999.

Mir Puigpelat, O. (1999). "La reforma del sistema de responsabilidad patrimonial de las Administraciones Públicas operada por la Ley 4/1999, de 13 de enero, de modificación de la LRJPAC". *Revista Jurídica de Catalunya,* (v. 98, n. 4), 49-90.

(2000). *La responsabilidad patrimonial de la Administración sanitaria. Organización, imputación y causalidad.* Civitas.

(2012). *La responsabilidad patrimonial de la Administración. Hacia un nuevo sistema,* IBdeF.

Montañés Castillo, L. Y. (2011). "Los requisitos de la responsabilidad patrimonial en materia sanitaria". En Gallardo Castillo, M. J. (dir.), *La responsabilidad jurídico-sanitaria.* La Ley, 437-492.

Muñoz Machado, S. (1994). "Responsabilidad de los médicos y responsabilidad de la Administración Sanitaria (Con algunas reflexiones sobre las funciones actuales de la responsabilidad civil)". *Documentación administrativa. Ejemplar dedicado a: La responsabilidad patrimonial de las Administraciones Públicas,* (237-238), 255-282.

Organización Mundial de la Salud. (2021). *Estrategia mundial sobre salud digital 2020-2025.* Disponible en https://iris.who.int/bitstream/handle/10665/344251/9789240027572-spa.pdf (recuperado el 30 de junio de 2025).

Pantaleón Prieto, Á. F. (1995). *Responsabilidad médica y responsabilidad de la Administración (Hacia una revisión del sistema de responsabilidad patrimonial de las Administraciones Públicas).* Civitas.

Parada Vázquez, J. R. (1999). "Responsabilidad patrimonial de los funcionarios y de la Administración". En Bello Janeiro, D. (dir.), *La responsabilidad patrimonial de las Administraciones Públicas.* Escola Galega de Administración Pública, 31-68.

Plaza Penadés, J. (2002). *El nuevo marco de la responsabilidad médica y hospitalaria.* Aranzadi, Monografía asociada a Revista Aranzadi de Derecho Patrimonial, (7).

Rebollo Puig, M. (2011). "La responsabilidad del prestador de servicios en la legislación de consumidores y usuarios". En López y García de la Serrana, J. y Cid Luque, A. (coords.), *Ponencias XI Congreso Nacional (Córdoba, Mayo 2011) sobre responsabilidad civil en general.* Sepin, 445-479.

Rodríguez López, P. (2004). *Nuevas formas de gestión hospitalaria y responsabilidad patrimonial de la Administración.* Dykinson.

(2007). *Responsabilidad patrimonial de la Administración en materia sanitaria.* Atelier.

Salvador Coderch, P. *et al.* (2001). "Los riesgos de desarrollo. Ministerio de Sanidad y Consumo, Consejo General del Poder Judicial, Madrid, 26-28 de Febrero de 2001". *InDret,* (1), 1-30.

(2002). "Respondeat Superior I". *InDret,* (2), 1-19.

Sánchez Jordán, M. E. (1999). "Los riesgos del desarrollo, causa de exoneración en algunos supuestos de responsabilidad patrimonial de la Administración". *DS: Derecho y salud,* (v. 7, n. 1), 93-103.

Santos Morón, M. J. (2017). "La imputación de responsabilidad médica con base en las normas de protección de consumidores: el artículo 148 TRLC". *Anuario de Derecho Civil,* (t. LXX, fasc. I), 119-164.

Secretaría General de Salud Digital, Información e Innovación para el SNS (2021). *Estrategia de Salud Digital. Sistema Nacional de Salud,* 2021. Disponible en https://www.sanidad.gob.es/areas/saludDigital/doc/Estrategia_de_Salud_Digital_del_SNS.pdf (recuperado el 30 de junio de 2025).

Seuba Torreblanca, J. C. (2002). *Sangre contaminada, la responsabilidad civil y ayudas públicas. Respuestas jurídicas al contagio transfusional del SIDA y de la Hepatitis.* Civitas.

Solé Feliú, J. (2024). "Responsabilidad civil y telemedicina: el valor de las guías de práctica clínica y protocolos en la determinación del estándar de diligencia". En Luquin Bergareche, R. (dir.), *Servicios privados de telemedicina y salud digital: desafíos e implicaciones jurídicas,* ed. digital. Tirant lo Blanch, 261-296.

Toral Lara, E. (2024). "La prestación de servicios de salud digital y la responsabilidad por incumplimiento: especial referencia a la telemedicina". En Luquin Bergareche, R. (dir.), *Servicios privados de telemedicina y salud digital: desafíos e implicaciones jurídicas,* ed. digital. Tirant lo Blanch, 297-348.

Villar Rojas, F. J. (2002). *La responsabilidad de las Administraciones sanitarias: fundamento y límites.* Wolters Kluwer.

Capítulo VI.

Proveedores digitales en la intersección normativa europea: categorías funcionales, responsabilidad y dinámicas de convergencia regulatoria

JAVIER DOMÍNGUEZ ROMERO
Universidad Pablo de Olavide, de Sevilla

1. INTERMEDIACIÓN DIGITAL Y DERECHO DE LA UNIÓN: CONTEXTO Y ENFOQUE

La progresiva digitalización de la economía y la sociedad ha dado lugar a un entorno normativo de creciente complejidad, en el que la figura del proveedor de servicios digitales –en particular, aquellos prestadores que desempeñan funciones de intermediación– ocupa una posición estratégica. Sin generar directamente el contenido ni intervenir en todas las fases de la relación jurídica, dicha figura condiciona de forma determinante el acceso, la circulación y la exposición pública de información, obras productos y servicios. En este contexto, el Derecho de la Unión Europea ha debido enfrentarse a un doble objetivo: por una parte, preservar la innovación tecnológica y el mercado interior; por otra, garantizar niveles adecuados de protección para consumidores, usuarios y titulares de derechos.

Frente a esa tensión, el legislador europeo ha optado por una técnica normativa que, lejos de plantear un enfoque unívoco, articula un sistema por capas y funciones. La piedra angular de esta arquitectura es la noción general de servicio de la sociedad de la información, sobre la que se han ido construyendo distintas subcategorías funcionales, según la actividad prestada, su impacto y los riesgos asociados. Esta clasificación no solo cumple una función organizativa, sino que determina el alcance de las obligaciones normativas, el régimen de responsabilidad y los posibles mecanismos de exención.

En este desarrollo legislativo conviven distintos modelos regulatorios: por un lado, un modelo horizontal, basado en normas aplicables con independencia del contenido gestionado o el sector afectado, y cuyo exponente significativo es el régimen de exenciones condicionales introducido primero por la Directiva sobre Comercio Electrónico[1] (en adelante, DCE) y hoy actualizado por el Reglamento de Servicios Digitales[2] (en

---

1 Directiva 2000/31/CE, de 8.6.2000, relativa a determinados aspectos jurídicos de los servicios de la sociedad de la información, en particular el comercio electrónico en el mercado interior (TOL153.209).

2 Reglamento (UE) 2022/2065, de 19.10.2022, relativo a un mercado único de servicios digitales y por el que se modifica la Directiva 2000/31/CE (TOL9.264.851).

adelante, DSA); por otro lado, un modelo vertical, orientado a sectores o finalidades concretas, como ocurre en materia de derechos de autor con la Directiva sobre el Mercado Único Digital[3] (en adelante, DMUD) la cual incorpora normas propias para ciertos prestadores que difunden masivamente contenidos protegidos. Esta coexistencia de regímenes implica lógicas normativas diferentes –general y específica– que pueden superponerse o excluirse según la figura y el supuesto concreto.

El presente estudio se sitúa en este punto de cruce entre categorías jurídicas, funciones técnicas y regímenes normativos. Se busca identificar las lógicas que subyacen a la evolución del Derecho europeo en materia de servicios digitales, poniendo especial atención en cómo la función desempeñada por cada proveedor determina su encuadre y el conjunto de obligaciones y responsabilidades que le son aplicables. A tal efecto, se abordarán los criterios que estructuran esta clasificación funcional, examinándose las zonas de convergencia o fricción entre figuras como las plataformas en línea y los prestadores de servicios para compartir contenidos, y se analizarán las implicaciones derivadas de los distintos regímenes aplicables, tanto desde una perspectiva sistemática como práctica.

2. ECOSISTEMA DIGITAL EUROPEO: CLASIFICACIÓN FUNCIONAL Y DIMENSIÓN ECONÓMICA DE LAS PLATAFORMAS

La creciente importancia de las plataformas *online* para la economía digital es un hecho incontestable, tanto que su continuo desarrollo se viene produciendo objetivamente a un rit-

---

3 Directiva 2019/790, de 17.4.2019, sobre los derechos de autor y derechos afines en el mercado único digital y por la que se modifican las Directivas 96/9/CE y 2001/29/CE (TOL7.219.009).

mo nunca antes visto en cualquier otro sector económico. No es de extrañar pues el compromiso que ya en el año 2015 asumiera la Comisión Europea, vía comunicación, en orden a realizar una evaluación integral del papel de dichas plataformas[4].

Sin embargo, hemos tenido que esperar hasta la DSA para contar por fin con un concepto jurídico normativo de plataforma en línea, con independencia de que para entonces ya se habían perfilado ciertos rasgos comunes e identificado múltiples ámbitos funcionales de este tipo de proveedores digitales[5]. Y si bien es cierto que la definición alumbrada debe entenderse a los efectos del Reglamento[6], la misma ya ha trascendido su ámbito original al servir como referente en instrumentos legis-

4 COMISIÓN EUROPEA, "Una Estrategia para el Mercado Único Digital de Europa", COM(2015) 192 final, 6.5.2015.

5 En cuanto a las características clave que comparten las plataformas en línea, la Comisión Europea identificó las siguientes: capacidad para crear y modelar nuevos mercados, así como para organizar nuevas formas de participación o efectuar en línea negocios consistentes en la recogida, tratamiento y edición de grandes cantidades de datos; actuación en mercados plurifacéticos con diversos grados de control sobre las interacciones entre grupos de usuarios; uso de tecnologías de la información y comunicación para facilitar dichas interacciones; desempeño de papel crucial en la creación de valor digital, facilitando nuevos proyectos empresariales y creando nuevas dependencias estratégicas. Respecto a la gama de actividades que cubrirían las plataformas *online*, la Comisión apuntó las de publicidad en línea, mercados online, motores de búsqueda, redes sociales y medios de difusión de contenidos creativos, plataformas de distribución de aplicaciones, servicios de comunicación, sistemas de pago y plataformas dedicadas a la economía colaborativa. Vid. COMISIÓN EUROPEA, "Las plataformas en línea y el mercado único digital. Retos y oportunidades para Europa", COM(2016) 288 final, Bruselas, 25.5.2016, pp. 2 y 3.

6 Como advierte el art. 3 DSA, cuya letra i) contiene la referida noción.

lativos de la Unión mediante la técnica de remisión[7], usual en directivas y reglamentos por parte del legislador europeo a fin de lograr una coherencia conceptual.

2.1. Plataforma en línea como subtipo de hosting: elementos jurídicos y límites funcionales

Esa noción de plataforma *online* es la última de un conjunto de figuras normativas con relevancia jurídica en materia digital europea y encuadre en la categoría matriz de "servicios de la sociedad de la información"[8] (en adelante, SSI), comprensiva de todo servicio prestado por vía electrónica, a distancia y petición individual del destinatario[9], rezando así también en letra

---

7 Ejemplo reciente de ello es el Reglamento 2024/900, de 13.3.2024, sobre transparencia y segmentación en la publicidad política (TOL10.017.198), cuyo artículo 3.8 remite a la DSA para la definición de plataforma en línea de muy gran tamaño.

8 La primera norma europea que abordó tales servicios fue la Directiva 98/34/CE, de 22.6.1998 (TOL173.307) tras la modificación operada por la Directiva 98/48/CE, de 20.7.1998 (TOL173.308), la cual vino a incluir los servicios de la sociedad de la información en el ámbito de aplicación de aquélla, de manera que, entre otros cambios –como la mención de las reglas relativas a dichos servicios, añadida in fine al propio título de la Directiva 98/34–, se añadió un punto 2 al art. 1 de la Directiva 98/34 para recoger la definición de esos servicios, noción que luego pasaría a la Directiva 2015/1535, de 9.9.2015 (TOL5.506.061), que sustituyó a la Directiva 98/34.

9 Servicio prestado normalmente a cambio de una remuneración, como reza la definición del art. 1.1.b) de la Directiva 2015/1535, recogiendo así la noción ex art. 2.1 de la Directiva 98/34 en sus mismos términos, tanto que contiene la remisión a la lista indicativa de servicios no cubiertos por tal definición, lista presente en el anexo I de la Directiva 2015/1535, heredero del anexo V de la Directiva 98/34.

a) del Anexo de la Ley 34/2002 de Servicios de la Sociedad de la Información (TOL164.416) (en adelante, LSSI).

Partiendo de dicha categoría matriz el legislador europeo ha ido construyendo subcategorías y figuras más acotadas, según el tipo de función desempeñada o del riesgo jurídico asociado al concreto servicio a prestar; entre aquéllas destaca particularmente la de "servicio intermediario", que la DSA define en su artículo 3.g) como uno de los siguientes SSI: mera transmisión, memoria caché y alojamiento de datos (*hosting*). Estos tres tipos de servicios ya se recogían como SSI en la DCE –transpuesta por la LSSI– al establecer en sus artículos 12 a 15 el marco horizontal de exenciones condicionales de la responsabilidad de los prestadores de servicios intermediarios[10] (y definir "prestador de servicios" como cualquier persona física o jurídica que suministre SSI, art. 2.b DCE, *idem* letra *c* del Anexo LSSI); un marco que, pese a la supresión de los referidos preceptos de la DCE, conserva la DSA en su Capítulo II[11] por razo-

---

10 La DCE no contempla la noción de "servicio intermediario" pero sí su tipología como tal servicio en la Sección 4 y el contenido de cada tipo específico en los arts. 12.1, 13.1 y 14.1 DCE, que reproduce el art. 3.g) DSA en sus romanillos i), ii) y iii), respectivamente. Por tanto, la DSA vino a aclarar lo que ya se deducía de la DCE, añadiendo el considerando 29 DSA ejemplos de los tres tipos de servicios intermediarios. En España, la letra b) del Anexo LSSI define "servicio de intermediación" como servicio de la sociedad de la información por el que se facilita la prestación o utilización de otros SSI o el acceso a la información; definición que si bien hace referencia principalmente a los servicios previstos en los arts. 14-16 LSSI, los cuales corresponden a los de los arts. 12-14 DCE, también incluye otros en la enumeración del pfo. II de dicha letra b), concretamente la provisión de instrumentos de búsqueda, acceso y recopilación de datos o enlaces a otros sitios, que no gozarían de las exenciones de responsabilidad *ex* arts. 14-16 LSSI.

11 La modificación de la DCE operada por la DSA se centró en la supresión de los arts. 12-15 DCE, cuyas referencias han de entenderse

nes de seguridad jurídica, teniendo presente la jurisprudencia del Tribunal de Justicia de la Unión Europea[12].

Pues bien, según el artículo 3.i) DSA "plataforma en línea" constituye un tipo de servicio de *hosting*, concretamente aquél que no solo almacena información proporcionada por los destinatarios del servicio a petición de estos (actividad definitoria de los servicios de almacenamiento de datos *ex* art. 3.g.iii DSA), sino que además difunde dicha información al público también a petición de sus destinatarios.

Por "difusión al público" se entiende el poner información a disposición de un número potencialmente ilimitado de personas –ergo no serían plataformas *online* los correos electrónicos ni los servicios de mensajería privada[13]– a petición directa del destinatario del servicio que ha facilitado la información, lo que implica hacer ésta sea fácilmente accesible para los destinatarios del servicio en general, sin necesidad de que quien la proporcione haga nada más y con independencia de

hechas (según art. 89 DSA) a los artículos 4 a 6 y 8 DSA.

12 Según el considerando 16 DSA, la seguridad jurídica proporcionada por dicho marco establecido por la DCE hizo posible el surgimiento y desarrollo de múltiples servicios novedosos en el mercado interior, lo cual lleva a su conservación, incorporándolo a la DSA con la necesaria precisión de elementos de tal marco a la vista de la jurisprudencia del TJUE.

13 Servicios de comunicaciones interpersonales definidos en el art. 2.5 de la Directiva 2018/1972, de 11.12.2018, por la que se establece el Código Europeo de las Comunicaciones Electrónicas (TOL7.152.022), servicios que, como advierte el considerando 14 DSA, quedan fuera del ámbito de la noción de plataforma *online* porque se utilizan para la comunicación interpersonal entre un número finito de personas determinado por el remitente de la comunicación; lo cual no es predicable de los servicios que permitan poner información a disposición de un número potencialmente ilimitado de destinatarios, no determinado por dicho remitente, por ejemplo a través de grupos públicos o canales abiertos.

si dichas personas acceden efectivamente a la información en cuestión[14]. Aclara la DSA que, a sus efectos, los servicios de computación en nube y de alojamiento web que sirven como infraestructura no deben ser considerados en sí mismos servicios de difusión al público de la información almacenada o tratada a petición de un destinatario de la aplicación, el sitio web o la plataforma que alojen[15]. Ahora bien, la DSA excluye de la consideración de plataforma en línea al servicio de *hosting* cuando la difusión que realice suponga una característica menor y meramente accesoria de otro servicio o bien una funcionalidad menor del servicio principal, y dicha característica o funcionalidad no pueda utilizarse, por razones técnicas objetivas, sin ese otro servicio[16].

---

14 Art. 3.k) y considerando 14 DSA, el cual añade por tanto que cuando el acceso a la información requiera la inscripción o la admisión en un grupo de destinatarios del servicio, solo debe considerarse que ha sido difundida al público cuando los destinatarios del servicio que deseen acceder a la información se inscriban o sean admitidos automáticamente sin que un ser humano decida o escoja a quién se concede el acceso.

15 Considerando 13.II DSA, poniendo como ejemplos los servicios infraestructurales de almacenamiento y computación para una aplicación basada en internet, un sitio web o una plataforma en línea.

16 Exclusión, contenida en el propio art. 3.i) DSA –el cual *in fine* añade la necesidad de que la integración de esa característica o funcionalidad no sea un medio para eludir la aplicabilidad de las disposiciones de la DSA a las plataformas *online*–, que el considerando 13.I DSA justifica en la evitación de obligaciones excesivamente generales, poniendo como ejemplo la sección de comentarios de un periódico *online* cuando no haya duda de que es auxiliar al servicio principal constituido por la publicación de noticias bajo la responsabilidad editorial del editor; no así el almacenamiento de comentarios en una red social, que debería considerarse un servicio de plataforma *online* cuando resulte indudable que no es una característica menor del servicio ofrecido, por muy accesoria que sea a la publicación de las entradas de los destinatarios del servicio.

Nótese que mientras el art. 3.i) DSA define plataforma *online* como un tipo de servicio de *hosting*, el considerando 13 DSA la cataloga como una subcategoría dentro de la general de prestadores de servicios de alojamiento de datos. Por tanto, habrá veces que la referencia a la plataforma en línea se hará solo como servicio y otras en que abarcará tanto éste como quien lo presta; en este último caso bastará con hablar de plataformas *online* sin más, mientras que en el primer caso habría que añadir la mención de "prestadores" de plataformas en línea, tal cual hace la DSA al referirse en ocasiones al subtipo de las "plataformas en línea de muy gran tamaño"[17] (en adelante, VLOPs), si bien indistintamente la DSA también habla de éstas como proveedores del específico servicio de *hosting* incluyendo el servicio en sí.

2.2. VLOPs y marketplaces: carga regulatoria reforzada

Respecto a dicho subtipo de plataforma *online*, la Comisión Europea es la encargada de designar a las plataformas como VLOPs sobre la base del promedio mensual de usuarios activos que tengan en la Unión, el cual debe ser igual o superior a cuarenta y cinco millones (umbral que representaba aproximadamente el 10% de la población de la Unión al redactarse la DSA[18]), pudiendo revocar la designación si, durante un período ininterrumpido de un año, la plataforma en cuestión no alcanzase dicho promedio mensual (art. 33, apdos. 1, 4 y 5, DSA). Pues bien, teniendo en cuenta la importancia que

---

17 Por ejemplo, considerandos 47, 48, 75, 76, 79, 80, 81, 84 a 94 DSA.

18 Dato que efectivamente expone el considerando 76 DSA, advirtiendo que ese umbral operativo debe mantenerse actualizado y por ende Comisión ha de estar facultada para completar las disposiciones de la DSA mediante la adopción de actos delegados cuando fuere necesario.

por su alcance tienen las VLOPs para facilitar el debate público, las transacciones económicas y la difusión al público de información, la DSA les impone obligaciones específicas, adicionales a las generales previstas para toda plataforma *online*, debiendo cumplir deberes de diligencia debida más exigentes, en relación con el impacto social y los riesgos sistémicos que pueden entrañar las VLOPs[19]. Dichas obligaciones adicionales no se aplican a los prestadores de plataformas *online* que sean microempresas o pequeñas empresas, exclusión a la que no pueden acogerse los que hayan sido designados como VLOPs con independencia de que cumplan los requisitos para ser considerados PYME o los hayan cumplido recientemente[20].

Actualmente la Comisión tiene designadas a veintiuna VLOPs –y, con los mismos criterios de designación, a Google Search y Bing como "motores de búsqueda de muy gran tamaño" o VLOSEs–, concretamente las siguientes: AliExpress, Amazon Store, Apple Store, Booking.com, Facebook, Google Maps, Google Play, Google Shopping, Instagram, LinkedIn,

---

19 Esas razones que justifican la imposición a las VLOPs de obligaciones adicionales, previstas en los arts. 33-43 DSA, se recogen por los considerandos 75 y 76 DSA.

20 Según el considerando 57 y el artículo 19 DSA, que también señalan que la exclusión será aplicable a los prestadores de plataformas *online* que previamente cumpliesen los requisitos para ser considerados microempresas o pequeñas empresas durante el período de doce meses siguientes a la pérdida esa condición excepto si son VLOPs. Ambos –considerando y artículo– remiten a la Recomendación de la Comisión 2003/361/CE, de 6.5.2003 (DO 2003, L 124, pp. 36-41), cuyo Anexo, art. 2, establece que en la categoría de las PYME se define a una microempresa como una empresa que ocupa a menos de 10 personas y cuyo volumen de negocios anual o cuyo balance general anual no supera los 2 millones de euros, y una pequeña empresa como aquella que ocupa a menos de 50 personas y cuyo volumen de negocios anual o cuyo balance general anual no supera los 10 millones de euros.

Pinterest, Pornhub, Shein, Snapchat, Temu, TikTok, Wikipedia, X (antes Twitter), XNXX, XVideos, YouTube y Zalando[21].

Tal lista la integran, entre otros ejemplos de plataformas *online*, ciertas redes sociales y *marketplaces* (como AliExpress, Amazon, Shein, Temu, etc.), término este último de "mercado en línea" que la Directiva 2019/2161 –en adelante, Directiva Omnibus– incorporó a la lista de definiciones de la Directiva 2011/83 sobre derechos de los consumidores[22] –en adelante, Directiva 2011/83– como un servicio que emplea programas (*software*), incluidos un *website*, parte de éste o una aplicación, operado por el comerciante o por su cuenta y que permite a los consumidores celebrar contratos a distancia con otros comerciantes o consumidores[23]; misma definición contenida en

---

21 Lista de VLOPs y VLOSEs que la Comisión se asegurará de publicar y mantener actualizada, según el art. 33.6 DSA. Tal lista, cuya última actualización oficial es de fecha 18.6.2025, puede consultarse en https://digital-strategy.ec.europa.eu/en/policies/list-designated-vlops-and-vloses [consulta: julio de 2025]. De dicha lista salió Stripchat en mayo de 2025, al caer por debajo de 45 millones de usuarios activos mensuales activos durante un año consecutivo.

22 Respectivamente, Directiva (UE) 2019/2161, de 27.11.2019, por la que se modifica la Directiva 93/13/CEE y las Directivas 98/6/CE, 2005/29/CE y 2011/83/UE, en lo que atañe a la mejora de la aplicación y la modernización de las normas de protección de los consumidores de la Unión (DO 2019, L 328, p. 7–28); Directiva 2011/83/UE, de 25.10.2011, sobre los derechos de los consumidores, por la que se modifican la Directiva 93/13/CEE y la Directiva 1999/44/CE y se derogan la Directiva 85/577/CEE y la Directiva 97/7/CE (TOL2.276.204).

23 Art. 2.17 Directiva 2011/83, misma definición que la Directiva Omnibus igualmente añadió al art. 2 (letra *n*) de la Directiva 2005/29/CE, 11.5.2005, relativa a las prácticas comerciales desleales de las empresas en sus relaciones con los consumidores en el mercado interior, que modifica la Directiva 84/450/CEE, las Directivas 97/7/CE, 98/27/CE y 2002/65/CE y el Reglamento n° 2006/2004 (TOL1.115.665).

nuestro Texto refundido de consumidores (en adelante, TRLCU), concretamente en el apartado 3 de su artículo 59 bis[24], que también recoge la noción de "proveedor de un mercado en línea" en los mismos términos que la Directiva 2011/83, esto es, como todo empresario que pone a disposición de los consumidores un mercado en línea[25]. Más expresiva, aunque restringida al ámbito B2C, es la noción de tal proveedor que obra en el artículo 3.14 del Reglamento de Seguridad General de los Productos[26] (en adelante, RSGP): prestador de un servicio de intermediación que utiliza una "interfaz en línea" –esto es, todo programa informático, incluyendo *websites* o partes de sitios web o aplicaciones, incluidas las de móviles, art. 3.15 RSGP– que permite a los consumidores celebrar contratos a distancia con comerciantes para la venta de productos[27].

---

24 Apartado añadido por el Real Decreto-ley 24/2021, de 2 de noviembre (TOL8.630.334) –art. 82.5–, que transpuso la Directiva Omnibus al Derecho español.

25 Apartado 18 del art. 2 Directiva 2011/83, añadido, al igual que el apartado 17 del mismo precepto (que contiene la definición de mercado en línea), por la Directiva Omnibus.

26 Reglamento (UE) 2023/988, de 10.5.2023, relativo a la seguridad general de los productos, por el que se modifican el Reglamento (UE) 1025/2012 y la Directiva (UE) 2020/1828, y se derogan la Directiva 2001/95/CE y la Directiva 87/357/CEE (TOL9.565.328).

27 Igualmente restringe el concepto de mercado en línea al supuesto en el que el contrato (subyacente) se celebre entre consumidor y comerciante –a diferencia de la Directiva 2011/83, que como hemos visto lo extiende al ámbito C2C–, el art. 4.1.f) del Reglamento 524/2013 sobre resolución de litigios en línea en materia de contratos celebrados entre un consumidor y un comerciante, primer texto que abordó la regulación de los mercados en línea, como recuerdan, haciendo un repaso normativo de tal concepto, ORTI VALLEJO, A./ VICEIRA ORTEGA, P., "Responsabilidad de los mercados en línea respecto del contrato subyacente: un confuso panorama en el derecho de la Unión Europea", en *InDret*, 1/2025, p. 80.

Pues bien, a los prestadores de mercados *online* les impone el artículo 6 bis de la Directiva 2011/83 –añadido por la Directiva Omnibus– requisitos de información específicos, y el artículo 22 RSGP otras obligaciones específicas adicionales, las cuales, al estar fuera de la DSA, no resultan afectadas por la exclusión aplicable a las PYME antes vista. Téngase en cuenta que si bien la DSA no usa el término de "mercado en línea", a esta figura obviamente se refiere al hablar de "plataformas en línea que permitan que los consumidores celebren contratos a distancia con comerciantes"[28], a las que sí les alcanza una exclusión, cual es la prevista en el apartado 3 del artículo 6 DSA, relativa a la exención de responsabilidad aplicable a los prestadores de *hosting ex* apartado 1 de tal precepto al que nos vamos a referir *infra*.

2.3. Puerto seguro de las plataformas: primera aproximación y límites funcionales

Tenemos en suma que la plataforma *online* (subtipos incluidos) se configura como un servicio de *hosting*, o su prestador, que, además del alojamiento de contenido característico del mismo, implica otra actividad, a demanda directa del "destinatario del servicio" –definido en art. 3.b) DSA como toda persona física o jurídica que utilice un servicio intermediario, en particular para buscar información o hacerla accesible– que proporciona el contenido almacenado y consistente en poner

---

28 Observación que también hacen Orti Vallejo./ Viceira Ortega (op. cit., p. 84). Nótese que la referencia a dichas plataformas se encuentra, i.e., en art. 6.3 y considerandos 13 y 74 DSA, advirtiendo este último que sus prestadores deben diseñar y organizar su interfaz en línea de manera que permita a los comerciantes cumplir con sus obligaciones en virtud del Derecho de la Unión aplicable, al tiempo que el art. 3.m) DSA da una definición de "interfaz en línea" idéntica a la que obra en el art. 3.15) RSGP.

éste a disposición de un número en potencia ilimitado de personas, ya accedan en efecto al mismo o no, siempre que esta actividad sea una característica no menor ni auxiliar de otro servicio ni una funcionalidad menor del principal.

Pues bien, en tanto que prestador de un servicio de *hosting*, la plataforma *online* debería ser responsable –lo que corresponde determinar a las normas aplicables del Derecho de la Unión o nacional[29]– de la información alojada (a petición del destinatario del servicio, que la facilita), a menos que cumpla las condiciones del artículo 6.1 DSA, esto es, la falta de conocimiento efectivo de la ilicitud del contenido (letra *a*) o bien su pronta retirada o bloqueo en cuanto lo conociera (letra *b*), replicando así tal disposición la lógica de los procedimientos de *notice and take down* que subyacía al artículo 14.1 DCE[30] (y así sigue el art. 16.1 LSSI).

Esta exención condicional de responsabilidad forma parte de las reglas de "puerto seguro"[31] *ex* artículos 4 a 6 DSA (pre-

---

29 Conforme al considerando 17 DSA, que advierte que las normas de responsabilidad de los prestadores de servicios intermediarios establecidas en la DSA no sientan una base positiva para establecer cuándo se pueden exigir dicha responsabilidad.

30 Según SAUGMANDSGAARD ØE, H., *Conclusiones del Abogado General en los Asuntos C-682/18 y C-683/18, YouTube y Cyando*, 16.7.2020 (EU:C:2020:586), punto 176, el art. 14.1 DCE tenía por objeto constituir una base para el desarrollo, a escala de los Estados miembros, de procedimientos de notificación y retirada, por ende las condiciones de sus letras a) y b) reflejarían la lógica de los mismos, esto es, cuando se comunicara la existencia de una información ilícita concreta al prestador del servicio, debía eliminarla con prontitud.

31 Antes de su aparición en el Derecho de la Unión, los *safe harbours* ya se contemplaban en la *Digital Millenium Copyright Act* norteamericana de 1998, concretamente en su sección 512, letras (a), (b) y (c), servicios de transmisión en redes de comunicación, memoria caché y *hosting*, respectivamente. Para un mayor detalle sobre este modelo y los debates en EEUU acerca del replanteamiento de sus reglas, vid.

vios arts. 12 a 14 DCE), conforme a las cuales el prestador del servicio intermediario no sería responsable por contenidos ilícitos, proporcionados por los destinatarios del servicio, si desconociese tal ilicitud o actuase diligentemente para eliminar o bloquear el contenido en cuestión.

Ahora bien, dicha exención no operaría cuando estemos en presencia de "prestadores de servicios para compartir contenidos en línea" (en adelante, PSL) –pudiendo la plataforma considerarse como tal en su caso– y un uso no autorizado de contenido protegido por derechos de autor, pues entonces aquélla resultaría desplazada por la regla especial prevista en la DMUD –transpuesta por Real Decreto-ley 24/2021, de 2 de noviembre, en adelante, RDL 24/2021[32] (TOL8.630.334)–, concretamente en su artículo 17, con el cual se persigue reequilibrar la posición de los titulares de derechos de autor fren-

---

Rubí Puig, A./Solsona Vilarrasa, P., "Responsabilidad de intermediarios online por infracciones de derechos de autor cometidas por usuarios de sus servicios. Notas al Estudio de la US Copyright Office sobre la sección 512 DMCA", en *InDret*, 3/2020, pp. 490-504.

32 El RDL 24/2021, cuyo Libro IV se dedica a la transposición de la DMUD, fue convalidado por el Congreso vía Acuerdo de 2.12.2021, llegando a acordarse su tramitación como Proyecto de Ley, si bien la disolución de las Cortes por la convocatoria de las elecciones generales de 23.7.2023 provocó la caducidad de tal proyecto y por ende la vigencia del RDL 24/2021, como indica Garrote Fernández-Díez, I. ("La transposición al ordenamiento español de la Directiva 2019/790, de derechos de autor y derechos afines en el Mercado Único Digital", en *La Ley Unión Europea*, nº 116, julio de 2023, pp. 2 y 3), criticando tanto que no se aprovechara la tramitación de la Ley 14/2021 (promulgada un mes antes del RDL 24/2021) para transponer la DMUD, como que el grueso de la transposición de ésta se mantuviera en el propio RDL 24/2021 en vez de llevarla a cabo mediante la pertinente reforma del Texto Refundido de la Ley de Propiedad Intelectual, existiendo así una especie de segunda "ley especial" contenida en el libro IV del RDL 24/2021, que funcionaría en paralelo a la regulación de dicho Texto Refundido.

te al fenómeno conocido como *Value Gap*, esto es, la diferencia entre el valor que los proveedores de servicios de intercambio de contenidos *online* extraen de las obras protegidas por derechos de autor alojadas en la plataforma correspondiente y los ingresos que a cambio reciben los titulares de tales derechos[33]. Lo analizaremos a continuación.

3. PLATAFORMAS DE INTERCAMBIO MASIVO DE CONTENIDO PROTEGIDO: GÉNESIS NORMATIVA Y RÉGIMEN ESPECIAL

La figura de los PSL surge como una creación normativa específica del legislador europeo en respuesta a las dinámicas propias del entorno digital, donde determinadas plataformas operan como vectores de acceso a grandes volúmenes de contenido protegido. La DMUD consagra esta categoría como una tipología funcional dentro del ecosistema de SSI, definiéndola por la combinación de elementos esenciales: almacenamiento masivo, acceso público y finalidad lucrativa.

En concreto, el artículo 2.6 DMUD (cuyo trasunto nacional es el art. 66.6 RDL 24/2021) define a los PSL como prestadores de un servicio de la sociedad de la información cuyo fin principal o uno de los principales sea almacenar y dar al público acceso a una gran cantidad de obras –u otras prestaciones– protegidas cargadas por sus usuarios, que dicho servicio organiza y promociona con fines lucrativos. Aclara la DMUD que tal definición:

i) debe comprender solo los servicios en línea que tengan un papel importante en el mercado de contenidos en

---

33 Para mayor detalle en relación con la industria musical, vid. INTERNATIONAL FEDERATION OF THE PHONOGRAPHIC INDUSTRY, *IFPI Digital Music Report 2015*, pp. 22 y 23 (www.ifpi.org).

línea al competir con otros servicios en línea por las mismas audiencias[34], reflejo de ello es la redacción empleada, por un lado, en el artículo 17 DMUD, que establece un régimen específico de responsabilidad para los PSL (presente en nuestro art. 73 RDL 24/2021), pudiendo deducirse de aquélla que tal precepto se refiere a los "grandes" proveedores de servicios de intercambio de contenidos que se consideran vinculados al *Value Gap*[35], por otro lado, en el primer párrafo del artículo 66.6 RDL 24/2021, donde el legislador nacional añade como un elemento definitorio el gran número o alto nivel de audiencia en España;

ii) no comprende, quedando pues excluidos de la consideración de PSL, las plataformas para desarrollar y compartir programas informáticos de código abierto, los repositorios científicos o educativos sin fines lucrativos y las enciclopedias en línea sin fines lucrativos (art. 2.6.II DMUD);

iii) tampoco comprende los servicios cuya finalidad principal no sea la de permitir que los usuarios carguen y compartan una gran cantidad de contenidos protegidos por derechos de autor con el propósito de obtener be-

---

34 Considerando 62 DMUD, poniendo como ejemplo de esos otros servicios en competencia a los de "emisión en continuo de audio y vídeo". Seguramente se está refiriendo a plataformas de *streaming* que ofrecen contenidos protegidos bajo licencia, de forma centralizada y controlada, sin que el contenido provenga de los usuarios, tales como Netflix, Disney+, Amazon Prime Video o Apple TV+ en cuanto a *streaming* de video; respecto al de audio, Spotify, Apple Music o Amazon Music.

35 Cuyo funcionamiento esa definición pretende reflejar, según Saugmandsgaard Øe, H., *Conclusiones del Abogado General en el Asunto C-401/19, Polonia/Parlamento y Consejo,* 15.7.2021 (EU:C:2021:613), punto 26.

neficios de esa actividad, servicios entre los que se incluyen, por ejemplo, los servicios de comunicaciones electrónicas[36], así como los prestadores de servicios entre empresas y en nube, que permiten a los usuarios cargar contenidos para uso propio (tales como los servicios de almacenamiento en línea), o los mercados en línea, cuya actividad principal es la venta minorista y no dar acceso a contenidos protegidos por derechos de autor[37].

Advierte la Comisión Europea, en su guía de implementación del artículo 17 DMUD[38], que ese elenco de prestadores de servicios excluidos (*supra*, ii y iii) constituye una lista ejemplificativa, como en efecto se deduce del considerando 62 DMUD; de hecho, la Comisión señaló que los Estados miembros debían excluir de la definición nacional de PSL a los prestadores enumerados en el artículo 2.6.II DMUD precisando al

---

36 Definidos como tal en el art. 2.4 Directiva 2018/1972, esto es, servicios prestados por lo general a cambio de una remuneración a través de redes de comunicaciones electrónicas, que incluye (excepto los servicios que suministren contenidos transmitidos mediante redes y servicios de comunicaciones electrónicas o ejerzan control editorial sobre ellos) los servicios de acceso a internet, los de comunicaciones interpersonales y los consistentes en el transporte de señales, tales como los servicios de transmisión utilizados para la prestación de servicios máquina a máquina y para la radiodifusión.

37 Art. 2.6.II y considerando 62 DMUD.

38 COMISIÓN EUROPEA, "Orientaciones sobre el artículo 17 de la Directiva 2019/790 sobre los derechos de autor en el mercado único digital", COM(2021) 288 final, 4.6.2021, señalando en p. 1 que si bien las orientaciones dadas para una correcta transposición del art. 17 no eran vinculantes, se adoptaron como Comunicación de la Comisión y cumplen el mandato otorgado a ésta en el apdo. 10 de dicho precepto.

mismo que tal lista no es exhaustiva[39], precisión de la que por cierto carece el artículo 66.6.II RDL 24/2021.

Por otra parte, respecto a los elementos que componen la definición de PSL, la Comisión señaló[40] lo que debe entenderse por:

a) "fin principal": la función predominante del prestador de servicios o una de las principales[41], debiendo ello evaluarse de forma neutral desde el punto de vista tecnológico y del modelo empresarial para seguir siendo válida de cara al futuro;

b) "almacenar": el almacenamiento de contenido que no sea meramente temporal, y "dar acceso al público" el acceso al contenido almacenado que se da al público;

c) "gran cantidad": un concepto a propósito no cuantificado que requiere un análisis caso por caso[42], debiendo los Estados miembros abstenerse de cuantificarlo para evitar la fragmentación jurídica que produciría un ámbito potencialmente diferente de PSL cubiertos en cada Estado;

---

39 Por seguridad jurídica, indica la Comisión que no hay margen para que los Estados miembros amplíen el ámbito de aplicación de la definición de PSL o lo reduzcan (Comisión Europea, op. cit., 2021, p. 4).

40 Comisión Europea, op. cit., 2021, pp. 5 y 6.

41 La Comisión pone como ejemplo los mercados en línea, los cuales pueden dar acceso a una gran cantidad de obras protegidas, pero sin ser esta su actividad principal sino el comercio minorista *online*; precisamente por ello los *marketplaces* están excluidos de la noción de PSL *ex* art. 2.6 DMUD, teniendo ello su reflejo en el segundo párrafo del art. 66.6 RDL 24/2021.

42 Teniendo presente una combinación de elementos, como la audiencia del servicio y el número de ficheros de contenido protegido cargado por los usuarios, según el considerando 63 DMUD.

d) "fines lucrativos": el propósito de beneficio a lograr, directa o indirectamente, de la organización y promoción de los contenidos cargados por usuarios "a fin de atraer una audiencia mayor, también mediante la introducción en ellos de categorías y de una promoción personalizada" (cdo. 62 DMUD), propósito que no debe darse por sentado en función de la forma jurídica del prestador ni por el hecho de ser éste un operador económico, pues el fin lucrativo ha de vincularse a los beneficios obtenidos de dicha organización y promoción de manera que atraigan esa mayor audiencia[43].

Lo cierto es que la noción de PSL fue introducida por el legislador europeo llevando implícita la realización de un acto de "comunicación al público" a efectos de la DMUD –como advierte su art. 17, ergo a fin de aplicar a los PSL el régimen de responsabilidad previsto en tal precepto–, lo cual (aclara el cdo. 64 DMUD) no afecta ni al concepto de comunicación al público en otros ámbitos en virtud del Derecho de la Unión ni tampoco a la posible aplicación del artículo 3 de la Directiva sobre derechos de autor en la Sociedad de la Información[44] (en adelante, DDASI) –concepto presente en art. 20 del Texto Re-

---

43 Por ejemplo, aunque no exclusivamente, según señala la COMISIÓN EUROPEA (op. cit., 2021, p. 6), colocando anuncios junto a los contenidos cargados por sus usuarios, sin que el mero hecho de recibir una tasa de los usuarios para cubrir los costes de funcionamiento del alojamiento de sus contenidos o de solicitar donaciones al público deba considerarse en sí mismo una indicación de que existe un fin lucrativo.

44 Directiva 2001/29/CE, de 22.5.2001, relativa a la armonización de determinados aspectos de los derechos de autor y derechos afines a los derechos de autor en la sociedad de la información (TOL51.982).

fundido de la Ley de Propiedad Intelectual[45] (TOL292.119), en adelante, TRLPI)– a otros prestadores de servicios que usan contenidos protegidos por derechos de autor.

En efecto, la DMUD deja claro (art. 17.1 y cdo. 64) que los PSL realizan ese acto de comunicación cuando ofrezcan al público acceso a obras protegidas por derechos de autor u otras prestaciones protegidas cargados por sus usuarios. La propia definición de PSL se centra precisamente en la puesta a disposición pública, masiva y lucrativa de dicho contenido protegido, entendiéndose que llevan a cabo el referido acto de comunicación en el momento en que se materialice tal ofrecimiento.

Téngase en cuenta que aunque el artículo 2.6 DMUD dice que el servicio prestado por los PSL es uno de los SSI, sin encuadrarlo en una de las subcategorías ya conocidas, lo cierto es que tal servicio cumple los elementos esenciales del servicio intermediario de *hosting*: almacenar contenido facilitado por el destinatario del mismo y a petición de éste. Por tanto, podríamos decir que los PSL son, al igual que las plataformas en línea, prestadores de servicios de alojamiento de datos, de

---

45 Precepto que sería la referencia nacional y que recoge una noción amplísima de comunicación al público, entendiéndose por tal "todo acto por el cual una pluralidad de personas pueda tener acceso a la obra sin previa distribución de ejemplares a cada una de ellas", aclarando que no se considerará pública la comunicación "cuando se celebre dentro de un ámbito estrictamente doméstico que no esté integrado o conectado a una red de difusión de cualquier tipo". Por su parte, el cdo. 23 DDASI señala que el derecho de autor de la comunicación al público, recogido en art. 3 DDASI, "debe entenderse en un sentido amplio que incluya todo tipo de comunicación al público no presente en el lugar en el que se origina la comunicación" abarcando "cualquier tipo de transmisión o retransmisión de una obra al público, sea con o sin hilos, incluida la radiodifusión".

hecho la propia DSA incluye entre dichos servicios[46] los "que permiten compartir información y contenidos en línea, incluido el almacenamiento y el intercambio de archivos", esto es, los que prestan los PSL con la especialidad de que el contenido que se comparte está protegido por derechos de autor.

Ahora bien, a estos otros prestadores de *hosting* que son los PSL no se les aplica *a priori* el marco horizontal de exenciones condicionales de la responsabilidad de los prestadores de servicios intermediarios –concretamente para los de *hosting* el art. 6 DSA, antes art. 14 DCE– sino el régimen de responsabilidad y puerto seguro específico para los PSL en la materia concreta de *copyright* (regulación vertical) establecido en el artículo 17 DMUD, al tener éste carácter de *lex specialis*[47].

Téngase en cuenta que el régimen introducido por el artículo 17 DMUD vino a ofrecer seguridad jurídica con respecto a la cuestión de si los prestadores de servicios para compartir contenidos *online* realizan actos con implicaciones en materia de *copyright* en relación con los actos de sus usuarios, así como seguridad jurídica para los usuarios[48], zanjando así el legisla-

---

46 El cdo. 29 DSA pone también como ejemplos de servicios de *hosting* la computación en nube, el alojamiento web, los servicios remunerados de referenciación.

47 COMISIÓN EUROPEA, op. cit., 2021, p. 2. Bulayenko, O./Frosio, G./Mangal, N./Ławrynowicz-Drewek, A., en su estudio *Cross Border Enforcement of Intellectual Property Rights in the EU*, elaborado para la Comisión de Asuntos Jurídicos del Parlamento Europeo (PE 703.387 - diciembre 2021), destacan en pp. 29-30 que mientras las exenciones de responsabilidad previstas en la DCE se aplican de forma horizontal a todas las formas de actividad y contenido ilícito, el art. 17 DMUD desarrolla normas específicas de responsabilidad de los PSL por la infracción de derechos de autor creando así un régimen de responsabilidad vertical que opera como *lex specialis* respecto del régimen general establecido en la DCE.

48 COMISIÓN EUROPEA, op. cit., 2021, p. 2.

dor europeo la controversia que se suscitó con el marco jurídico aplicable anteriormente (conformado por los arts. 3 DDASI y 14 DCE), pues ya no hay duda de que los PSL realizan un acto de comunicación al público cuando ofrecen al público el acceso a obras protegidas por derechos de autor que hayan sido cargadas por sus usuarios, según reza el primer párrafo del artículo 17.1 DMUD, y precisamente por ello su segundo párrafo obliga a los PSL a obtener una autorización de los titulares de derechos[49].

Con dicha obligación se trata de reforzar la posición de los titulares de derechos en el momento de la negociación de acuerdos de licencia con los PSL, con el fin de que tales acuerdos sean equitativos y mantengan un "equilibrio razonable entre ambas partes" (como indica el cdo. 61 DMUD) y, en tal medida, poner remedio al *Value Gap*[50], que había surgido bajo el marco jurídico previo a la entrada en vigor de la DMUD, el cual generaba dudas[51] ante las cuales había proveedores que no se sentían obligados a celebrar acuerdos de licencia con los titu-

---

[49] El art. 17.1.II DMUD remite al art. 3 DDASI como referencia de dichos titulares; nuestro art. 73.1.II RDL 24/2021 hace lo propio remitiendo a los actos de comunicación pública que define el art. 20 TRLPI, añadiendo que la negociación, en orden obtener tal autorización para llevar a cabo el acto de explotación, debe hacerse conforme a los principios de buena fe contractual, diligencia debida, transparencia y respeto a la libre competencia, lo que excluye el ejercicio de posición de dominio.

[50] Saugmandsgaard Øe, op. cit., 2021, punto 28.

[51] Con ese marco jurídico aplicable, el régimen de responsabilidad en materia de copyright de los prestadores por los actos de sus usuarios no era claro, pues aunque no había controversia respecto a que cuando se compartía *online* una obra protegida se estaba poniendo la misma a disposición del público en el sentido del artículo 3.1 DDASI, la duda era si el prestador o el usuario, o ambos conjuntamente, quien realizaba esa comunicación y por ende debía responder en su caso, existiendo también controversia acerca de si los pro-

lares de derechos de autor, mientras que quienes sí llegaban a celebrarlos lo hacían imponiendo sus condiciones al negociar la remuneración de los titulares de derechos implicados, condiciones que estos últimos consideraban no equitativas.

Además, bajo ese marco jurídico previo, los titulares de derechos debían supervisar los servicios para compartir contenidos y poner en conocimiento de sus prestadores, mediante una notificación, los contenidos infractores publicados en ellos para que los retiraran, esto es, el sistema previsto en el art. 14.1 DCE que el legislador europeo, al adoptar el artículo 17 DMUD, consideró que imponía una carga excesivamente pesada a esos titulares y no les permitía controlar de forma eficaz el uso de sus obras, lo cual se pretendió resolver mediante las letras b) y c) *in fine* del artículo 17.4 DMUD, disposiciones que trasladan a los prestadores la carga de supervisar sus servicios[52].

4. EL ALOJAMIENTO DIGITAL COMO NÚCLEO COMÚN: ENTRE LA TIPIFICACIÓN JURÍDICA Y LA SUPERPOSICIÓN FUNCIONAL

Nos hemos referido en las líneas precedentes a dos regulaciones de responsabilidad de los prestadores de SSI que se concretan en la intermediación *online*: la de la DSA, prevista para todos ellos en cualquier materia, y la de la DMUD, para los PSL en materia de derechos de autor.

Por un lado, las normas de la DSA, que recoge en sus artículos 4 a 6 el marco horizontal de exenciones condicionales de

veedores de servicios de intercambio de contenidos en línea podían acogerse a la exención del artículo 14 DCE.

52 SAUGMANDSGAARD ØE, op. cit., 2021, punto 53.

la responsabilidad de los prestadores de los servicios de mera transmisión, memoria caché y *hosting* que ya contemplaba la DCE (arts. 12-14), esto es, las reglas de "puerto seguro" a las que ya nos referimos antes. Recordemos que la DCE primero y la DSA después contemplan un régimen de exenciones sin determinar cuándo se puede exigir la responsabilidad, determinación que en principio incumbe a los Estados miembros (v.gr. en España, art. 13 LSSI[53]), si bien es cierto que la naturaleza de reglamento de la DSA –ergo aplicación directa– y su introducción de obligaciones y otras disposiciones aplicables a los proveedores de servicios intermediarios, en general y particular para los de *hosting* y subtipos (que trataremos a continuación), afecta indirectamente a la responsabilidad de los mismos.

En todo caso, el legislador europeo cambió de enfoque con la DMUD: frente a un modelo de normativa horizontal, esto es, aplicable a todo tipo de contenidos al margen del ámbito del Derecho que se vea afectado[54]; se optó en la DMUD por un sistema de carácter vertical, específico para la tutela de derechos de autor, que residencia en el artículo 17 DMUD, el cual no

---

53 Que establece, por un lado, que los prestadores de SSI están sujetos a la responsabilidad civil, penal y administrativa establecida con carácter general en el ordenamiento jurídico español, sin perjuicio de lo dispuesto en la propia LSSI; por otro, que para determinar su responsabilidad por el ejercicio de actividades de intermediación, se estará a lo establecido en los arts. 14-17 LSSI para cada uno de los concretos prestadores de servicios intermediarios.

54 Como propiedad industrial, difamación, odio en línea, etc.; así, SAUGMANDSGAARD ØE, op. cit., 2021, punto 18, nota 22, aludiendo al artículo 14 DCE, referencia que desde la DSA ha de entenderse hecha a su artículo 6. Además, el cdo. 17 DSA señala *in fine* que las exenciones de responsabilidad de la DSA deben aplicarse a cualquier tipo de responsabilidad respecto de cualquier tipo de contenido ilícito, sea cual sea la materia o naturaleza precisa de las normas aplicables del Derecho de la Unión o nacional.

sólo establece una exención de responsabilidad para los proveedores de *hosting* que son PSL, sino que además les atribuye una responsabilidad por la puesta en línea de contenido protegido por derechos de autor sin autorización de los titulares de tales derechos (responsabilidad directa y objetiva, que se suma a la de los usuarios que cargan las obras protegidas[55]), salvo que el concreto prestador demuestre que ha cumplido ciertas obligaciones, cuales son las del puerto seguro *ex* artículo 17.4 DMUD.

Por tanto, tratándose de proveedores de *hosting*, plataformas *online* incluidas, tenemos un puerto seguro general, el del artículo 6 DSA (antes 14 DCE y su trasunto nacional, el art. 16 LSSI), que, tratándose de PSL y *copyright*, resulta desplazado por el del artículo 17 DMUD, en tanto que *lex specialis* como vimos antes, y consecuentemente lo mismo es predicable de nuestro artículo 73 RDL 24/2021, que reproduce con ligeras variaciones el artículo 17 DMUD; de hecho, la Comisión ya advirtió que los Estados miembros deben ejecutar en particular esa disposición y no basarse simplemente en la ejecución nacional del artículo 3 DDASI, el cual, junto con el artículo 14 DCE conformaba el marco jurídico aplicable antes de la DMUD sobre el régimen de responsabilidad en materia de de-

---

55 SAUGMANDSGAARD ØE, op. cit., 2021, puntos 30 y 31, señalando en nota 35 que la responsabilidad de los PSL por actos no autorizados de comunicación al público, realizados a través de sus servicios, no sustituye a la de dichos usuarios, quienes realizan ellos mismos actos de comunicación al público independientes. Según OHLY, A., "The Liability of Intermediaries for Trademark Infringement", en Dinwoodie, G.B. y Janis, M.D., eds., Research Handbook on Trademark Law Reform, Cheltenham, 2021, p. 397, la previsión del art. 17 DMUD, en su apartado 2, pone de relieve el sistema hibrido de este precepto, al combinar elementos de responsabilidad primaria (o directa) y secundaria.

rechos de autor de esos específicos prestadores por los actos de sus usuarios[56].

Tras lo expuesto hasta ahora cabría hacer una serie de puntualizaciones con el fin de lograr una visión de conjunto. Así, podríamos decir que:

i) plataformas en línea y PSL son prestadores de SSI (categoría matriz), concretamente del servicio intermediario de *hosting* (categoría general), esto es, el almacenamiento de datos facilitados por el destinatario del servicio y a petición de este;

ii) toda plataforma *online* (subcategoría dentro de la general antedicha) supone un servicio de alojamiento de datos, pero no todo servicio de *hosting* es proveído por una plataforma en línea: lo será cuando el prestador, además de almacenar el contenido facilitado por usuarios del servicio a petición de éstos, difunde al público tal contenido (protegido o no por *copyright* y en la cantidad que sea), desarrollándose esta actividad de forma principal;

iii) las plataformas *online*, salvo el subtipo de mercado en línea (por expresa exclusión del art. 2.6.II DMUD, art. 66.6.II RDL 24/2021), pueden considerarse PSL cuando esa actividad principal tenga como fin dar acceso a una gran cantidad de contenido, protegido por derechos de autor, que se organiza y promociona con fines lucrativos.

Para todos los prestadores de servicios intermediarios, la DSA contempla unos puertos seguros diferenciados por servicio (arts. 4-6 DSA), así como obligaciones básicas de diligencia debida para crear un entorno en línea transparente y seguro

---

56 Comisión Europea, op. cit., 2021, pp. 1-3.

(arts. 11-15 DSA), independientes de la responsabilidad de dichos prestadores y que por tanto deben apreciarse de forma separada (según cdo. 41 DSA).

Descendiendo un nivel, para la categoría de proveedores del servicio de *hosting*:

a) aparte del puerto seguro *ex* art. 6 DSA (antes art. 14 DCE) y las referidas obligaciones básicas, la DSA prevé obligaciones adicionales de diligencia para todo prestador de *hosting* (arts. 16-18 DSA), ergo plataformas *online* incluidas, así como, tratándose en particular de éstas, otras obligaciones cumulativas (arts. 20 a 28, inaplicables a las plataformas que sean o hayan sido microempresas o pequeñas empresas[57]) que son aún más para las VLOPs[58] (arts. 33-43 DSA), contemplándose igualmente, aunque fuera de la DSA, obligaciones adicionales para los mercados en línea (art. 22 RSGP y art. 6 bis Directiva 2011/83);

b) la DMUD (art. 17, trasladado en art. 73 RDL 24/2021) establece un régimen dedicado en exclusiva a los PSL, tanto de responsabilidad como de obligaciones, de manera que el contemplado en la DSA –*supra* (a)– vendría a complementar a este otro en cuanto a las obligaciones de diligencia de las plataformas *online* que puedan considerarse PSL, más no así en materia de responsabi-

---

57 En los términos del art. 19 DSA, que no obstante advierte, en su apartado 2, que sí se aplicarán dichas obligaciones a las plataformas, aunque sean microempresas o pequeñas empresas, que hayan sido designadas como VLOPs, según ya referimos *supra*.

58 A las que, en atención a su particular papel y alcance, se les impone obligaciones adicionales en materia de información y transparencia de sus condiciones generales, según dispone el cdo. 48 DSA. La Sección 5 de la DSA se dedica por entero a las obligaciones adicionales de gestión de riesgos sistémicos para VLOPs y VLOSEs.

lidad, donde prevalece el establecido por el artículo 17 DMUD (*lex specialis*), y ello sin perjuicio de que los PSL, en tanto que proveedores de *hosting*, puedan llegar a beneficiarse del puerto seguro previsto en general para tales proveedores en el artículo 6 DSA con respecto a fines ajenos al ámbito de aplicación del propio artículo 17 DMUD[59].

Así, tratándose de plataformas *online* que no tengan la consideración de PSL, se les aplica siempre las obligaciones de diligencia debida de la DSA –que serán más o menos en función de si estamos o no ante VLOPs– y pueden acogerse al puerto seguro del art. 6 DSA salvo cuando el destinatario del servicio actúe bajo autoridad o control del prestador del mismo[60] ni, tratándose de la responsabilidad de los *marketplaces* en virtud del Derecho de protección de los consumidores, cuando la plataforma presente la información pertinente relativa a las transacciones en cuestión de modo tal que induzca a los consumidores a creer que tal información se facilitó por la propia plataforma o por comerciantes que actúan bajo su autoridad o control[61].

---

59 La DSA podría aplicarse a los PSL en la medida en que: (1) contenga disposiciones que regulen aspectos no contemplados en el art. 17 DSMD; y (2) establezca normas específicas sobre cuestiones en las que tal precepto deja un margen de discrecionalidad a los Estados miembros, siendo esta segunda categoría más compleja. Para más detalles vid. QUINTAIS, J.P./SCHWEMER, S.F., "The Interplay between the Digital Services Act and Sector Regulation: How Special Is Copyright?", en *European Journal of Risk Regulation*, vol. 13, número 2, junio 2022, pp. 204-2015.

60 Art. 6.2 DSA. Según el cdo. 23 DSA podría considerarse que se da tal circunstancia cuando por ejemplo el prestador de una plataforma tipo mercado en línea determine el precio de los productos o servicios ofertados por el comerciante.

61 Salvedad introducida por el art. 6.3 DSA –que se refiere a los *marketplaces* como "plataformas en línea que permitan que los consumido-

Por su parte, si se trata de plataformas *online* que puedan considerarse PSL, se les aplica, además de las obligaciones de diligencia debida de la DSA, las previsiones del artículo 17 DMUD, el cual impone a los PSL –plataformas en línea o no– que efectivamente ofrezcan al público acceso a contenido protegido por derechos de autor –realizando así un acto de comunicación al público, según art. 17.1.I DMUD– la obtención, en principio, de una autorización de los titulares de tales derechos[62] (art. 17.1.II DMUD[63]) y, de no obtenerla, serán

---

res celebren contratos a distancia con comerciantes"–, poniendo el cdo. 24 DSA como ejemplos de tales prácticas el de una plataforma que no muestre claramente la identidad del comerciante, o que no revele la identidad o los datos de contacto del comerciante hasta después de formalizarse el contrato B2C, o que comercialice el producto o servicio en su propio nombre en lugar de en nombre del comerciante que lo suministrará; debiendo al respecto determinarse objetivamente, en atención a todas las circunstancias pertinentes, si la presentación podría inducir a un consumidor medio a creer que la información en cuestión fue proporcionada por la propia plataforma o por comerciantes que actúen bajo su autoridad o control.

62 Señala SAUGMANDSGAARD ØE, op. cit., 2021, punto 28, que esa obligación está directamente relacionada con el objetivo general que –conforme el cdo. 3 DMUD– persigue el art. 17 DMUD, tratándose así de reforzar la posición de los titulares en el momento de la negociación de acuerdos de licencia con los PSL, con el fin de que tales acuerdos sean "equitativos" y mantengan un "equilibrio razonable entre ambas partes", como indica el considerando 61 DMUD.

63 Remitiendo a los autores y titulares de derechos afines previstos en los apdos. 1 y 2 del art. 3 DDASI, respectivamente. En el art. 73.1.II RDL 24/2021 la remisión se hace a los titulares de los derechos referidos a los actos de comunicación pública del art. 20 TRLPI, añadiendo que la negociación para obtener esa autorización debe ir presidida por los principios de buena fe contractual, diligencia debida, transparencia y respeto a la libre competencia, excluyendo por tanto el ejercicio de posición de dominio. En todo caso, la autorización del autor para compartir contenido protegido debe comprender tanto los actos de PSL como de sus usuarios según el art.

responsables cada vez que se pone en línea de forma ilícita en sus servicios tal contenido, si bien –ante la probabilidad de que los PSL no puedan obtener autorización de todos esos titulares[64] para todas las obras actuales o futuras que puedan eventualmente cargarse en ellos[65]– podrán eximirse de responsabilidad en caso de comunicación al público ilícita realizada por medio de sus servicios si cumplen las condiciones del artículo 17.4 DMUD, que constituye así, como ya dijimos, un puerto seguro específico para los PSL.

17.2 DMUD (art. 73.2 RDL 24/2021), siempre que no actúen con carácter comercial o su actividad no genere significativos ingresos, pues los usuarios que operen con tal carácter u obtengan esos ingresos –sin umbral cuantitativo al efecto, con un examen caso por caso– quedarían excluidos del ámbito de la DMUD, salvo que las partes hayan acordado de forma expresa y por contrato que estos usuarios queden cubiertos, salvedad señalada por la COMISIÓN EUROPEA, op. cit., 2021, p. 8.

64 Que además no están obligados a conceder una autorización o concluir acuerdos de licencia, como señala el considerando 61 *in fine* DMUD, sobre la base de que la libertad contractual no debe verse afectada por las disposiciones del artículo 17 DMUD.

65 Explica SAUGMANDSGAARD ØE, op. cit., 2021, nota 45, que aunque resultaría relativamente fácil para los PSL celebrar en su caso acuerdos de licencia con los "Majors" o las entidades de gestión colectiva, sería más complejo con respecto al sinfín de pequeños titulares de derechos y de autores individuales, complejidad que se ve acrecentada por el hecho de que los contenidos puestos en línea pueden implicar múltiples y distintos tipos de derechos y de que los derechos de autor están sujetos al principio de territorialidad, funcionando pues las licencias sobre base del criterio "país a país", lo que acrecienta el número de autorizaciones que han de obtenerse.

5. REFLEXIONES FINALES

El análisis llevado a cabo permite afirmar que el tratamiento jurídico de los prestadores digitales en el contexto europeo se encuentra hoy en una fase de madurez normativa pero también de transición conceptual. Estamos en presencia de una regulación ya no se construye en torno a modelos estáticos sino que responde a categorías funcionales que buscan reflejar con mayor precisión el papel real que determinados operadores desempeñan en el entorno digital. Esta evolución normativa vendría a revelar una transformación más profunda, cual es el paso de un Derecho centrado en la estructura formal del servicio digital a otro orientado por su funcionalidad efectiva.

Esta lógica funcional no solo permitiría adaptar el encuadramiento normativo a la diversidad de los modelos de intermediación digital, sino que también evidenciaría una voluntad del legislador europeo de intervenir allí donde el diseño técnico y organizativo del servicio produce efectos relevantes en el acceso, la circulación o la organización de los contenidos digitales. En ese sentido, la figura del proveedor ya no es entendida como un mero transmisor neutral, sino como un agente que, según su grado de implicación o automatización, puede condicionar decisivamente el entorno en el que opera. La responsabilidad normativa aparece entonces no como una consecuencia jurídica excepcional sino como una proyección estructural de dicha función.

La referida evolución normativa no resolvería sin embargo todas las tensiones. Al contrario, vendría a poner de manifiesto la necesidad de contar con herramientas interpretativas más flexibles, capaces de afrontar una realidad digital en permanente evolución. Las categorías funcionales, aunque más afinadas que las formales, requieren constante verificación empírica: lo que hoy define a una plataforma puede mutar mañana bajo nuevas lógicas algorítmicas, contractuales o económicas. El Derecho de la Unión se ve obligado por tanto a operar sobre un terreno inestable, donde las definiciones deben mantenerse abiertas sin renunciar por ello a la claridad y la coherencia sistémica.

Desde esta perspectiva, la interpretación jurídica exige una comprensión del entorno digital como campo de relaciones dinámicas entre arquitectura técnica, intereses económicos y diseño institucional. En ese contexto, el operador jurídico se ve emplazado a identificar patrones de organización y formas de influencia más allá de las etiquetas normativas. No se trata tanto de crear nuevas categorías sino de leer críticamente las existentes, comprendiendo sus límites, sus posibles solapamientos y la capacidad para canalizar respuestas normativas adecuadas.

Así, más que ofrecer certezas, este trabajo aspira a contribuir a una forma de pensar jurídicamente lo digital que sea consciente de su complejidad, que renuncie a los automatismos conceptuales y que asuma que en este terreno los criterios jurídicos más relevantes pueden no ser los más visibles. Es en ese plano, entre lo estructural y lo contingente, donde probablemente se jugará el futuro de la regulación de la intermediación digital en Europa.

6. REFERENCIAS BIBLIOGRÁFICAS

Comisión Europea, "Orientaciones sobre el artículo 17 de la Directiva 2019/790 sobre los derechos de autor en el mercado único digital", COM(2021) 288 final, Bruselas, 4.6.2021.

"Las plataformas en línea y el mercado único digital. Retos y oportunidades para Europa", COM(2016) 288 final, Bruselas, 25.5.2016.

"Una Estrategia para el Mercado Único Digital de Europa", COM(2015) 192 final, Bruselas, 6.5.2015.

Garrote Fernández Díez, I., "La transposición al ordenamiento español de la Directiva 2019/790, de derechos de autor y derechos afines en el Mercado Único Digital", en *La Ley Unión Europea* nº 116, julio de 2023, pp. 1-60.

INTERNATIONAL FEDERATION OF THE PHONOGRAPHIC INDUSTRY, *IFPI Digital Music Report 2015* (www.ifpi.org).

OHLY, A., "The Liability of Intermediaries for Trademark Infringement", en DINWOODIE, G.B. y JANIS, M.D. (eds.), *Research Handbook on Trademark Law Reform*, Cheltenham, 2021.

ORTI VALLEJO, A./ VICEIRA ORTEGA, P., "Responsabilidad de los mercados en línea respecto del contrato subyacente: un confuso panorama en el derecho de la Unión Europea", en *InDret*, 1/2025, pp. 74-96.

QUINTAIS, J.P./SCHWEMER, S.F., "The Interplay between the Digital Services Act and Sector Regulation: How Special Is Copyright?", en *European Journal of Risk Regulation*, vol. 13, núm. 2, junio 2022, pp. 191-217.

RUBÍ PUIG, A./SOLSONA VILARRASA, P., "Responsabilidad de intermediarios online por infracciones de derechos de autor cometidas por usuarios de sus servicios. Notas al Estudio de la US Copyright Office sobre la sección 512 DMCA", en *InDret*, 3/2020, pp. 490-504.

SÁNCHEZ ARISTI, R./ OYARZABAL OYONARTE, N., "Decadencia y caída del Texto Refundido de la Ley de Propiedad Intelectual: La transposición de la Directiva 2019/790 sobre derechos de autor en el mercado único digital por el Real Decreto ley 24/2021, de 2 de noviembre", en *Pe. i.: Revista de propiedad intelectual*, núm. 69, 2021, pp. 13-188.

SAUGMANDSGAARD ØE, H., *Conclusiones del Abogado General en el Asunto C-401/19, Polonia/Parlamento y Consejo*, 15.7.2021 (EU:C:2021:613).

Conclusiones del Abogado General en los Asuntos C-682/18 y C-683/18, YouTube y Cyando, 16.7.2020 (EU:C:2020:586).

Capítulo VII.

Obligaciones y responsabilidad contractual de plataformas intermediarias de contratación tras el Reglamento 2022/2065 de Servicios Digitales

REYES SÁNCHEZ LERÍA
Profesora Titular de Derecho Civil
Universidad Pablo de Olavide, de Sevilla

1. INTRODUCCIÓN

No cabe duda de que el actual mercado de bienes y servicios se encuentra claramente digitalizado en su comercialización y consumo. La economía basada en Internet como medio de difusión de información y publicidad y como escenario para realizar transacciones (también, en muchos casos, para ejecutarlas) es ya un hecho consolidado. Precisamente, dentro de este Mercado digital se encuentra la denominada "Economía de plataforma" que ha irrumpido con fuerza, configurándose como un nuevo modelo de negocio que permite interactuar a los usuarios y generar sus propios contenidos. Asimismo, a través de las mismas se realizan transacciones entre los distintos sujetos participantes, sin distinción entre profesionales, grandes empresas o consumidores creando un mercado en línea que realiza, esencialmente, una labor de intermediación.

Esta nueva forma de intercambio de bienes y servicios ha venido de la mano del avance de la tecnología que ha propiciado la multiplicación de nuevos escenarios (electrónicos) que permiten la búsqueda, comparación y elección del bien o servicio que se desea, con una rapidez y eficiencia hasta ahora desconocida[1]. Igualmente, desde el punto de vista de los suministradores de bienes o servicios, supone un cambio sustancial en el modelo permitiendo que sean, en muchos casos, los propios consumidores (aquellos no profesionales, los nuevos

---

1 En efecto, como pone de manifiesto Valpuesta Gastaminza, E (2025): "Las plataformas creadoras de mercado como "falsas plataformas intermediarias" y responsables de los productos o servicios que ofrecen", *Cuadernos de Derecho Transaccional,* (Volumen 17), p.704, estas plataformas han supuesto un cambio sustancial en el comercio electrónico que se inició en los años 80. La forma de negociar los bienes y servicios en Internet ha cambiado sustancialmente y, posiblemente, las grandes causantes de ese cambio han sido las plataformas. Así, el comercio electrónico se basaba en la exposición de la mercancía o servicio en la página web del vendedor, y en la elección del cliente visitando una u otra. Pero las plataformas cambian la forma de buscar y encontrar ese bien o servicio a través de distintas herramientas. Como pone de manifiesto el autor, es probable que nos hayamos acostumbrado tanto a ellas que no apreciemos la enorme importancia que tienen en la contratación diaria actual y cómo han cambiado la forma de negociar tanto para los oferentes de bienes y servicios como para los clientes.

prosumidores) los que oferten bienes o servicios sin tener que invertir importantes sumas de dinero para su comercialización (publicidad, páginas web, locales físicos). Como se ha puesto de manifiesto, estas plataformas son auténticas creadoras y reguladoras del mercado. Cuantos más clientes tengan, más proveedores de bienes y servicios habrá disponibles en su web (efecto red). Una vez alcanzado un número considerable de usuarios, la plataforma logra una posición predominante en el mercado que le permite ejercer una función reguladora[2].

No cabe duda de las múltiples ventajas que ofrece esta nueva forma de contratación e intercambio. No obstante, las relaciones jurídicas entabladas en su seno han suscitado nuevas cuestiones que se deben resolver, principalmente con el fin de crear un entorno seguro para los participantes y, en especial, para los consumidores que intervienen en la misma. Son numerosos los interrogantes que se plantean, entre los que conviene destacar, el papel de la plataforma como intermediaria y, en su caso, distinguirlas de aquellas que prestan el servicio o producto, la calificación de los sujetos intervinientes, los derechos y obligaciones de los sujetos participantes y la responsabilidad de la plataforma en el caso de que exista un incumplimiento por parte del prestador o suministrador del bien. Todo ello plantea importantes retos para el Derecho contractual algunos de los cuales no han sido resueltos[3].

---

2 Bech Serrat, J.M.: "La influencia predominante de las plataformas en línea y la responsabilidad contractual por los bienes y servicios subyacentes", *Indret,* (2), p.48.

3 Campuzano Tomé, H (2024): "El nuevo escenario que plantea la contratación en línea a través de plataformas intermediarias en el Derecho contractual europeo", en *Estudios de derecho contractual Europeo: nuevos problemas, nuevas reglas,* Aranzadi, pp. 556 y 557. Bech Serrat, J.M (2024): "La influencia predominante de las plataformas en línea y la responsabilidad contractual por los bienes y servicios subyacentes", cit., p. 62.

En cuanto al régimen jurídico aplicable a estas plataformas, son esencialmente dos Reglamentos europeos los que han acometido una regulación integral de las mismas.

Por un lado, el Reglamento (UE) 2019/1150 del Parlamento Europeo y del Consejo, de 20 de junio de 2019, sobre el fomento de la equidad y la transparencia para los usuarios profesionales de servicios de intermediación en línea (el denominado Reglamento *platform to business* o P2B), cuyo objetivo fundamental es regular las relaciones entre el proveedor de servicios de intermediación y las empresas que ofrecen bienes y servicios a los consumidores. Como se ha puesto de manifiesto, en este régimen jurídico es irrelevante el producto o servicio que se ofrece. Lo fundamental y la razón de ser de la normativa es garantizar la transparencia en las relaciones jurídicas entabladas entre el comerciante y la plataforma[4].

Por otro lado, Reglamento (UE) 2022/2065 del Parlamento Europeo y del Consejo de 19 de octubre de 2022 relativo a un mercado único de servicios digitales y por el que se modifica la Directiva 2000/31/CE (Reglamento de Servicios Digitales, RSD). El RSD tiene como objetivo último el de crear un entorno digital seguro, predecible y fiable. Frente al supraconcepto de servicio de la sociedad de la información, esta norma se dirige solo a los servicios intermediarios, organizando una regulación por capas. El capítulo primero contiene una serie de disposiciones generales tales como el ámbito de aplicación de la norma y las definiciones. El Capítulo segundo regula los supuestos en los que determinados servicios intermediarios (mera transmisión, memoria caché y alojamiento de datos) serán responsables por los contenidos ajenos que transmitan o almacenen, además de algunas obligaciones generales de ac-

---

4 Cuena Casas, M (2020): La contratación a través de plataformas intermediarias en línea", *Cuadernos de Derecho Transaccional,* (Volumen 12), p. 292.

tuación y entrega de información a las autoridades administrativas o judiciales pertinentes. Este capítulo ha venido a sustituir a los arts. 12 a 15 de la Directiva 2000/31/CE del Parlamento Europeo y del Consejo, de 8 de junio de 2000, relativa a determinados aspectos jurídicos de los servicios de la sociedad de la información, en particular el comercio electrónico en el mercado interior (DCE). En el Capítulo tercero se regulan, como novedad, determinadas obligaciones divididas en secciones según sean aplicables a todos los prestadores de servicios intermediarios (sección 1), a los servicios de alojamiento de datos (sección 2), dentro de estos, a las plataformas en línea (sección 3), las plataformas en línea que permiten al consumidor celebrar contratos a distancia con comerciantes (sección 4) y, por último, se establecen una obligaciones adicionales de gestión de riesgos sistémicos para prestadores de plataforma en línea y de motores de búsqueda en línea, ambos de gran tamaño (sección 5). Como puede observarse de la estructura de la norma, se incluye una regulación asimétrica en función del tipo de intermediario, de forma que las plataformas más relevantes del mercado tienen un conjunto de obligaciones y unos deberes de diligencia más intensos que las que pertenecen a pequeñas y medianas empresas.

En concreto, en los casos en los que la plataforma permite la celebración de contratos de consumo, también resulta de aplicación el Real Decreto Legislativo 1/2007, de 16 de noviembre, por el que se aprueba el texto refundido de la Ley General para la Defensa de los Consumidores y Usuarios y otras leyes complementarias (en adelante, TRLGDCU).

En este trabajo nos centraremos en el estudio de las obligaciones y el nacimiento de la responsabilidad contractual de la plataforma en los casos en los que el suministrador del bien o servicio incumple el contrato subyacente. Trataremos de determinar, por tanto, los presupuestos que han de darse para que pueda exigirse a la plataforma intermediaria que responda frente al consumidor cuando el negocio que se ha celebrado ha sido incumplido por el suministrador, siendo ambos sujetos participantes de la plataforma.

Comenzamos determinando quiénes son los sujetos y las relaciones jurídicas a las que nos referiremos en el presente estudio para, posteriormente, concretar las obligaciones de la plataforma intermediaria y a fijar los requisitos necesarios para hacerla responsable por incumplimiento del contrato.

2. PLATAFORMAS INTERMEDIARIAS Y SUJETOS DE LA CONTRATACIÓN

Al hablar de plataformas intermediarias en línea hacemos referencia, en términos generales, a aquellos prestadores de servicios de la sociedad de la información que ponen a disposición de los usuarios un espacio virtual en el que pueden publicar sus contenidos. En concreto, el art. 3, letra i) RSD las define como un servicio de alojamiento de datos que, a petición de un destinatario del servicio, almacena y difunde información al público, salvo que esa actividad sea una característica menor y puramente auxiliar de otro servicio o una funcionalidad menor del servicio principal y que no pueda utilizarse sin ese otro servicio por razones objetivas y técnicas[5]. Estas platafor-

5 Es cierto que el legislador europeo ha usado diversas nociones y definiciones para hacer referencia a estos nuevos servicios intermediarios. En el ámbito del Derecho de consumo se ofrece un concepto diferente, este es, el de mercado en línea, definido como "un servicio que emplea programas («software»), incluidos un sitio web, parte de un sitio web o una aplicación, operado por el comerciante o por cuenta de este, que permite a los consumidores celebrar contratos a distancia con otros comerciantes o consumidores" (art. 2.17 de la Directiva 2011/83/UE, modificada por la Directiva 2019/2161). El Reglamento (UE) 2019/1150 utiliza el concepto de proveedor de servicio en línea, definiéndolo como toda persona fí-

mas pueden ofrecer múltiples servicios y, entre ellos, la celebración de contratos entre oferentes de bienes y servicios y los adquirentes.

La principal cuestión jurídica que se ha planteado en torno a estas últimas ha sido la de diferenciar a aquellas que prestan el servicio subyacente de las que son meras intermediarias de la contratación. Ello es esencial para determinar el régimen

---

sica o jurídica que ofrece servicios de intermediación en línea a los usuarios profesionales o que les propone el uso de aquellos (art. 2.3). Estos servicios de intermediación se concretan en el art. 2.2, disponiéndose que los servicios que cumplen todos los requisitos siguientes: a) constituyen servicios de la sociedad de la información según lo previsto en el artículo 1, apartado 1, letra b), de la Directiva (UE) 2015/1535 del Parlamento Europeo y del Consejo (13); b) permiten a los usuarios profesionales ofrecer bienes o servicios a los consumidores, con el objetivo de facilitar el inicio de transacciones directas entre dichos usuarios profesionales y consumidores, con independencia de dónde aquellas concluyan en última instancia; c) se prestan a los usuarios profesionales sobre la base de relaciones contractuales entre el proveedor de los servicios y los usuarios profesionales que ofrecen los bienes o servicios a los consumidores. Por último, conviene hacer referencia al instrumento de *Soft Llaw* elaborado por el *European Law Institute*, denominado *Model Rules on Online Platforms*. En este se propone un régimen jurídico aplicable a las plataformas que permiten o facilitan la contratación de bienes o servicios entre proveedores y clientes, ofreciendo servicios como celebración de negocios, búsqueda de bienes o servicios, publicación de anuncios o publicación de opiniones y valoraciones de otros usuarios (art. 1.2). En cualquier caso y al margen de las críticas que merezca este maremágnum de conceptos y definiciones, en este trabajo nos centraremos, tal y como ha sido definido en el texto, en aquellas plataformas intermediarias en línea que permiten celebrar un contrato entre oferentes y usuarios de la misma, sin que estas sean parte del contrato subyacente celebrado.

jurídico aplicable a las mismas y su responsabilidad frente el adquirente del producto o servicio[6].

En este trabajo nos centraremos en las plataformas intermediarias en línea que permiten la celebración de contratos a distancia, sin que sean estas las que prestan el servicio subyacente. Se caracterizan, esencialmente, por poner a disposición de los sujetos participantes las herramientas necesarias para que el contrato pueda perfeccionarse, realizando una labor de intermediación tanto para la prestación del consentimiento como para el pago del precio o servicio. En efecto, la plataforma realiza un servicio de la sociedad de la información, siendo el medio a través del cual se produce la interacción entre sus usuarios. El negocio subyacente lo celebran los usuarios entre sí y, en ningún caso, lo presta la propia plataforma. Esta puede adoptar un papel completamente pasivo, ofreciendo solo el procedimiento para realizar la contratación o prestar un servicio más activo en relación con el negocio, ofreciendo herramientas adicionales como búsqueda de contenidos, valoración de usuarios o gestión de conflictos entre las partes[7].

En efecto, el éxito de estas plataformas se debe también a otras herramientas adicionales que ofrecen y que resultan especialmente útiles. Así, un procedimiento de búsqueda de

---

6 En efecto, como pone de manifiesto Cuena Casas, M (2020): La contratación a través de plataformas intermediarias en línea", Cuadernos de Derecho Transaccional, 2020, volumen 12, pp. 292 y 293, uno de los aspectos claves es el de determinar si la plataforma es auténtica intermediaria pues, en caso de no serlo, su servicio puede ser una violación de la Ley de Competencia Desleal. Si presta exclusivamente un servicio intermediario, su actividad no puede estar sujeta a autorización previa y, en línea de principio, tampoco será responsable contractualmente por incumplimiento del contrato subyacente.

7 Cuena Casas, M (2020): "La contratación a través de plataformas intermediarias en línea", cit., p. 398.

contenidos por filtros, que permite al cliente conocer y seleccionar los productos que le interesan de una forma ágil y rápida. Igualmente, las denominadas herramientas reputacionales, basadas en la opinión de otros clientes, que permiten hacerse una idea de la calidad del producto o servicio en cuestión en base a los comentarios y valoraciones publicados[8]. No cabe duda de que estos instrumentos agilizan, por un lado, la contratación del producto que se quiere y, por otro, se garantiza en mayor medida el éxito de la adquisición. En muchas ocasiones, además, se ofrecen como intermediarias para la resolución de conflictos que pudieran surgir entre los contratantes. Lo relevante a los efectos del presente estudio es que la plataforma es una mera intermediaria, de forma que no es parte del contrato, no presta el servicio o proporciona el producto y, además, el comerciante no actúa bajo su autoridad o control.

En otro orden, debemos considerar que las plataformas que permiten la celebración de contratos presentan una estructura triangular, basada en tres relaciones jurídicas diferenciadas, estas son, la relación entre la plataforma y el oferente del bien o servicio, entre aquella y el adquirente y, por último, la relación contractual que se crea entre el suministrador y este último[9].

---

8 Estas herramientas reputacionales son especialmente útiles en este tipo de contratación pues aumentan la confianza de los usuarios de la plataforma. En efecto, a través de las mismas, el usuario de la plataforma conoce la valoración que realizan otros sobre el comerciante y su producto, corrigiéndose así, de algún modo, la asimetría informativa propia de la contratación B2C. A tal fin, resulta esencial que estas herramientas sean fiables, de forma que se eviten los denominados "falsos positivos" o "injustos negativos", que pueden perjudicar gravemente tanto al comerciante como al consumidor. *Vid.* Cuena Casas, M.: La contratación a través de plataformas intermediarias en línea", Cuadernos de Derecho Transaccional, 2020, volumen 12, pp. 323 y 324.

9 Valpuesta Gastaminza, E (2025): "Las plataformas creadoras de mercado como "falsas plataformas intermediarias" y responsables de los

Asimismo, la horizontalidad de estas relaciones plantea retos normativos importantes. Al respecto, se ha de tener en cuenta que el acervo comunitario en materia de protección de consumidores y, en consecuencia, nuestra propia legislación, tienen en mente un modelo de contratación vertical en el que el empresario o profesional distribuye sus bienes o servicios a los consumidores, que son la parte débil de la relación contractual. En base a ello, se ha creado un conjunto normativo que trata de protegerlos, consolidando determinados derechos (información precontractual, derecho de desistimiento, régimen de cláusulas abusivas y los remedios frente al incumplimiento del empresario) de los que son titulares cuando contratan con un profesional[10]. No obstante, la contratación a través de las plataformas en línea se realiza en muchas ocasiones entre particulares o entre profesionales lo que determina, en línea de principio, que no resulte aplicable la normativa protectora a la que hacemos referencia. Resulta, por ello, necesario fijar cuáles son estos casos y el papel de la plataforma intermediaria para garantizar una adecuada protección de los contratantes. En esta línea, como se ha establecido, lo relevante no es el producto o servicio que se adquiere, sino la forma en la que se contrata y la función que cumple la plataforma en dicha contratación[11].

Por todo ello, el proveedor que permite la celebración de contratos asume un papel esencial para garantizar la transparencia informativa necesaria con el fin de que los participantes conozcan con quién están contratando, cuál es el régimen

productos o servicios que ofrecen", cit., p. 719.

10 Campuzano Tomé, H.: "El nuevo escenario que plantea la contratación en línea a través de plataformas intermediarias en el Derecho contractual europeo", cit., pp. 575 y 576.

11 Cuena Casas, M (2020): "La contratación a través de plataformas intermediarias en línea", cit., p. 291.

aplicable al contrato y las obligaciones que asume la misma en relación con el negocio celebrado.

Al respecto, debemos tener especialmente en cuenta el RSD y el art. 97 bis TRLGDCU que imponen una serie de obligaciones dirigidas, fundamentalmente, a garantizar la transparencia informativa, fundamentalmente para proteger al consumidor. Asimismo, en el Reglamento se diseña un sistema de exención de responsabilidad por el servicio de intermediación que realizan (art. 6) y que analizaremos pues en él se diseña un régimen aplicable también a la responsabilidad contractual. Comenzamos con las obligaciones de las plataformas que permiten la contratación entre sus usuarios. A continuación, fijaremos el régimen de responsabilidad contractual al que deben quedar sometidas en caso de incumplimiento del contrato subyacente.

3. OBLIGACIONES DE INFORMACIÓN Y TRANSPARENCIA DE LAS PLATAFORMAS QUE PERMITEN LA CONTRATACIÓN ENTRE SUS DESTINATARIOS

Las plataformas intermediarias en línea que permiten la contratación entre los sujetos participantes están sometidas al régimen de obligaciones y responsabilidad contenido en el RSD. Asimismo, están sometidas al TRLGDCU, en concreto, al art. 97 bis, que regula los contratos celebrados a través de los denominados mercados en línea. Como ya se ha indicado, estas obligaciones se dirigen fundamentalmente a que la plataforma observe unos deberes de transparencia con el objetivo fundamental de que sus participantes conozcan los aspectos fundamentales de la contratación que se proponen realizar, con quién contratan, la normativa aplicable y las garantías y responsabilidad que, en su caso, asume la propia plataforma.

Así, en el RSD regula las obligaciones generales de las plataformas en relación con los contenidos que alojen o almacenen y contiene una serie de disposiciones dirigidas a las plataformas en línea que permitan a los consumidores celebrar contratos a distancia con comerciantes. Estas últimas se encuentran en los arts. 30 a 32 RSD y, en relación con el procedimiento de contratación, debemos destacar las siguientes.

En primer lugar, se exige la denominada trazabilidad de los comerciantes, regulada en el art. 30 RSD en virtud de la cual la plataforma debe obtener determinada información[12] del oferente profesional antes de permitirle promocionar mensajes u ofrecer productos o servicios a los consumidores situados en la Unión, haciendo todo lo posible por evaluar si dicha información es fiable y completa mediante el uso de cualquier base de datos en línea o interfaz en línea oficial de libre acceso puesta a disposición por un Estado miembro o por la Unión o solicitando al comerciante que aporte documentos justificativos de fuentes fiables (art. 30. 2 RSD). Esta información deberá estar accesible de manera clara y comprensible al menos en la interfaz en línea en la que se presente la información del producto o servicio (art. 30, apartado 7 RSD). Asimismo, las plataformas

---

12 La información es la contenida en el apartado 1, letras a)-e) del art. 30 RSD: "a) el nombre, la dirección, el número de teléfono y la dirección de correo electrónico del comerciante; b)una copia del documento de identificación del comerciante o cualquier otra identificación electrónica tal como se define en el artículo 3 del Reglamento (UE) n.o 910/2014 del Parlamento Europeo y del Consejo; c) los datos de la cuenta de pago del comerciante; d) cuando el comerciante esté inscrito en un registro mercantil o registro público análogo, el registro mercantil en el que dicho comerciante esté inscrito y su número de registro o medio equivalente de identificación en ese registro; e)una certificación del propio comerciante por la que se comprometa a ofrecer exclusivamente productos o servicios que cumplan con las disposiciones aplicables del Derecho de la Unión.

deben almacenar toda la información de manera segura durante la vigencia de su relación contractual con el comerciante, así como durante los seis meses posteriores con el fin de posibilitar la presentación de reclamaciones o la ejecución de órdenes relacionadas con el empresario.

En segundo lugar, se imponen obligaciones relativas al diseño de la plataforma, debiendo estar organizada de manera que los comerciantes puedan cumplir con sus obligaciones en relación con la información precontractual, la conformidad y la información de seguridad del producto. En concreto, debe permitir que puedan proporcionar al menos la siguiente información: a) la información necesaria para la identificación clara e inequívoca de los productos o servicios promocionados u ofrecidos a los consumidores situados en la Unión a través de los servicios de los prestadores; b) cualquier signo que identifique al comerciante, como la marca, el símbolo o el logotipo, y c) en su caso, la información relativa al etiquetado y marcado de conformidad con las normas aplicables del Derecho de la Unión en materia de seguridad de los productos y conformidad de los productos (art. 31 RSD).

Por último, al margen de las obligaciones específicas ya nombradas, el art. 25 prohíbe el uso de las denominadas interfaces engañosas, estas son, las prácticas que distorsionan o merman sustancialmente, de forma deliberada o efectiva, la capacidad de los destinatarios del servicio de tomar decisiones autónomas y con conocimiento de causa. En concreto, se citan determinadas prácticas específicas como dar más protagonismo a determinadas opciones al pedir al destinatario del servicio que tome una decisión, solicitar reiteradamente que el destinatario del servicio elija una opción cuando ya se haya hecho esa elección, especialmente a través de la presentación de ventanas emergentes que interfieran en la experiencia del usuario o hacer que el procedimiento para poner fin a un servicio sea más difícil que suscribirse a él. Estas prácticas resultan especialmente trascendentes para el consumidor cuando inicia el procedimiento de contratación en la plataforma, de forma que no se manipule mediante interfaces su decisión de contratar o no, o de hacerlo de un determinado bien o servicio concreto.

Por su parte, el TRLGDCU regula en el art. 97 bis los requisitos específicos de información que han de observar los denominados "mercados en línea". Estos se encuentran definidos en el art. 59 bis, párrafo tercero como un servicio que emplea programas (software), incluidos un sitio web, parte de un sitio web o una aplicación, operado por el empresario o por cuenta de éste, que permite a los consumidores o usuarios celebrar contratos a distancia con otros empresarios o consumidores. Se trata, en definitiva, de plataformas que permiten la contratación a distancia entre sus destinatarios, aunque en este caso las obligaciones se imponen igualmente con independencia de que la relación contractual sea de consumo o entre particulares lo que, sin duda, supone una novedad dentro de la regulación y, sin duda, un acierto pues lo relevante en este caso es el vínculo establecido entre el adquirente consumidor y la plataforma que presenta la información. En esta línea, se busca que el contratante que actúa fuera de su ámbito empresarial o profesional conozca bien los aspectos de la contratación que se propone realizar y ello solo puede ser proporcionado por la plataforma a través del diseño que se realice por la misma.

A tal fin, el precepto establece que los mercados en línea deben proporcionar la siguiente información: Información general relativa a los principales parámetros que determinan la clasificación de las ofertas presentadas al consumidor o usuario como resultado de la búsqueda y la importancia relativa de dichos parámetros frente a otros; Si el tercero que ofrece los bienes, servicios o contenido digital tiene la condición de empresario o no, con arreglo a su declaración al proveedor del mercado en línea; Cuando el tercero que ofrece los bienes, servicios o contenido digital no sea un empresario, la mención expresa de que la normativa en materia de protección de los consumidores y usuarios no es de aplicación al contrato; Cuando proceda, cómo se reparten las obligaciones relacionadas con el contrato entre el tercero que ofrece los bienes, servicios o contenido digital y el proveedor del mercado en línea, entendiéndose esta información sin perjuicio de cualquier responsabilidad que el proveedor del mercado en línea o el tercero empresario tenga en relación con el contrato en virtud de otra normativa de la Unión Europea o nacional; En su caso, las garantías y seguros ofrecidos por el proveedor del mercado en línea; Los métodos de resolución de conflictos y, en su caso, el papel desempeñado por el proveedor del mercado en línea en la solución de controversias.

Como podemos observar, las obligaciones que asumen las plataformas que permiten la contratación a distancia deben cumplir determinados requisitos dirigidos fundamentalmente a lograr dos objetivos. En primer lugar, desde el punto de vista del diseño de la propia plataforma y el procedimiento de contratación que plantee, debe procurar que el comerciante que ofrezca bienes o servicios pueda cumplir con sus obligaciones de información y, además, garantizar la transparencia sobre los recursos y herramientas usadas durante dicho procedimiento. En segundo lugar, también se imponen directamente a las plataformas unos requisitos de información dirigidos fundamentalmente a que el contratante conozca la legislación aplicable al contrato y las garantías y responsabilidad de la propia plataforma, esto es, el papel que asume la misma en relación con el contrato celebrado.

No cabe duda de que estas obligaciones son relevantes para proteger eficazmente a los destinatarios del servicio de contratación, especialmente cuando lo que se origina es una relación de consumo, teniendo en cuenta la especial protección que ha de otorgarse al consumidor.

Una vez vistas las obligaciones principales de estas plataformas en relación con el servicio de contratación que permiten, pasamos a estudiar el supuesto de la responsabilidad contractual de la misma en el caso de que se incumpla el contrato subyacente. Para ello, determinaremos, en primer lugar, el supuesto concreto al que nos referimos para posteriormente concretar los requisitos necesarios para que nazca esta responsabilidad.

4. RESPONSABILIDAD CONTRACTUAL DE LA PLATAFORMA POR INCUMPLIMIENTO DEL CONTRATO SUBYACENTE

4.1. Supuesto de hecho

Como hemos visto, tanto el RSD como el TRLGDCU regulan las obligaciones de información y de diseño que han de observar las plataformas intermediarias en línea que permiten la contratación entre sus participantes. Estas se dirigen, esencialmente, a garantizar la transparencia en este tipo de contratación triangular en la que el consumidor debe quedar perfectamente informado con quién está contratando y la regulación aplicable al contrato. Cuestión distinta y que no se regula específicamente es la de la responsabilidad contractual de la plataforma intermediaria. No obstante, antes de entrar en el análisis de esta cuestión, debemos concretar el supuesto concreto al que nos referimos.

En primer lugar, una vez más conviene aclarar que analizamos el nacimiento de la responsabilidad contractual de las plataformas intermediarias en línea que prestan esencialmente un servicio consistente en permitir la celebración de contratos entre sus participantes o destinatarios. Estas ponen a su disposición las aplicaciones y herramientas necesarias para que pueda perfeccionarse el contrato entre oferentes de productos y servicios y los demandantes de los mismos. En definitiva, se trata de plataformas meramente intermediarias que no prestan el servicio subyacente. Como sabemos, una de las principales cuestiones que surgieron en torno a estas plataformas desde su nacimiento fue la de diferenciar entre aquellas que se limitaban a permitir la contratación de aquellas que eran parte contractual, de forma que debían someterse a la legislación aplicable al servicio que se prestaba (alojamiento, transporte, etc.) y, por supuesto, esta sería responsable directa en caso de incumplimiento. Frente a estas, se encuentran las que son objeto de nuestro estudio y que, en línea de principio, al no ser parte del contrato tampoco son tampoco responsables[13]. La di-

---

[13] Diferenciar entre unas y otras no siempre es fácil. En algunos casos, la propia plataforma se disfraza de intermediaria, aun cuando realiza una labor de control de los aspectos esenciales del contrato subyacente. Para dilucidar si el comerciante actúa bajo la dirección o autoridad de la propia plataforma, se han establecido una serie de criterios cuales son, entre otros, determinar quién fija el precio del producto o servicio, las condiciones de la relación contractual subyacente o quién es la propietaria de los activos para prestar el servicio subyacente. El propio TJUE se ha pronunciado sobre esta cuestión en la conocida sentencia de 20 de diciembre de 2017 (Asunto C: 434/15). En dicha sentencia, el tribunal determina que UBER presta un servicio de la sociedad de la información consistente en poner en contacto a conductores no profesionales con las personas que desean realizar un desplazamiento urbano. No obstante, sigue estableciendo la sentencia, también ejerce una influencia decisiva sobre las condiciones del contrato subyacente como el precio máximo del servicio, control de la calidad del vehículo que se usa para el transporte, el comportamiento de los conductores, etc. De esta forma, acaba concluyendo la sentencia, que el servicio de intermediación forma parte integrante de un servicio global cuyo elemento principal es el servicio de transporte. Especialmente relevante resulta igualmente la STJUE de 19 de diciembre de 2019, (Asunto C 390/18), sobre la plataforma AIRBNB, en la que se concluye que la plataforma presta exclusivamente un servicio de intermediación entre demandantes y oferentes de alojamiento, facilitando la contratación entre estos. No ejerce una influencia decisiva en las condi-

ferenciación entre unas y otras no ha sido todavía acometida por el legislador europeo siendo, sin embargo, una cuestión de vital importancia no solo en el marco del derecho de la competencia, si no también para concretar las obligaciones y la responsabilidad que estas han de asumir frente a sus clientes[14].

En segundo lugar, nuestro supuesto se centrará en una relación de consumo, de forma que el contrato subyacente se haya celebrado entre un comerciante y un consumidor. Sobre esta base y teniendo en cuenta el art. 6.3 RSD, intentaremos diseñar los presupuestos que, ateniendo a la norma, son necesarios para que se pueda declarar responsable a la plataforma.

Por último, el supuesto de hecho es el incumplimiento del contrato subyacente, es decir, aquel que se celebra usando la plataforma en línea entre el profesional y el consumidor. No analizaremos, por tanto, el incumplimiento del acuerdo cele-

---

ciones o términos del contrato. Esta actividad, según determina el tribunal, es perfectamente disociable de la transacción inmobiliaria de alojamiento. *Vid.* Cuena Casas, M.: La contratación a través de plataformas intermediarias en línea", Cuadernos de Derecho Transaccional, 2020, volumen 12, pp.304-309. Crítico con esta doctrina se manifiesta Valpuesta Gastaminza, E (2025): "Las plataformas creadoras de mercado como "falsas plataformas intermediarias" y responsables de los productos o servicios que ofrecen", cit., pp. 722 y 723, al entender que las nuevas plataformas que crean un nuevo mercado digital, como AIRBNB, no cumplen una mera función de intermediación. Al respecto, pone de manifiesto que el resto de funciones que añaden determina que presten un servicio más completo y totalmente distinto. Son creadoras de un nuevo mercado y, precisamente esta actividad sirve de fundamento para que no les sea aplicable la exención de responsabilidad del art. 6 RSD pues este precepto, se refiere, exclusivamente, a las plataformas que prestan un servicio de intermediación.

14 Campuzano Tomé, H. (2024): "El nuevo escenario que plantea la contratación en línea a través de plataformas intermediarias en el Derecho contractual europeo", cit. , p. 565.

brado entre la plataforma y sus participantes, sean estos comerciantes oferentes de los bienes o servicios o los consumidores que los adquieren. Al fin y al cabo, se trata de determinar en qué casos responde, aunque no sea parte del contrato ni haya suministrado el bien o servicio no conforme. Asimismo, fijaremos el alcance de dicha responsabilidad teniendo en cuenta que el prestador no es el suministrador del bien o servicio y, en consecuencia, no puede poner los bienes en conformidad o sustituirlos por otros. Comenzamos con los presupuestos necesarios para que nazca la responsabilidad de la plataforma.

4.2. Presupuestos para que nazca la responsabilidad contractual de la plataforma intermediaria

Como ya se ha indicado, la plataforma intermediaria en línea no es parte del contrato y, en consecuencia, no es responsable por su incumplimiento (principio de eficacia relativa del contrato, art. 1257, 1 CC)[15]. Se limita a poner a disposición

---

15 Campuzano Tomé, H.: "El nuevo escenario que plantea la contratación en línea a través de plataformas intermediarias en el Derecho contractual europeo", cit., p. 567. Al respecto, estaos de acuerdo con Bech Serrat, J.M (2024): "La influencia predominante de las plataformas en línea y la responsabilidad contractual por los bienes y servicios subyacentes", cit., p. 78 cuando afirma que "el principio de relatividad del contrato no pone el foco en la influencia económica o de otro tipo de los sujetos involucrados en una transacción. Busca preservar la autonomía personal en la selección de la persona con quien se contrata y la libertad contractual. Desde esta perspectiva, la idea de imponer una responsabilidad solidaria del operador de la plataforma con el proveedor del bien o servicio, en los términos del art. 20 de las Reglas modelo ELI sobre plataformas en línea, no es acorde con una exención, limitación del riesgo y diferenciación resultantes de una separación de las relaciones contractuales y que tiene lugar a pesar de una interdependencia económica entre los participantes".

de los destinatarios las aplicaciones y herramientas necesarias para que puedan perfeccionar el negocio. Ello le obliga, como hemos visto, a observar una serie de obligaciones de información y transparencia, especialmente dirigidas a proteger al contratante cuando es un consumidor.

Por su parte, el art. 6 RSD contiene el régimen de exención de responsabilidad de los prestadores de servicios de alojamiento por el contenido ilícito publicado. Se dispone en el precepto lo siguiente:

> *1. Cuando se preste un servicio de la sociedad de la información consistente en almacenar información facilitada por un destinatario del servicio, el prestador de servicios no podrá ser considerado responsable de la información almacenada a petición del destinatario, a condición de que el prestador de servicios:*
>
> *a) no tenga conocimiento efectivo de una actividad ilícita o de un contenido ilícito y, en lo que se refiere a solicitudes de indemnización por daños y perjuicios, no sea consciente de hechos o circunstancias que pongan de manifiesto la actividad ilícita o el contenido ilícito, o*
>
> *b) en cuanto tenga conocimiento o sea consciente de ello, el prestador de servicios actúe con prontitud para retirar el contenido ilícito o bloquear el acceso a este.*
>
> *2. El apartado 1 no se aplicará cuando el destinatario del servicio actúe bajo la autoridad o el control del prestador de servicios.*
>
> *3. El apartado 1 no se aplicará con respecto a la responsabilidad, en virtud del Derecho en materia de protección de los consumidores, de las plataformas en línea que permitan que los consumidores celebren contratos a distancia con comerciantes, cuando dicha plataforma en línea presente el elemento de información concreto, o haga posible de otro modo la transacción concreta de que se trate, de manera que pueda inducir a un consumidor medio a creer que esa información, o el producto o servicio que sea el objeto de la transacción, se proporcione por la propia plataforma en línea*

o por un destinatario del servicio que actúe bajo su autoridad o control.

4. El presente artículo no afectará a la posibilidad de que una autoridad judicial o administrativa, de conformidad con el ordenamiento jurídico de un Estado miembro, exija al prestador de servicios que ponga fin a una infracción o que la impida.

Como ya se consagró en la DCE, los prestadores de servicios de alojamiento no podrán ser considerados responsables de la información almacenada a petición del destinatario siempre que no tengan conocimiento efectivo de una actividad ilícita o de un contenido ilícito y, en lo que se refiere a solicitudes de indemnización por daños y perjuicios, no sean conscientes de hechos o circunstancias que pongan de manifiesto la actividad ilícita o el contenido ilícito, o en cuanto tenga conocimiento o sea consciente de ello, el prestador de servicios actúe con prontitud para retirar el contenido ilícito o bloquear el acceso a este[16].

Se introduce una novedad importante en relación con las plataformas que permiten a los consumidores celebrar contratos a distancia, exceptuando la aplicación de la exención cuando la plataforma haga creer a un consumidor medio que el producto o servicio se presta por la propia plataforma o bajo

---

16 Se consagran, en consecuencia, los mismos criterios de exención de responsabilidad ya establecidos en la DCE, estableciéndose una regulación que intenta equilibrar el derecho a la libertad de expresión de los ciudadanos que ahora usan muchos de estos intermediarios de alojamiento para expresar sus ideas, opiniones, y publicar comentarios, la protección de las víctimas de los contenidos ilícitos y la libertad de empresa en su vertiente de libertad para decidir las condiciones de uso que imponen. Para ello, se diseña un sistema de puerto seguro (*Safe Harbour*) para los prestadores intermediarios, de forma que quedan exentos de responsabilidad siempre que se cumplan determinados requisitos que dependían de la naturaleza de la actividad.

su autoridad o control (art, 6, apartado tercero RSD). No cabe duda de que esta declaración trae importantes consecuencias en relación con la responsabilidad contractual de las plataformas en línea. Asimismo, como se ha puesto de manifiesto, es evidente que determina para estas mayores obligaciones en materia de transparencia y claridad tanto en el clausulado como en la propia prestación del servicio[17].

Además del supuesto planteado por la norma en virtud del cual puede surgir la responsabilidad contractual, también es posible que surja como consecuencia de su asunción directa por parte de la propia plataforma, generalmente a través de sus condiciones generales. Veamos cada uno de los supuestos.

i) Responsabilidad contractual asumida voluntariamente a través de las condiciones generales

Como ya se ha indicado anteriormente, en línea de principio la plataforma en línea que permite la contratación entre empresarios y consumidores presta un servicio intermediario y, en consecuencia, no puede hacerse responsable a la misma por el incumplimiento del contrato. No obstante, es posible que el propio prestador asuma dicha responsabilidad junto con el comerciante, de forma que el consumidor pueda dirigirse directamente a este para exigir las medidas de conformidad reguladas en el TRLGDCU o en el Código civil, según el caso.

En este caso, la plataforma ha diseñado correctamente la interfaz y cumplido con todas sus obligaciones de información y transparencia, de forma que su responsabilidad surge del propio contrato celebrado con el usuario. Por esta razón, será esta misma la que determine, a través de las condiciones generales,

---

17 Fernández García de la Yedra, A. (2021): "Cambios normativos en torno a la responsabilidad de las plataformas electrónicas de intermediación", en *Plataformas digitales: Aspectos jurídicos*, Aranzadi, p. 44.

en qué supuestos responderá y con qué alcance. Lógicamente, en este caso, será indiferente si el contratante es un consumidor o no pues su responsabilidad no nace de la norma que impone el requisito de que sea un contrato de consumo si no del propio acuerdo que será ley entre las partes.

ii) Responsabilidad contractual derivada del diseño (art. 6.3 RSD)

Como hemos visto, el art. 6 RSD regula el sistema de exención de responsabilidad o puerto seguro de todos los prestadores de servicios de alojamiento, determinando los supuestos en los que no se puede declarar responsables a los mismos por el almacenamiento del contenido ajeno que no controlen ni supervisen.

En concreto, en el apartado tercero realiza una excepción a este sistema, aplicable a las plataformas que permiten la contratación entre empresarios y consumidores, al establecer que no podrán beneficiarse del mismo cuando dicha plataforma en línea presente el elemento de información concreto, o haga posible de otro modo la transacción concreta de que se trate, de manera *que pueda inducir a un consumidor medio a creer que esa información, o el producto o servicio que sea el objeto de la transacción, se proporcione por la propia plataforma en línea o por un destinatario del servicio que actúe bajo su autoridad o control* (subrayado propio). En un sentido parecido, el art. 20 de las Reglas modelo sobre plataformas en línea del ELI, dispone que el cliente puede ejercer los remedios frente a un incumplimiento contra el operador de la plataforma si el cliente puede razonablemente confiar en que el operador de la plataforma tiene una *influencia predominante* sobre el proveedor (cursiva propia).

En concreto, en el RSD se configura como una excepción al sistema de exención de responsabilidad que se establece en el apartado primero. En principio, por tanto, no se declara automáticamente la responsabilidad de la plataforma, si no que habrá que estar posteriormente a las reglas de la responsabilidad del Derecho interno para determinar si se dan los presupuestos para que nazca la misma[18].

En segundo lugar, el precepto hace referencia a la responsabilidad que, en materia de protección de consumidores, derive de la transacción. Se trata, por tanto, de una excepción cuyo ámbito de aplicación se circunscribe a la contratación de consumo, es decir, aquella que tiene lugar a través de la plataforma entre un empresario o comerciante y un consumidor. No se aplica, sin embargo, si el contrato se celebra entre particulares o profesionales, debiéndose en este caso regir por las reglas generales de forma que, en línea de principio, la plataforma no será responsable cuando actúe como mera intermediaria de la transacción. No obstante, volveremos sobre esta cuestión más adelante, tras analizar los elementos configuradores del supuesto para determinar si, en atención a los mismos, podría nacer igualmente la responsabilidad de la plataforma en estos otros supuestos.

En tercer lugar, entrando ya en el análisis de la norma, vemos que se trata de un supuesto de diseño de la propia plataforma de contratación de forma que la excepción se basa en la falta de diligencia en la presentación de la información al consumidor que quiere adquirir el bien o servicio. En concreto, se hace referencia a la forma en la que se presenta la información

---

18 Como pone de manifiesto, Bech Serrat, J.M (2024): "La influencia predominante de las plataformas en línea y la responsabilidad contractual por los bienes y servicios subyacentes", cit., p. 62, el legislador europeo se ha mostrado reacio a regular la responsabilidad contractual de las plataformas. Ello se muestra claramente en la remisión efectuada al Derecho nacional de los Estados miembros por las Directivas (UE) 770 y 771/2019 reguladoras, respectivamente, de los contratos de suministro de contenidos y servicios digitales y de la compraventa de bienes, a los efectos de considerar las plataformas como profesionales o vendedoras y sujetarlas a la responsabilidad contractual.

o se realice la transacción de manera que pueda inducir a un consumidor medio a creer que esa información, o el producto o servicio que sea el objeto de la transacción, se proporciona por esta o bajo su autoridad o control. Se trata, pues, de que el diseño haga pensar objetivamente que el consumidor está contratando directamente con la plataforma. Por tanto, no habrá que dilucidar si la plataforma presta el servicio o proporciona el producto o ejerce una influencia predominante sobre el comerciante de forma que pueda concluirse que es parte contractual. En este caso, ello resultará irrelevante. Lo fundamental será examinar la apariencia creada por esta y, en base a la misma, hacerle responsable, junto con el comerciante, por el incumplimiento del contrato celebrado.

Ello ocurre, esencialmente, en aquellos supuestos en los que la plataforma no informa debidamente al consumidor de los elementos esenciales de la contratación que está realizando cuales son la parte con la que contrata, su condición (empresario o particular) o cómo se reparten las obligaciones relacionadas con el contrato entre el tercero que ofrece los bienes, servicios o contenido digital y el proveedor del mercado en línea (art. 97 bis TRLGDCU). Puede ocurrir que, directamente, falte dicha información o que esta no se presente de forma clara, comprensible y adecuada.

Esta falta de información o información defectuosamente presentada debe, además, crear una apariencia frente al consumidor de forma que este pueda legítimamente creer que está contratando directamente con la plataforma. De esta forma, si durante el proceso de presentación de los productos o servicios o el proceso de contratación se induce a un consumidor medio a suponer que la otra parte contractual es el prestador de plataforma o un empresario bajo su control, esta podrá ser declarada responsable por el incumplimiento del contrato subyacente. En este caso, por tanto, no se tratará de analizar si la plataforma presta efectivamente el servicio o proporciona el producto conforme a los criterios elaborados por la jurisprudencia del TJUE, pues el fundamento de la responsabilidad no se encuentra en el negocio celebrado, si no en la propia utilización del servicio de intermediación por parte del consumidor y en cómo este se haya diseñado por parte del prestador[19].

[19] Al respecto, conviene recordar la STJUE de 9 de noviembre de 2016 (Sabrina Wathelet contra Garage Bietheres & Fils SPRL). La cuestión surge a raíz de un contrato de compraventa que celebra una consumidora con un taller de vehículos, en virtud del cual adquiere un coche que, realmente, era propiedad de un particular. De esta forma y sin que la compradora lo supiera, el taller actuaba exclusivamente como intermediario del contrato. Se pregunta al Tribunal si debe interpretarse el concepto de "vendedor" de bienes de consumo, establecido en el artículo 1649 bis del Código Civil belga, que transpone al Derecho belga la Directiva 1999/44/CE, en el sentido que se refiere no sólo al profesional que, en calidad de vendedor, transmite la propiedad de un bien de consumo a un consumidor, sino también al profesional que actúa como intermediario de un vendedor no profesional, al margen de que perciba o no una retribución por su intervención y de que haya informado o no al potencial comprador de que el vendedor es un particular. El TJUE determinó que para garantizar una protección efectiva al consumidor en el marco de la Directiva 1999/44, resulta necesario que se informe al consumidor de que el propietario es un particular. En efecto, en materia de información, existe un desequilibrio considerable entre el consumidor y el intermediario profesional, especialmente cuando no se informa al consumidor de que el titular del bien vendido es, en realidad, un particular. Por ello, en circunstancias como las del procedimiento principal, el consumidor puede ser fácilmente inducido a error, debe atribuírsele un grado de protección reforzado. Por tanto, en virtud de la Directiva 1999/44, la responsabilidad del vendedor debe poder ser exigible al intermediario que crea un riesgo de confusión al dirigirse al consumidor, haciéndole creer que actúa en calidad de propietario del bien objeto de la compraventa. *Vid.* Bech Serrat, J.M (2024): "La influencia predominante de las plataformas en línea y la responsabilidad contractual por los bienes y servicios subyacentes", cit., p. 57.

Como vemos, el error al que se induce se aprecia desde un punto de vista objetivo, teniendo en cuenta lo que un consumidor medio pueda creer basándose en la información proporcionada por la propia plataforma. Se trata, en consecuencia, de un error excusable en atención a la falta de diligencia en el diseño sin que se exija, sin embargo, que el contratante demuestre que, efectivamente, creía que contrataba con esta[20].

---

[20] El art. 20 de las de las Reglas modelo ELI sobre plataformas en línea, va más allá al incluir un listado no exhaustivo de siete criterios para evaluar si el cliente puede razonablemente confiar en la influencia predominante de la plataforma sobre el prestador del servicio. Los criterios con los siguientes: a) el contrato entre prestador y cliente es concluido empleando exclusivamente medios facilitados por la plataforma; b) el operador de la plataforma retiene la identidad del prestador o los detalles de contacto hasta después de la conclusión del contrato prestador-cliente; c) el operador de la plataforma emplea exclusivamente sistemas de pago que le permiten retener pagos hechos por el cliente al prestador; d) los términos del contrato prestador-cliente son esencialmente determinados por el operador de la plataforma; e) el precio a pagar por el cliente es determinado por el operador de la plataforma; f) la comercialización se centra en el operador de la plataforma y no en los prestadores; o g) la plataforma promete controlar la conducta de los prestadores y hacer cumplir con sus estándares más allá de lo que es exigido por las normas. De esta forma, no se trata solo de determinar si la plataforma ha sido transparente y/o ha cumplido sus deberes de información, siendo también responsable en los casos en los que aparentemente tenga una clara influencia sobre el comerciante que opera a través de esta o sobre el propio contrato celebrado. En nuestra opinión, sin embargo, estos deben operar junto con el de la falta de transparencia o una información defectuosamente proporcionada pero no como criterios únicos para declarar la responsabilidad de la plataforma por el incumplimiento del contrato subyacente, sin perjuicio de que, en relación a su actividad de intermediaria y su influencia en el contrato, surjan otras obligaciones relacionadas con el mismo, como veremos en el apartado quinto del presente estudio.

En cualquier caso, debemos recordar que el art. 6 RSD no regula la responsabilidad de los prestadores de alojamiento, si no un sistema de puertos seguros a los que podrán acogerse los mismos para no ser declarados responsables en ningún caso. En este contexto, se realiza esta excepción que analizamos basada, como ya se ha indicado, en la propia falta de diligencia de la plataforma y en el error objetivo al que se induce al consumidor a través del diseño. Por ello, para que nazca la responsabilidad contractual de la plataforma, además de estos elementos, deberá existir un incumplimiento del contrato subyacente de forma que o bien no se ha realizado la prestación o se ha realizado de una forma no conforme con el contrato.

Dado el caso, debe concretarse el alcance de la responsabilidad de la plataforma teniendo en cuenta que será difícil que pueda llevar a cabo algunos remedios como la corrección de la prestación o su sustitución por otra, pues no es el prestador el que suministra el bien o servicio y, por tanto, no podrá quedar obligado a algo imposible. En términos generales y sin perjuicio de que haya que estar al caso concreto, la responsabilidad de la plataforma puede concretarse en los siguientes remedios.

En primer lugar, el consumidor podrá exigir que la plataforma que actúe como intermediaria con el comerciante para exigir la reparación o sustitución del bien o servicio proporcionado. Igualmente, para exigir el cumplimiento de la prestación cuando se trata de un incumplimiento definitivo. No bastaría, en este caso, con proporcionar al consumidor una herramienta para contactar con el empresario u ofrecerle el contacto para que se dirija al mismo, sino que deberá ser el prestador el que lleve a cabo esta comunicación pues frente al consumidor responde directamente de acuerdo con la ficción creada por el diseño. En segundo lugar, el consumidor podrá exigir una disminución del precio o resolver directamente el contrato subyacente comunicándoselo así a la plataforma, sin que deba dirigirse al empresario o profesional con el que ha contratado. Cumplirá de este modo su deber de comunicación a la otra parte. En tercer lugar, la plataforma también será responsable por los daños y perjuicios ocasionados al consumidor como consecuencia del incumplimiento contractual. Todo ello sin perjuicio de que, en su caso, la plataforma tenga una acción de repetición contra el verdadero contratante[21].

La responsabilidad de la plataforma es solidaria con la del proveedor del bien o servicio contratado pues el hecho de que responda en algunos casos no puede eximir al vendedor o prestador del servicio. Este es parte del negocio, ha realizado la prestación subyacente y debe garantizar que esta sea conforme con el contrato celebrado. De esta forma, el consumidor se podrá dirigir contra cualquiera de ellos para exigir la medida correctora aplicable, con los límites que acabamos de ver respecto del proveedor de plataforma.

En conclusión, de acuerdo con la apariencia creada, el consumidor podrá dirigirse indistintamente al prestador del servicio o al comerciante con el que ha contratado para exigir las medidas correctoras en caso de cumplimiento defectuoso o incumplimiento definitivo.

Por último, debemos volver a la cuestión planteada al inicio sobre si es posible aplicar el mismo criterio de nacimiento de la responsabilidad contractual de la plataforma cuando el contrato subyacente se ha celebrado entre particulares o entre empresarios o profesionales. Como hemos visto, en este caso se exige que se haya creado tal apariencia que el usuario pueda legítimamente creer que está contratando directamente con la plataforma. Se trata de una ficción jurídica creada con el fin último de proteger al contratante en las relaciones de con-

---

21 Cuena Casas, M (2020): "La contratación a través de plataformas intermediarias en línea", cit. p. 320. Valpuesta Gastaminza, E. (2025): "Las plataformas creadoras de mercado como "falsas plataformas intermediarias" y responsables de los productos o servicios que ofrecen", cit., p. 731.

sumo que entable en el seno del servicio. En nuestra opinión, esta protección podría estar igualmente justificada, al menos, en las relaciones que se establecieran entre particulares, pues estos siguen siendo consumidores frente al prestador del servicio. Al fin y al cabo, el diseño y los elementos de presentación e información durante el proceso de contratación se enmarcan en una relación contractual existente entre el usuario del servicio y la plataforma y es precisamente dicha relación la que permite exigir la responsabilidad a esta por el incumplimiento del contrato subyacente.

En cualquier caso, al no quedar previsto así expresamente en la legislación, entendemos que no es posible exigir las medidas correctoras del incumplimiento al prestador de plataforma. Igualmente, creemos que el destinatario del servicio sea este consumidor o empresario o profesional, podría instar la anulación del contrato por error (art. 1266 CC) o dolo (arts. 1269 y 1270 CC) siempre que se dieran los requisitos previstos en la legislación. En este caso, por tanto, no bastará con demostrar que el propio diseño de la plataforma es objetivamente engañoso o pueden inducir a error, si no que además se necesitará cumplida prueba de que dicho error (inducido o no) se ha producido efectivamente para que proceda la nulidad del contrato. Entendemos, sin embargo, que la excusabilidad se encuentra presente en el propio supuesto planteado, este es, la presentación de los elementos de información de forma que puedan confundir a un contratante normalmente diligente. Asimismo, su esencialidad puede deducirse del propio caso, pues lo normal es que el consumidor haya celebrado el contrato en atención a la plataforma intermediaria en línea y su fiabilidad, teniendo en cuenta especialmente que se trata de un contrato a distancia, realizado a través de la Red, razón por la cual el contratante buscará una web de confianza para realizar la transacción.

En definitiva, la responsabilidad contractual de la plataforma intermediaria en línea surgirá en los casos en los que exista un incumplimiento del contrato subyacente, por un lado, y esta haya presentado la información de forma que se haga creer al destinatario que se está contratando por la propia plataforma, por otro. La apariencia creada por la propia plataforma en su relación contractual con el destinatario del servicio es el fundamento de esta ficción jurídica creada, esta es, que responda como si fuera parte contractual. Al fin y al cabo, es necesario que se cree un marco de confianza entre proveedores comerciales y usuarios en las que las plataformas actúen como meras intermediarias. Por ello, estas deben ser especialmente transparentes, quedando obligadas a declarar de forma expresa que no son ellas quienes venden o prestan directamente el servicio, sino que es un tercero, de forma que se aseguren que el consumidor conoce esta circunstancia antes de la perfección del contrato[22].

Esta solución respecto a la responsabilidad contractual de la plataforma es la que, por ahora, permite la legislación española de acuerdo con el RSD y la regulación contenida en el art. 97 bis TRLGDCU. Es cierto que el legislador español podría haber ido más allá y regular de forma específica en qué casos y bajo qué presupuestos nace la responsabilidad del mercado en línea. Sin embargo, no se ha hecho uso de esta facultad y, en consecuencia, debemos acudir a las reglas existentes para determinarlo, tal y como se ha defendido en estas líneas[23].

---

22 *Vid.* Campuzano Tomé, H. (2024): "El nuevo escenario que plantea la contratación en línea a través de plataformas intermediarias en el Derecho contractual europeo", cit., p. 568.

23 Al respecto, como pone de manifiesto Bech Serrat, J.M (2024): "La influencia predominante de las plataformas en línea y la responsabilidad contractual por los bienes y servicios subyacentes", cit., p. 69, no existe una base normativa estatal suficiente para una responsabilidad contractual de las plataformas por los bienes y servicios subyacentes.

5. OTRAS OBLIGACIONES DERIVADAS DEL SERVICIO DE CONTRATACIÓN

Una vez concreadas las obligaciones de información y transparencia previstas en la legislación y los supuestos en los que puede nacer la responsabilidad contractual de la plataforma, conviene, por último, hacer mención a las obligaciones que tiene en relación con el propio servicio que se ofrece. En nuestra opinión, de la actividad de intermediación consistente en permitir la celebración de contratos entre empresarios y consumidores, nacen unas obligaciones accesorias del servicio principal, de acuerdo con la diligencia debida y la buena fe (art. 1258 CC). No debemos olvidar que el prestador de la plataforma se enriquece a través de esta actividad, bien exigiendo una contraprestación dineraria a sus destinatarios (oferente o demandante de los productos o servicios), bien usando los datos personales de sus clientes para realizar labores de promoción o publicidad. En efecto, las obligaciones y la responsabilidad de la plataforma han de exigirse teniendo en cuenta que la otra parte realiza una prestación dineraria o de otra naturaleza. Asimismo, como se ha puesto de manifiesto, estas prestadoras intermediarias tienen en muchos casos, una influencia predominante en el contrato subyacente que se celebra a través de las mismas y que puede ser advertida por el consumidor de acuerdo con los parámetros establecidos en el art. 20 de la Ley Modelo de la ELI. Esta apariencia de dominio o control sobre el comerciante que ofrece el bien o servicio determina, igualmente, el nacimiento de una serie de obligaciones de acuerdo con la apariencia creada. De acuerdo con esto, podemos concretar estas obligaciones en las siguientes.

En primer lugar, deberá facilitar la información postcontractual pertinente y las herramientas para permitir el contacto entre los contratantes y, en su caso, los instrumentos que permitan una reclamación frente al comerciante. Al fin y al cabo, la actividad de intermediación no puede quedar circunscrita al proceso de contratación si no que, en atención a la buena fe contractual, debe ampliarse también al momento de ejecución del contrato. En esta línea, la plataforma no solo debe garantizar que su interfaz esté diseñada de manera que los comerciantes puedan proporcionar la información exigida en la legislación (señaladamente, información sobre su identidad, los aspectos esenciales del contrato, las condiciones generales, derecho de desistimiento, etc.) según el art. 31 RSD. Además, deberá seguir desplegando también su actividad de intermediación en la fase de ejecución del mismo, informando al consumidor de los derechos que le asisten y de las herramientas que tiene a su disposición para garantizar la buena ejecución del contrato.

En segundo lugar, en caso de que exista un conflicto entre las partes, el prestador de plataforma deberá realizar igualmente una labor de intermediación de forma que asista al consumidor en el ejercicio de los derechos y/o remedios previstos en la legislación. A tal fin, deberá disponer de las herramientas en línea necesarias para permitir la comunicación entre las partes, realizando igualmente una labor de mediación consistente en informarse sobre el conflicto y, en atención al mismo, informar a las partes sobre sus derechos y obligaciones en relación al mismo.

En definitiva, la labor de intermediación realizada como actividad económica, de forma que los destinatarios también realizan una prestación (dineraria o de otro tipo) a favor de la plataforma, determina, conforme a la buena fe contractual y a la diligencia exigible, que esta asume igualmente unas obligaciones accesorias a la principal dirigidas fundamentalmente a asistir al consumidor en todo el proceso de contratación (formación y ejecución), a mediar en los conflictos intentado buscar una solución e informar a las partes de sus derechos y obligaciones derivados del contrato.

6. CONCLUSIONES

La nueva forma de contratación a través de plataformas intermediarias en línea ha supuesto, sin duda, un cambio sustancial en el comercio electrónico. Estas plataformas generan un nuevo mercado al que acuden los consumidores para aprovechar las múltiples ventajas que ofrecen como son, entre otras, las herramientas de búsqueda de bienes o servicios de forma muy precisa o los sistemas de valoración que permiten equilibrar la asimetría informativa existente en las relaciones de consumo. En muchas ocasiones, además, se ofrecen como intermediarias para la resolución de conflictos que pudieran surgir entre los contratantes. Precisamente, su actividad de intermediación en la contratación genera nuevos desafíos e interrogantes, algunos de ellos ya previstos en la legislación para darles una respuesta adecuada y otros, sin embargo, sin una respuesta legislativa clara.

En este trabajo hemos analizado las obligaciones principales a las que están sometidas y que están dirigidas esencialmente, a garantizar que el contratante (especialmente si se trata de un consumidor), conozca exactamente con quién contrata, cuáles son sus derechos y obligaciones y el papel de la plataforma en relación con el contrato celebrado. Así, el RSD determina la obligación de realizar la trazabilidad de los comerciantes en virtud de la cual la plataforma debe obtener determinada información del oferente profesional antes de permitirle promocionar mensajes u ofrecer productos o servicios a los consumidores. Asimismo, el diseño de la plataforma ha de garantizar que los comerciantes puedan cumplir con sus obligaciones en relación con la información precontractual, la conformidad y la información de seguridad del producto. Por su parte, el art. 97 bis TRLGDCU regula el deber de información precontractual de estas plataformas (mercados en línea), dirigido fundamentalmente a que el contratante conozca la legislación aplicable al contrato y las garantías y responsabilidad de la propia plataforma, esto es, el papel que asume la misma en relación con el contrato celebrado.

Asimismo, se ha analizado el art. 6.3 RSD que regula una excepción al sistema de exención de responsabilidad regulado para los prestadores de servicios de alojamiento. En base a la misma, se ha concretado el supuesto en el que la plataforma puede ser declarada responsable por el incumplimiento del contrato subyacente.

En primer lugar, el precepto hace referencia a la responsabilidad que, en materia de protección de consumidores, derive de la transacción. Se trata, por tanto, de una excepción cuyo ámbito de aplicación se circunscribe a la contratación de consumo. En segundo lugar, la responsabilidad surgiría, en su caso, como consecuencia del diseño de la propia plataforma, de manera que pueda inducir a un consumidor medio a creer que la información, o el producto o servicio que sea el objeto de la transacción, se proporciona por esta o bajo su autoridad o control. Se trata, pues, de que la presentación realizada pueda inducir al consumidor a pensar que está contratando directamente con la plataforma. Se induce así a un error, valorado desde un punto de vista objetivo, que sirve de fundamento para que nazca la responsabilidad contractual de la plataforma. Además de estos elementos, deberá existir un incumplimiento del contrato subyacente de forma que o bien no se ha realizado la prestación o se ha realizado de una forma no conforme con el contrato. Por último, hemos concretado el alcance que, por regla general, tendrá la responsabilidad contractual de la plataforma teniendo en cuenta que serán inexigibles a esta algunos remedios previstos en la legislación (señaladamente, la puesta en conformidad y la sustitución de la prestación).

Por último, hemos concretado las obligaciones accesorias a las que quedan sometidas estas plataformas derivadas de la buena fe y la diligencia exigible, teniendo en cuenta que estas tienen una influencia predominante en el contrato y así es percibida por el consumidor que puede, atención a esta, exigir estas prestaciones accesorias. Son, fundamentalmente, facilitar la información postcontractual pertinente y las herramientas para permitir el contacto entre los contratantes y, en su caso, los instrumentos que permitan una reclamación frente al comerciante,

En definitiva, la regulación actual de las plataformas intermediarias en línea va dirigida, esencialmente, a garantizar la transparencia durante el procedimiento de contratación. La responsabilidad contractual de la misma puede ser construida a partir del art. 6.3 RSD. Por su parte, los deberes y prestaciones accesorias a las que quedan sometidas están directamente relacionadas con la influencia predominante que tiene sobre el contrato subyacente, y se fundamentan en la buena fe contractual (art. 1258 CC).

En definitiva, además de las obligaciones de transparencia e información precontractual reguladas en el RSD y el TRLGDCU, la apariencia creada por la propia plataforma desde un punto de vista objetivo y su influencia predominante en el contrato celebrado determinará el nacimiento de obligaciones accesorias y, en determinados casos, la responsabilidad contractual de la misma en caso de incumplimiento del contrato subyacente.

7. REFERENCIAS BIBLIOGRÁFICAS

Bech Serrat, J.M (2024): "La influencia predominante de las plataformas en línea y la responsabilidad contractual por los bienes y servicios subyacentes", Indret, (2).

Campuzano Tomé, H (2024): "El nuevo escenario que plantea la contratación en línea a través de plataformas intermediarias en el Derecho contractual europeo", en Estudios de derecho contractual Europeo: nuevos problemas, nuevas reglas, Aranzadi.

Cuena Casas, M (2020): "La contratación a través de plataformas intermediarias en línea", Cuadernos de Derecho Transaccional, (Volumen 12).

Fernández García de la Yedra, A. (2021): "Cambios normativos en torno a la responsabilidad de las plataformas electrónicas de intermediación", en Plataformas digitales: Aspectos jurídicos, Aranzadi.

Valpuesta Gastaminza, E (2025): "Las plataformas creadoras de mercado como "falsas plataformas intermediarias" y responsables de los productos o servicios que ofrecen", Cuadernos de Derecho Transaccional, (Volumen 17